消费性服务业新阶段
发展实践与改革创新

王　微　王　青　刘　涛　等著

中国发展出版社
CHINA DEVELOPMENT PRESS

图书在版编目（CIP）数据

消费性服务业新阶段：发展实践与改革创新/王微，王青，刘涛等著．—北京：中国发展出版社，2017. 10
（国务院发展研究中心研究丛书．2017／李伟主编）
ISBN 978－7－5177－0787－5

Ⅰ．①消…　Ⅱ．①王…　②王…　③刘…　Ⅲ．①服务业—经济改革—研究—中国　Ⅳ．①F719

中国版本图书馆 CIP 数据核字（2017）第 261934 号

书　　　名：消费性服务业新阶段：发展实践与改革创新
著作责任者：王微　王青　刘涛　等
出 版 发 行：中国发展出版社
（北京市西城区百万庄大街 16 号 8 层　100037）
标 准 书 号：ISBN 978－7－5177－0787－5
经　销　者：各地新华书店
印　刷　者：三河市东方印刷有限公司
开　　　本：710mm×1000mm　1/16
印　　　张：18. 5
字　　　数：222 千字
版　　　次：2017 年 12 月第 1 版
印　　　次：2017 年 12 月第 1 次印刷
定　　　价：60. 00 元
联 系 电 话：（010）68990642　68990692
购 书 热 线：（010）68990682　68990686
网 络 订 购：http：//zgfzcbs. tmall. com
网 购 电 话：（010）68990639　88333349
本 社 网 址：http：//www. develpress. com. cn
电 子 邮 件：fazhanreader@ 163. com

DRC

2017

国务院发展研究中心研究丛书

编　委　会

“消费性服务业新阶段：发展实践与改革创新”课题组

课题负责人

王　微　国务院发展研究中心市场经济研究所　所长　研究员

课题协调人

刘　涛　国务院发展研究中心市场经济研究所　研究室主任　副研究员

课题组成员

任兴洲　国务院发展研究中心市场经济研究所　研究员

王　青　国务院发展研究中心市场经济研究所　副所长　研究员

漆云兰　国务院发展研究中心市场经济研究所　研究室副主任　研究员

李　布　国务院发展研究中心市场经济研究所　研究室主任　研究员

赵　勇　国务院发展研究中心市场经济研究所　副研究员

蔡文龙　国务院发展研究中心市场经济研究所　访问研究员

黄雨婷　北京物资学院　讲师

胡国良　中安联合投资集团有限公司　博士后

王　念　中央财经大学　博士研究生

续　继　北京大学　博士研究生

总 序

全面贯彻落实党的十九大精神，开创新时代政策咨询研究工作新局面

李伟

2017年10月，举世瞩目的中国共产党第十九次全国代表大会胜利召开。这是在全面建成小康社会决胜阶段、中国特色社会主义进入新时代的关键时期召开的一次十分重要的大会。党的十九大，作出了中国特色社会主义进入新时代、我国社会主要矛盾已转化为人民日益增长的美好生活需要和不平衡不充分的发展之间的矛盾等重大政治论断，确立了习近平新时代中国特色社会主义思想为党必须长期坚持的指导思想，提出了新时代中国特色社会主义的基本方略，确定了决胜全面建成小康社会、开启全面建设社会主义现代化国家新征途的目标。

党的十八大以来的五年，以习近平同志为核心的党中央以巨大的政治勇气和强烈的责任担当，提出一系列新理念新思想新战略，出台了一系列重大方针政策，推出一系列重大举措，推进一系列重大工作，推动党和国家事业发生历史性变革。如在宏观经济政策领域，面对近些年我国经济在增速、结构、动力等方面发生的深刻变化，五年来，以习近平同志为核心的党中央准确把握全球经济发展

大势和中国经济发展变化，不断创新宏观调控方式，形成了作出经济进入新常态重大判断、以新发展理念为指导、以供给侧结构性改革为主线、以稳中求进为工作方法论的宏观经济政策框架。具体而言，这个政策框架有以下几个鲜明特点：

其一，作出了新常态这一重大判断。从速度层面看，经济增长速度从高速增长转为中高速增长，经济发展的质量和内涵发生质的变化；从结构层面看，经济结构发生全面深刻变化，不断优化升级；从动力层面看，经济发展从要素驱动、投资驱动转向创新驱动。认识、把握、引领新常态是当前和今后一个时期做好经济工作的大逻辑。

其二，确立了新发展理念这一指导思想。创新、协调、绿色、开放、共享五大发展理念为经济社会发展提供了战略指引，是关系我国发展全局的一场深刻变革，攸关“十三五”乃至更长时期我国发展思路、发展方式和发展着力点。

其三，明确了推进供给侧结构性改革这一工作主线。供给侧结构性改革的最终目的是满足需求，主攻方向是提高供给质量，根本途径是深化改革，这是解决我国发展面临的突出问题与挑战的必由之路。

其四，确定了稳中求进这一工作方法论。坚持稳中求进工作总基调，并将之上升为治国理政的重要原则和经济工作的方法论，这是对经济工作思想方法作出的重大调整。强调要保持战略定力，在实践中转变急于求成的思想观念和操之过急的工作方法，推动经济转向平稳健康持续发展的轨道。

从五年来的实践成效看，在这一政策框架指导下，我国经济在经历多年调整后，趋势性下行的空间明显收窄，正在逐步迈入中高速增长阶段。特别是自2016年下半年开始，我国经济运行出现了一些积极变化，企稳基础有所增强，国际环境的有利因素也在增多，我国经济转型有望从“降速”阶段转向“提质”阶段。2017年前三季度基本延续了这一态势，经济增速达到6.9%，总体保持平稳，结构不断优化，经济发展的稳定性、协调性和可持续性增强，稳中有进、稳中向好的态势持续发展。

党的十九大对新时代推进中国特色社会主义伟大事业作出了全面部署，对开启全面建设社会主义现代化国家新征程作出战略安排，明确提出全面建成小康社会、实现第一个百年奋斗目标，又要乘势而上开启全面建设社会主义现代化国家新征程，向第二个百年奋斗目标进军。从2020年到本世纪中叶，分两个阶段安排：第一个阶段，从2020年到2035年，在全面建成小康社会的基础上，再奋斗十五年，基本实现社会主义现代化；第二个阶段，从2035年到本世纪中叶，在基本实现现代化的基础上，再奋斗十五年，把我国建成富强民主文明和谐美丽的社会主义现代化强国。这一系列战略部署为包括国务院发展研究中心在内的各类智库发挥作用提供了前所未有的广阔空间，如：社会主要矛盾所指的发展不平衡不充分的具体表现在哪些方面？本世纪中叶建成社会主义现代化强国的具体内涵和指标有哪些？现代化经济体系科学内涵是什么？如何实施乡村振兴战略？全面建设社会主义现代化国家新征程中将面临哪些风险和挑战？等等。这些重大问题，都需要智库加强前瞻性研究，提供切实可行、管用的决策咨询建议。

党的十九大指出，深化马克思主义理论研究和建设，加快构建中国特色社会科学，加强中国特色新型智库建设。智库建设的内容首次写进党的代表大会报告，令人振奋。这既为国务院发展研究中心建设国际一流高端智库提供了重大机遇，也为我们履行政策研究、政策评估、政策解读和国际交流合作“四位一体”的职能提出了更高要求。国务院发展研究中心将全面贯彻落实党的十九大精神，贯彻习近平总书记2013年4月15日关于智库建设的重要批示和中央关于智库建设的总体部署，加快落实国务院已批复的《国务院发展研究中心国家高端智库建设试点方案》，全面实施质量提升、人才优化、国际交流合作、成果传播、支撑保障和党的建设等六大工程，建立健全党的建设、人才使用与激励、研究质量保障和成果创新、经费使用和管理、成果转化和传播、研究支撑、国际交流合作、统筹利用社会资源等八个方面的体制机制，加快建设国际一流高端智库，力争到2020年进入高质量服务中央决策的政策支持力强、社会影响力大、国内领先、国际一流高端智库前列。

国务院发展研究中心将把深入学习宣传和全面贯彻落实党的十九大精神作为当前和今后一段时期的首要政治任务。作为服务党中央、国务院的政策咨询研究机构，我们将牢牢把握为中央决策服务的根本方向，以习近平新时代中国特色社会主义思想为指导，坚持马克思主义立场观点方法，坚持以人民为中心的发展思想，紧紧围绕十九大作出的“贯彻新发展理念，建设现代化经济体系”“加快建设创新型国家”“实施乡村振兴战略”“实施区域协调发展战略”“加快完善社会主义市场经济体制”“提高保障和改善民生水平，加强和创新社会治理”“加快生态文明体制改革，建设美丽中国”等一系列重大决策部署，坚持问题导向，精心选题，主动加强新时代中国特色社会主义有关经济建设、社会建设、生态文明建设的全局性、战略性、前瞻性、长期性以及热点、难点问题研究，大兴调查研究之风，不断形成一大批具有较高政策价值和较大社会影响力的研究成果，为中央科学决策提供有力的智力支持，努力开创新时代政策咨询研究的新局面。

“国务院发展研究中心研究丛书”是我们每年主要研究成果的集中呈现，自2010年面世至今，已经连续出版八年。今年这套丛书成书共包括15部著作，其中：《迈向高质量发展：战略与对策》《构建“一带一路”设施联通大网络》《打好风险攻坚战：思路与对策》等3部著作是国务院发展研究中心的重大研究课题报告；《协同：促进区域经济增长的新路径》《构建竞争力导向的农业政策体系》等9部著作，是各研究部（所）的重点研究课题报告；另3部著作是青年研究人员的优秀招标研究课题报告。

最后，对于多年来中央和地方各级领导同志给予我们的肯定和鼓励，以及社会各界读者的认可和厚爱，我们深怀感恩，并表示由衷的谢意。同时，我们也深知不足，诚恳希望各级领导、专家、学者和广大读者继续给予关心、支持和帮助，对这套丛书以及我们的工作多加批评指正，促使我们以更加振奋的精神和昂扬的姿态为推进国家治理体系和治理能力现代化、决胜全面建成小康社会、夺取新时代中国特色社会主义伟大胜利、实现中华民族伟大复兴的中国梦而不懈奋斗。

2017年11月

（作者为国务院发展研究中心主任、研究员）

内容摘要

当前，我国经济发展进入新常态，经济结构调整和动力转换加快，更多呈现出依靠消费引领、服务业驱动的新特征。加快消费性服务业创新转型，有利于为深化供给侧结构性改革做出新探索，对于增进民生福祉、促进服务业结构升级、培育增长新动能、提升新型城镇化质量、拓展服务业开放新领域具有重要意义。

消费性服务业是指满足人们多样化、多层次服务消费需求的行业，主要包括居民和家庭服务、零售服务、住宿餐饮服务、文化娱乐服务、体育服务、健康服务、养老服务、教育培训服务、旅游服务、出行服务、住房服务等行业。

国际经验表明，从中等收入向高收入阶段迈进的过程中，先发国家和地区服务消费快速增长是消费结构显著升级的主要特征，服务消费占整个消费支出的比重随人均GDP的增长持续快速上升，并实现对商品消费的历史超越。服务消费快速增长成为拉动服务业发展的重要动力，服务消费比重超过商品消费比重之时，也是服务业增加值占比达到60%左右的高位水平、形成以服务业为主导的经济发展格局的关键节点。更重要的是，这一阶段服务消费的结构发生重大变化，中等收入群体成为支撑服务消费增长的主力，文化娱乐、体育健康、医疗养老、教育培训、旅游休闲等发展享受型服务消费快速增长，这也使得消费性服务业成为迈向高收入过程中服务业结构调整升级的重要动力。

从我国来看，在居民消费不断升级和服务消费快速增长的拉动下，消费性服务业规模持续扩大，新兴业态快速成长，线上线下加速融合，中等收入群体、老年人、新生代年轻人成为支撑消费性服务业快速发展的重要力量，大型中心城市消费性服务业集聚优势日益显现。但也要看到，与先发国家和地区相同发展阶段相比，我国消费性服务业发展水平较为落后，满足旺盛需求的服务供给不足、质量不高，相关基础设施存在短板，人才和资本等要素保障不充分。这些问题很大程度上是受制于现有体制机制，特别是一些领域准入限制仍较为严格，监管理念及体制政策不适应新形势需要，开放水平还有较大提升空间，相关法律法规、标准体系、配套制度不完善等，迫切需要通过深化改革和开放创新，协同促进服务业发展和消费升级。

根据我国服务消费发展的新趋势和新要求，结合发达国家消费性服务业创新发展的政策经验，促进我国消费性服务业创新转型应按照“增供给、补短板、优环境、促改革、建示范”的思路，深入推进供给侧结构性改革，加快体制机制创新探索，从而有效释放消费性服务业发展活力，提升供给水平和质量，为新常态下经济社会的持续健康发展提供新动能。

为此，一是大力发展新兴消费性服务行业，促进消费性服务领域互动融合，多途径培育消费性服务业新增长点；二是继续加强交通基础设施建设，提升信息基础设施水平，推动城市公共服务设施及商业服务载体建设；三是加快消费性服务业标准化建设和诚信体系建设，优化大型中心城市消费的国际化环境；四是深化负面清单改革，促进公平竞争，建立统一高效、开放包容、多元共治的监管体系，推动消费性服务业高水平的双向开放，完善有利于消费性服务业创新的人才、财税和金融政策；五是支持有条件的地区和典型行业加强开放综合试点，探索开展国际消费中心建设，围绕体制机制、政策体系、发展载体建设等方面大胆探索、先行先试，在取得经验的基础上逐步复制推广。

目录

总报告

推动消费性服务业创新转型的供给侧结构性改革研究

导言 / 1

一、我国消费性服务业加快创新转型的重大意义 / 2

二、达到中等收入水平以后消费性服务业发展的共性特征与政策经验 / 8

三、我国消费性服务业发展的现状和趋势 / 20

四、我国消费性服务业发展差距、存在问题及体制机制障碍 / 31

五、我国消费性服务业创新转型的供给侧结构性改革思路与建议 / 43

专题报告一

我国消费性服务业发展现状及存在问题分析

一、消费性服务业的内涵和分类 / 51

二、我国消费性服务业的发展现状 / 53

三、当前我国消费性服务业发展中的突出问题 / 59

四、制约我国消费性服务业发展的主要障碍 / 64

专题报告二

餐饮业创新转型的供给侧结构性改革探索与实践

一、我国餐饮业发展的现状和主要特点 / 70

二、我国餐饮业供给侧创新转型的主要实践 / 79

三、我国餐饮业创新转型中存在的问题及制约因素 / 93
四、促进我国餐饮业创新转型的政策建议 / 98

专题报告三

旅游业供给侧创新发展的政策研究

一、我国旅游服务消费和旅游业发展的现状 / 102
二、我国旅游业供给侧创新转型的探索与实践 / 111
三、我国旅游业创新发展存在的突出问题及成因 / 115
四、促进我国旅游业创新发展的政策建议 / 123

专题报告四

零售业转型创新趋势及对居民消费升级的影响

一、近年来我国零售业转型创新的主要趋势 / 127
二、我国零售业转型创新对居民消费升级的影响 / 135
三、当前我国零售业转型创新存在的突出问题 / 142
四、政策建议 / 146

专题报告五

互联网个人金融服务创新的进展、问题和建议

一、我国互联网个人金融服务发展的背景和动因 / 148
二、我国互联网个人金融服务创新的主要进展和特点 / 150
三、我国互联网个人金融服务创新对消费发展的影响 / 154
四、当前我国互联网个人金融服务创新存在的突出问题 / 159
五、政策建议 / 163

专题报告六

国际消费中心建设与大型城市消费发展

一、国际消费中心的内涵和特征 / 166

二、国际消费中心的形成条件与发展趋势 / 168
三、新时期我国建设国际消费中心的必要性和迫切性 / 172
四、我国建设国际消费中心的基础条件 / 174
五、我国建设国际消费中心亟待破解的问题和障碍 / 176
六、我国建设国际消费中心的思路与政策建议 / 179

专题报告七

美国服务消费的增长与消费性服务业创新发展的经验

一、美国服务消费变化的基本情况和特点 / 187
二、美国消费升级过程中消费性服务业的发展情况 / 194
三、美国消费性服务业发展的驱动因素 / 200
四、美国促进消费性服务业创新发展的政策措施 / 203
五、启示和借鉴 / 207

专题报告八

日本服务消费的增长与消费性服务业创新发展的经验

一、日本服务消费变化的基本情况 / 211
二、日本消费升级过程中消费性服务业的发展特点 / 215
三、日本促进消费性服务业创新发展的主要措施 / 216
四、启示和借鉴 / 220

专题报告九

加拿大服务消费的增长与消费性服务业创新发展的经验

一、加拿大居民消费升级的基本情况 / 223
二、加拿大消费升级过程中消费性服务业的发展现状 / 226
三、加拿大促进消费性服务业创新发展的主要措施 / 231
四、经验和启示 / 235

附录一

培育发展国际消费中心的思路与建议

一、培育发展国际消费中心意义重大 /237
二、培育发展国际消费中心亟待推进供给侧结构性改革 /238
三、培育发展国际消费中心的思路与政策建议 /239

附录二

服务业创新发展大纲（2017～2025年）

一、背景情况 /242
二、总体要求 /245
三、创新引领，增强服务业发展动能 /247
四、转型升级，优化服务供给结构 /251
五、促进融合，构建产业协同发展体系 /256
六、提升质量，推动服务业优质高效发展 /259
七、彰显特色，优化服务业空间布局 /262
八、深化改革，创建服务业发展良好环境 /265
九、扩大开放，培育服务业国际竞争新优势 /269
十、夯实基础，强化服务业发展支撑 /273

总报告

推动消费性服务业创新转型的供给侧结构性改革研究

导　言

消费性服务业是指满足人们多样化、多层次服务消费需求的行业，也称生活性服务业①，它与生产性服务业、政府服务业共同构成了整个服务业。消费性服务业涵盖的行业范围非常广，主要包括居民和家庭服务、零售服务、住宿餐饮服务、文化娱乐服务、体育服务、健康服务、养老服务、教育培训服务、旅游服务、出行服务、住房服务等行业。

当前，我国经济发展进入新常态，推进供给侧结构性改革，是党中央在综合分析国内外发展环境变化，结合经济发展的阶段性特征和主要问题提出的治本之策。供给侧结构性改革的根本目的是，提高社会生产力水平，落实好以人民为中心的发展思想，使我国供给能力更

① 从相关服务业的研究文献看，主要是采用消费性服务业的概念，而在国家五年规划和相关文件中，更多是使用生活性服务业的概念。

好满足广大人民日益增长、不断升级的物质文化需要[①]。其本质要求是深化改革，即通过改革创新，形成一整套有效推进供给结构调整升级的体制机制和政策框架，以减少无效供给，扩大有效供给，提高供给结构对需求结构的适应性，从而促进实体经济健康发展，培育壮大增长新动能，全面释放经济社会活力，推动新常态下经济社会持续健康发展。因此，供给侧结构性改革是适应和引领新常态，加快结构调整升级，更好地满足我国城乡居民服务消费快速增长，着力推动消费性服务业加快发展和创新转型的根本途径和必然选择。

近年来，我国经济发展更多呈现出依靠消费引领、服务业驱动的新特点。随着居民消费结构的不断升级和服务消费需求的快速增长，我国消费性服务业有效供给不足、质量水平不高、供求结构失衡等问题日益凸显，迫切需要深化供给侧结构性改革，以“增供给、补短板、优环境、促改革、建示范”为着力点，加快体制机制创新探索，协同促进产业发展和消费升级，为新常态下产业转型发展、增进民生福祉提供新动能。

一、我国消费性服务业加快创新转型的重大意义

当前，我国经济发展进入新常态，加快消费性服务业创新转型意义重大，不仅有利于主动适应和引领新常态，更好满足城乡居民消费升级、提高生活品质的新要求，还有利于培育经济增长新动能，提升新型城镇化质量，拓展服务业开放的新领域，并为深化供给侧结构性改革做出新探索。

---

① 习近平：“在省部级主要领导干部学习贯彻党的十八届五中全会精神专题研讨班上的讲话”，载《人民日报》，2016年5月10日。

（一）主动适应和引领经济新常态的内在要求

从“十二五”中期开始，我国经济发展进入新常态，其本质特征是经济增长动力的转换，突出表现是经济从高速增长向中高速增长过渡，经济结构深刻调整，经济发展方式发生重要转变。一方面，由于世界经济持续低迷和国内部分行业产能过剩，使得我国长期以投资、出口为主要驱动力的传统发展方式难以为继，加快转变经济发展方式、推进经济结构战略性调整已势在必行。另一方面，着力形成消费主导、服务业驱动经济增长的新发展方式，是实现国民经济稳中有进的关键。近年来，我国消费和服务业快速发展，已成为保持经济中高速平稳增长的主要动力。2016 年，消费对 GDP 增长的贡献率达到 64.6%，连续 3 年稳步上升，服务业增加值占到 GDP 的 51.6%，对 GDP 增长的贡献率为 58.2%，连续 6 年递增（见图 1）。作为服务业的重要组成部分，我国消费性服务业发展仍较为落后，进一步加快其创新转型，是增强消费和服务业的经济主引擎作用的重要抓手，是适应和引领经济新常态的内在要求。

（二）更好地满足城乡居民消费升级和提高生活品质的新要求

2016 年，我国人均 GDP 超过 11000 国际元[①]，从典型工业化国家和地区的消费变化趋势看，此时正是消费结构显著升级的重要阶段。2016 年，我国居民恩格尔系数为 30.1%，比 2013 年下降了 1.1 个百分点[②]，居民对服务的消费不断增长，服务消费占整个消费支出的比重接近 40%。其中，交通通信、教育文化娱乐、医疗保健等消费支出的比重分别为 13.7%、11.2% 和 7.6%，比 2013 年分别提高 1.4、0.6 和 0.7 个百分点（见图 2）。从消费群体结构来看，伴随“80 后”“90

① 文中所指的国际元均为麦迪森 1990 年国际元。

② 国家统计局自 2013 年开始发布城乡住户调查一体化数据。

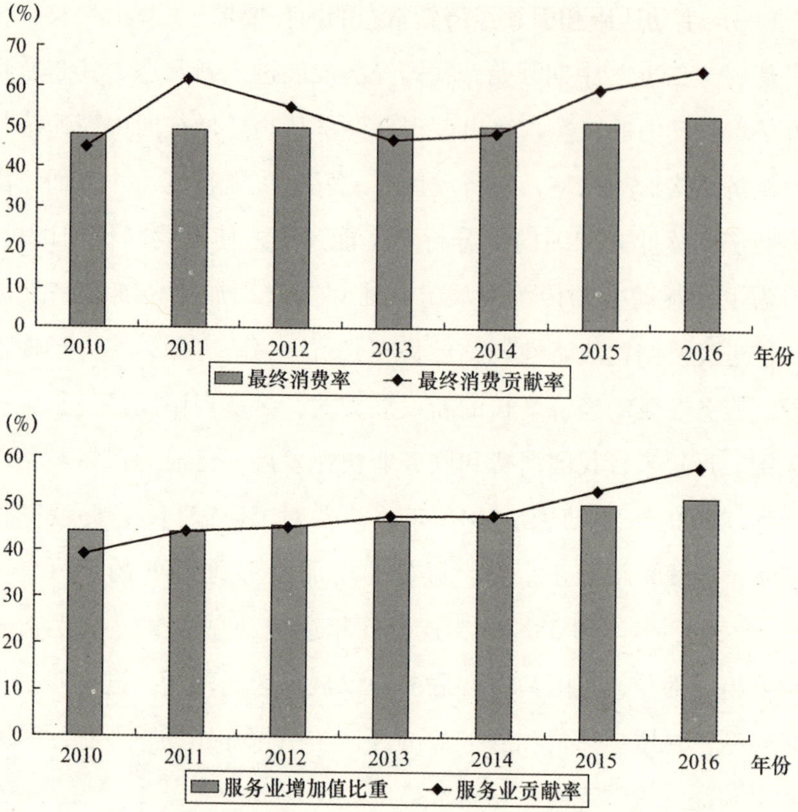

图1　2010～2016年我国消费率、服务业增加值比重及对GDP增长的贡献率

资料来源：《中国统计年鉴2017》。

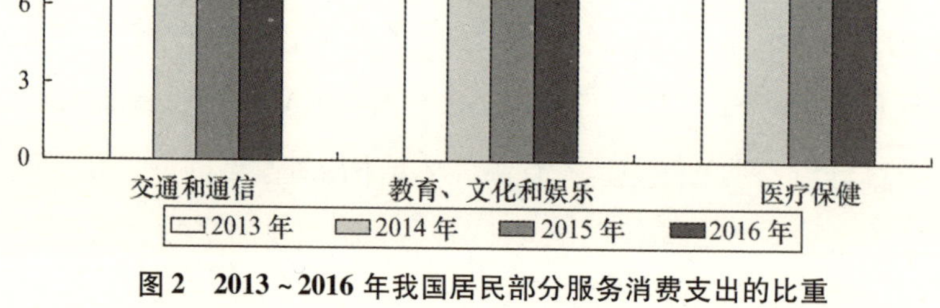

图2　2013～2016年我国居民部分服务消费支出的比重

资料来源：国家统计局。

后”“00后”等新生代年轻人开始成为主力消费群，我国消费结构进一步呈现多元化格局。同时，随着人口老龄化进程的加快和“二孩”政策的落实，“银发”群体和“母婴”群体的服务消费需求出现持续增长趋势。另外，目前我国中等收入群体已达到3亿多人[①]，其消费能力和水平上升更快。面对居民消费结构的快速升级，迫切要求适应市场需求，加快消费性服务业结构调整和转型升级，增强供给能力；多元化的消费结构也迫切要求消费性服务业提升服务品质，创新服务模式和服务手段，为消费者提供更好的服务供给。

（三）为服务领域深化供给侧结构性改革做出新探索

近5年来，我国服务业实现了跨跃式发展。2012年，服务业增加值占GDP比重达到45.3%，首次超过第二产业，成为三次产业中规模最大的产业；2015年，服务业增加值比重达到50.2%，高出第二产业9.3个百分点，擎起国民经济的半壁江山；2016年，服务业增加值比重又上升至51.6%。“十二五”期间，我国服务业法人单位数量年均增长14.1%，占全部法人总数的70.7%。与此同时，我国服务业内部结构也发生明显变化，生产性服务业增加值比重不断上升，消费性服务业发展呈现诸多新特点。特别是适应消费升级的住宿、餐饮、娱乐、家庭服务、旅游、文化、体育、健康、养老、教育等行业快速发展。但总体来看，与日益增长和不断升级的消费需求相比，我国消费性服务业的有效供给不足，质量水平不高，服务模式和业态形式亟待创新

---

① 中等收入群体是指一个国家中生活较为宽裕、收入达到一定水平的人群。目前，对中等收入群体的判断标准并不一致，使用较多的是Homi Kharas（2010年）提出的“家庭人均每天支出10～100美元”的标准，该标准的下限是两个贫困线最低的发达国家（葡萄牙、意大利）的平均贫困线，上限为最富裕的发达国家（卢森堡）收入中位数的2倍，由此排除了低收入发达国家中的穷人和高收入发达国家中的富人。

和提升。因此，要通过推进供给侧结构性改革，调整消费性服务业供给结构，扩大有效和中高端供给；要借助互联网、大数据、物联网等现代信息技术手段，补上发展短板，创新服务模式和业态形式，培育新的市场主体，搭建新的服务平台和载体，提高劳动生产率，从而加快消费性服务业向精细化和高品质转变，实现优质高效发展。

（四）有利于培育和壮大经济增长新动能

当前，我国正处在增长动力转换的关键阶段，以往支撑经济高速增长的一些动力明显弱化，有的甚至在消失。要实现经济的持续平稳增长，培育和壮大经济新动能已迫在眉睫。实践表明，消费性服务业正是我国培育和壮大经济增长新动能的重点领域。第一，我国消费需求呈现多样化、多层次和个性化的特征，市场不断细分，服务消费比重逐步提高，市场对服务创新的要求迫切，从而最能激发市场创新活力。创业者积极应用现代信息技术，持续催生出一批批新的服务业态，例如在线教育培训、在线视听、共享出行、零售业 O2O、互联网医疗、互联网 + 旅游 + 养老等。这些创新已经超出了原有服务的边界，形成了新的服务供给。在传统消费性服务领域，创业者也能够运用新技术改进服务提供方式，提高服务水平，从而创造新的服务供给，为转型升级注入了新的动能和活力。第二，消费性服务业通过平台服务方式，集聚各类服务资源，形成内在联系的生态系统和共享模式，推动了新商业模式的发展。例如，在一些网络零售平台上聚集了丰富的服务资源，建立起共生共存共享的生态系统，为零售业发展增添了新动能。第三，消费性服务领域具有覆盖广、门类多、门槛低、市场响应快等特点，非常适合创业创新，也是吸纳劳动力就业最多的领域。

（五）为提升新型城镇化质量和促进城市经济发展提供新支撑

从国内外城市化发展的实践看，消费规模和层次与城市化水平之间呈正相关关系。一般而言，当一个国家和地区的城镇化率超过55%时，城镇居民消费将出现加速增长态势（见图3）。2016年，我国城镇化率为57.4%，到2020年将超过60%，这表明我国消费的总体规模已经进入加快增长的阶段。一方面，新型城镇化将推动更多农村人口向城镇转移，向“市民化”转变。这一进程不仅能够提高“新市民”的收入水平，而且会促使新市民的消费观念变化和消费结构升级，释放出巨大的服务消费潜能。另一方面，新型城镇化的推进，将加快城镇基础设施的建设和升级，为居民消费增长提供更为完善、便利的设施条件，从而有利于全面提升城镇化质量，并为城市经济发展提供有力支撑。

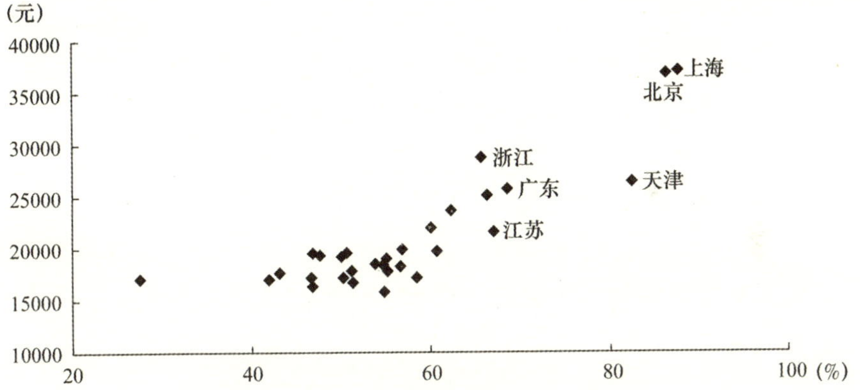

图3　我国城镇化率与人均消费支出的关系

资料来源：国务院发展研究中心市场经济研究所。

（六）有利于构建更高水平开放型经济和拓展服务业开放新领域

扩大服务业对外开放，特别是消费性服务业的开放，是新时期构建更高水平开放型经济的基本要求。一方面，我国服务消费规模增长和消费结构升级，正在倒逼我国服务领域深化开放。近年来，我国服务业的开放步伐有所加快，旅游休闲、体育健身等领域都已不同程度对外资开放，一定程度上促进了我国消费性服务业的市场竞争和供给能力提升，但尚未满足我国城乡居民对高水平服务消费的需求。在旅游、教育等领域，迫切需要进一步加快开放。另一方面，消费市场全球化，需要我国加快提升消费性服务业的竞争力。随着经济全球化不断深化，消费市场的全球化趋势日益显现。发达国家依托发达的消费性服务业和国际大都市，形成了一批具有相当规模、各具特色和强大吸引力的国际消费中心，不仅成为全球领先的消费市场，而且成为引领和带动全球消费创新的风向标，并为本国乃至全球消费持续较快增长注入巨大动能。据统计，全球 140 个主要消费城市仅拥有全世界 13% 的人口，但消费支出额、GDP 占到了全球的 33% 和 36%。因此，加快消费性服务业开放，提升国际竞争力，打造服务业发展新优势，十分迫切且必要。

二、达到中等收入水平以后消费性服务业发展的共性特征与政策经验

根据美国、法国、加拿大、日本、韩国以及中国台湾六个国家和地区的“典型化事实”，当经济发展进入到中等收入水平之后，消费性服务业发展具有诸多共性特征。同时，这些国家和地区为适应消费升级、促进消费性服务业创新发展也有不少值得借鉴的政策经验。

（一）达到中等收入水平以后消费性服务业发展的共性特征

1. 服务消费比重随人均 GDP 的增长持续上升

从六个典型工业化国家和地区的发展历程看，服务消费占整个消

费支出的比重呈逐步上升趋势。其中，美国的服务消费比重在所考察的国家和地区中保持着最高水平。2016 年，美国的服务消费比重达到 67.9%，法国的服务消费比重在 60% 以上，加拿大、日本、韩国以及中国台湾的服务消费比重也都超过了 52%（见图 4）。

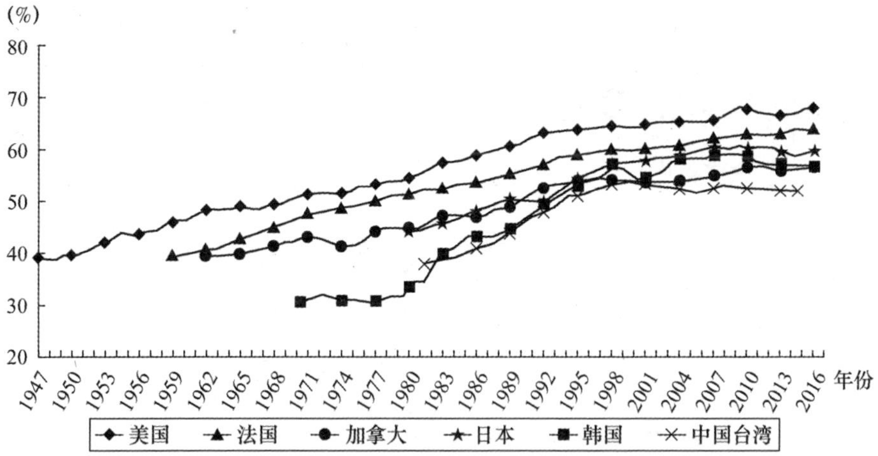

图 4　典型工业化国家和地区的服务消费比重

资料来源：CEIC 数据库、Wind 数据库、法国统计局。

从不同发展阶段比较来看，进入中等收入阶段后，服务消费比重随人均 GDP 的增长呈较快上升趋势。当人均 GDP 为 11000 国际元左右（即中国 2015 年的水平）时，美国、法国的服务消费比重分别为 45.6% 和 46.8%，加拿大的服务消费比重为 40.6%，韩国的服务消费比重为 52.4%，中国台湾的服务消费比重为 47.9%。当人均 GDP 达到 15000 国际元时，六个国家和地区的服务消费比重明显提高，美国为 49.6%，日本为 47%，加拿大为 44.3%，法国、韩国、中国台湾均突破了 50%，分别为 51.8%、54.7% 和 53.2%。此后，这些国家和地区的服务消费比重仍保持较快上升。当人均 GDP 超过 20000 国际元、进入到高收入发展阶段时，服务消费比重的上升势头有所减缓。其中，美国在此后的 30 多年仅提高了 10.5 个百分点，法国、加拿大、日本在后面的20年左右提升幅度只有2.4~4.4个百分点，韩国、中国台湾在之后的10年则基本稳定（见图5）。

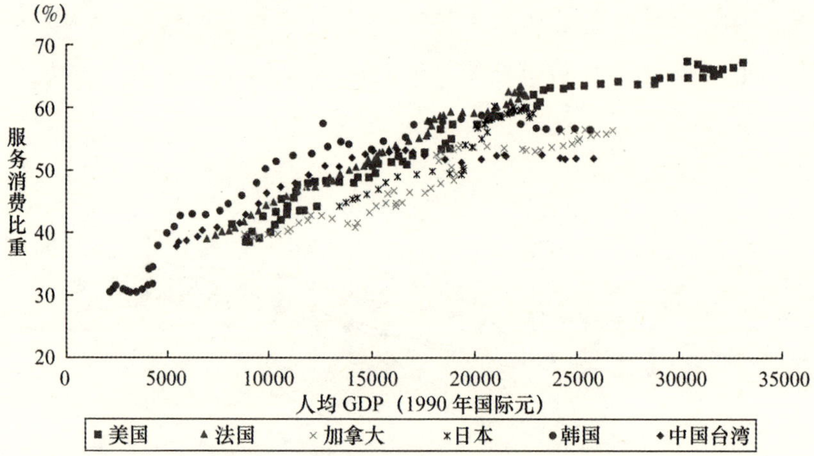

图5　人均GDP与服务消费比重的关系

资料来源：国务院发展研究中心经济增长数据库、荷兰格罗宁根增长与发展中心数据库、法国统计局、CEIC数据库、Wind数据库。

2. 服务消费比重提升与服务业发展水平密切相关

服务业发展是居民消费结构升级，特别是服务消费增长的重要基础。从六个典型工业化国家和地区的发展历程看，当服务业增加值占GDP比重为50%（即中国2015年的水平）时，韩国的服务消费比重为37.6%，中国台湾的服务消费比重为43.8%。当服务业增加值占GDP比重上升到55%时，法国、加拿大的服务消费比重均为40.3%，韩国的服务消费比重为50.3%，中国台湾的服务消费比重为46.9%。当服务业增加值占GDP比重进一步达到65%时，美国的服务消费比重为49.6%，法国的服务消费比重为51%，加拿大的服务消费比重为50.5%，日本的服务消费比重为54.4%，中国台湾的服务消费比重为52.2%（见图6）。

值得注意的是，随着服务消费的增长，其占整个消费支出的比重

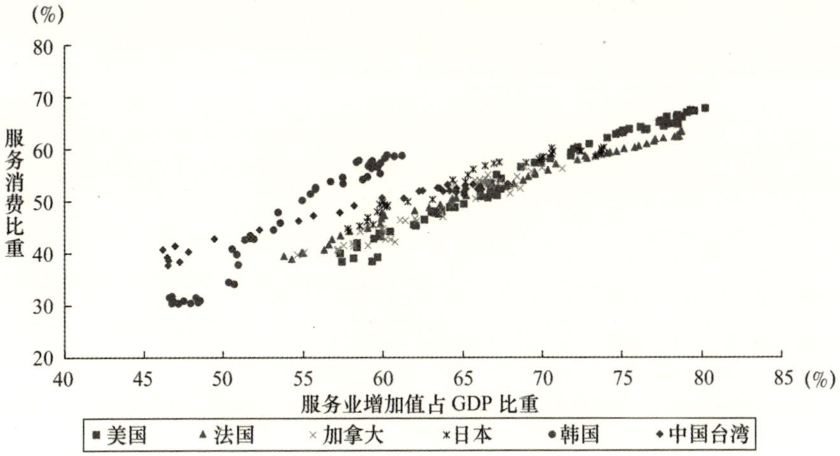

图 6　服务业增加值比重与服务消费比重的关系

资料来源：美国经济分析局、法国统计局、加拿大统计局、日本总务省统计局、CEIC 数据库、Wind 数据库。

逐渐超过了商品消费比重。通过比较典型工业化国家和地区实现这一转变的时间点可以发现：美国在 1970 年服务消费比重超过了商品消费比重，当年的服务业增加值占 GDP 比重为 66.6%；法国于 1977 年服务消费比重超过了商品消费比重，当年的服务业增加值占 GDP 比重为 64.3%；加拿大在 1990 年实现了这一转变，服务业增加值占 GDP 比重为 65.8%；日本的服务消费比重超过商品消费比重是在 1993 年，当年的服务业增加值占 GDP 比重为 63.1%；韩国于 1992 年发生了这一转变，服务业增加值占 GDP 比重为 55%；中国台湾经历这一转变是在 1994 年，服务业增加值占 GDP 比重为 60%（见表 1）。可见，当服务业增加值占 GDP 比重为 60% 左右，服务业具有较高发展水平之时，服务消费比重将超过商品消费比重，实现居民消费升级的历史跨越。

3. 中等收入群体不断壮大是服务消费增长的主导力量

当一个国家和地区经济发展进入到中等收入阶段以后，中等收入群体快速成长，规模持续壮大，在消费方面更多转向了以服务消费为

表1 服务消费比重超过商品消费比重的时间点及对应的服务业增加值比重

单位：%

国家和地区	时　间	服务消费比重	商品消费比重	服务业增加值占 GDP 比重
美　国	1970	50. 8	49. 2	66. 6
法　国	1977	50. 1	49. 9	64. 3
加拿大	1990	50. 5	49. 5	65. 8
日　本	1993	50. 4	49. 6	63. 1
韩　国	1992	50. 3	49. 7	55. 0
中国台湾	1994	50. 7	49. 3	60. 0

资料来源：美国经济分析局、法国统计局、加拿大统计局、日本总务省统计局、CEIC 数据库、Wind 数据库。

主，并且对服务体验和质量的要求不断提高，成为支撑消费特别是服务消费增长的主导力量。

从六个典型工业化国家和地区的发展历程看，中等收入群体占总人口的比重较长时间保持在 70% 以上，随着中等收入群体人数的增加及其人均消费支出的增长，服务消费比重呈现出较为明显的上升趋势。当中等收入群体年人均消费支出突破 6200 美元（即中国 2015 年的水平）时，韩国的服务消费比重为 43%，中国台湾的服务消费比重为 39. 4%。当中等收入群体年人均消费支出达到 10000 美元时，法国、日本的服务消费比重分别为 47. 4% 和 45. 4%，韩国、中国台湾的服务消费比重分别为 53. 4% 和 52%。当中等收入群体年人均消费支出超过 15000 美元时，美国、加拿大的服务消费比重均为 53. 5%，法国、日本的服务消费比重分别为 59. 4% 和 59. 5%，中国台湾的服务消费比重是 52. 1%（见图 7）。

4. 发展享受型服务消费增长成为服务消费结构调整升级的主要动力

随着居民收入的增长和需求的变化，服务消费内部结构发生了较

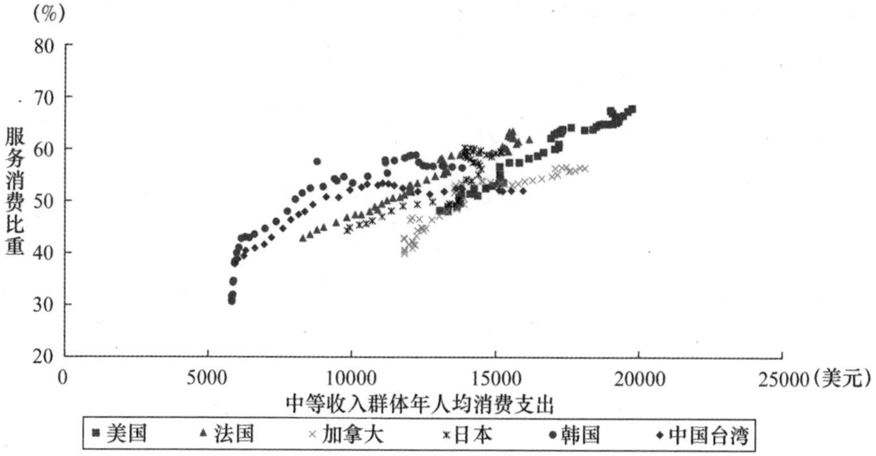

图7　中等收入群体年人均消费支出与服务消费比重的关系

资料来源：CEIC 数据库、Wind 数据库、法国统计局、BrookingsGlobalDataIndices。

大调整。从典型工业化国家和地区的服务消费变化趋势看，交通运输消费①所占比重的上升幅度有限，医疗保健、文化休闲等消费的比重大幅提高。

从美国来看，当人均 GDP 达到 11000 国际元（1959 年）时，居民交通运输消费占整个消费支出的比重为 2.7%，2016 年为 3%，仅上升了 0.3 个百分点，医疗护理消费占整个消费支出的比重则由 4.7% 大幅攀升到 2016 年的 17.2%。另外，娱乐消费占整个消费支出的比重由 1959 年的 1.9% 增加到 2016 年的 3.8%，金融保险消费占整个消费支出的比重由 1959 年的 3.9% 上升至 2016 年的 7.5%，分别提高了 2 和 3.7 个百分点。

从法国来看，当人均 GDP 达到 11000 国际元（1970 年）时，居民交通运输通信消费占整个消费支出的比重为 2.5%，2015 年为

① 与美国、法国的居民消费支出统计分类不同，日本、韩国、中国台湾的“交通运输”包括了汽车及零部件、车用燃料方面的支出。为尽可能做相同口径的比较，以美国、法国在相同发展阶段的交通运输服务支出比重作为分解系数，对这三个国家和地区的数据进行调整。

4.6%，医疗保健消费占整个消费支出的比重由5.4%增加到2015年的10.2%，大幅上升了4.8个百分点。

从加拿大来看，2015年居民交通运输消费占到整个消费支出的3.5%，与1981年[①]基本持平，而医疗保健消费占整个消费支出的比重达到4.2%，文化和娱乐消费占整个消费支出的比重为8.2%，分别比1981年上升了1.8和0.3个百分点。

从日本来看，2015年居民交通运输消费占到整个消费支出的2.8%，仅比1994年[②]提高了0.3个百分点，而医疗保健消费占整个消费支出的比重达到3.7%，比1994年上升了1.3个百分点。

从韩国来看，当人均GDP达到11000国际元（1994年）时，居民交通运输消费占整个消费支出的比重为2.5%，2016年为3.9%，医疗保健消费占整个消费支出的比重由3.8%上升到2016年的5.5%，提高了1.7个百分点，休闲和文化消费占整个消费支出的比重也由7.5%递增至2016年的8.4%。

从中国台湾来看，当人均GDP达到11000国际元（1992年）时，居民交通运输消费占整个消费支出的比重为3.4%，2016年为4.1%，休闲和文化消费占整个消费支出的比重由6.6%攀升到2015年的8.7%，提高了2.1个百分点。

5. 服务消费升级与服务业发展呈现互促共进的关系

一方面，服务消费特别是发展享受型服务消费的增长，代表消费升级的方向，能够引导投资和资源配置，有力拉动相关服务业的发展和升级，提升其在整个经济中的地位；另一方面，相关服务业的创新转型，可以扩大有效供给，增强对需求变化的适应性和灵活

① 从加拿大统计局公开渠道获得的居民消费支出分项数据仅能追溯到1981年。

② 1994年以后，日本居民消费支出的统计分类与此前存在较大的变化。

性，促进潜在需求向现实增长的有效转换，从而形成服务消费升级和服务业发展的互促共进。以医疗保健消费为例，从典型工业化国家和地区的发展历程看，医疗保健消费占整个消费支出的比重与医疗卫生行业的增加值占GDP比重关联度很高，两者基本上呈直线上升趋势（见图8）。

（二）促进消费性服务业创新转型的政策经验

服务业发展对制度环境有更高层次的需求，加快改革和促进制度环境完善是服务业加快发展的主要动力①。由于消费性服务业主要面向居民个人，其在消费过程中更加注重个性化、多样化和个人体验感受，对服务要求更高，再加上服务活动本身的高度信息不对称、事后评价等特性，决定了消费性服务业的发展不仅需要更加严谨高效的制度安排和更加公正有效的监管体系，也需要更多鼓励创新的发展环境。从发达国家的情况看，在已基本具备较为完善的市场经济制度的基础上，各国在促进消费性服务业发展方面也有许多值得借鉴的政策经验。

1. 制定合理的准入条件，扩大对内对外开放

为使消费性服务业发展能够适应消费升级的需要，发达国家非常重视适时放开市场管制，制定合理的准入条件，维持适度竞争规模。

一方面，开放的国内市场能够促进消费性服务业的竞争，有利于市场主体改善供给、提高技术水平。美国对国内消费性服务业的管制较少，绝大部分的服务都是由私人供给所满足，典型的如健康医疗、体育、文化等，均具有非常高的市场化水平。欧盟为建立一个统一开

① 任兴洲、王微：《服务业发展：制度、政策与实践》，中国发展出版社2011年版。

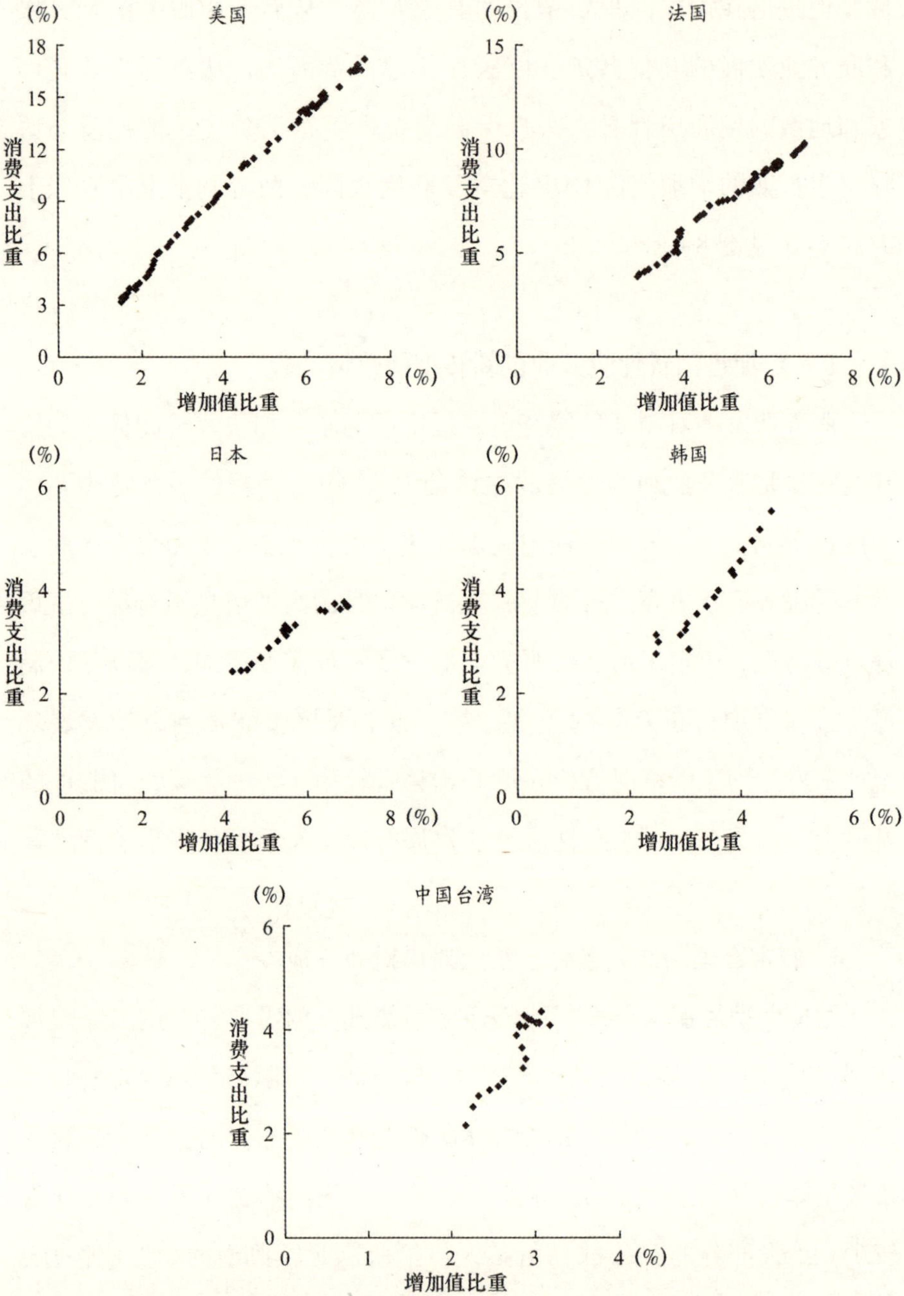

图 8　医疗保健消费支出比重与医疗卫生行业增加值比重的关系

资料来源：美国经济分析局、法国统计局、日本总务省统计局、CEIC 数据库、Wind 数据库。

放的服务市场，于2004年提出了《关于服务业内部市场指令》，该指令旨在消除成员国有关服务市场的限制性规定，推动欧盟内部服务要素的自由流动。

另一方面，在积极推动消费性服务业对外开放的同时，大力促进本国消费性服务领域的出口，提高国际市场的份额。美国是服务贸易大国，通过制定高标准的服务贸易自由化机制，为本国消费性服务业的扩张创造了有利条件。

2. 适时完善法律法规，加强监管协同

完善的法律法规是发达国家促进消费性服务业创新发展的必要条件。美国、日本、加拿大等国家在涉及消费性服务业的立法上较为全面，对于发展中出现的新情况和新问题，相关立法能够适时跟进。系统完备的法律法规体系覆盖消费性服务业的各个方面，有利于维护市场秩序，促进良性竞争，为消费性服务业的转型升级保驾护航。

以发展文化产业为例，很多国家都非常注重立法，出台多项法律法规。例如，美国颁布了《相互教育和文化交流法案》《富布莱特－海斯法案》等，并通过制定《反电子盗版法》《跨世纪数字化版权法》等法律，对电子知识产权加以保护；日本也颁布了《文化艺术振兴基本法》《知识产权基本法》《文化产业促进法》等相关法律，并且还配套了具体的政策措施和发展策略，有力推动了文化产业的发展。

在市场监管方面，许多国家都重视发挥多方监管的协同优势。政府、行业协会以及社会组织都在消费性服务业监管上扮演着不可或缺的角色。美国在行业监管上从联邦政府到各州政府、行业协会以及社会组织都充分发挥了各自的作用。英国在行业监管上除了依靠政府制定法律法规外，还普遍采用行业自律的监管模式，例如，互联网行业由行业协会和社会组织发布的《R3安全网络协议》进行自律监管。

3. 鼓励相关行业互动发展，营造消费生态体系

消费性服务业的创新发展不是以单一行业为支撑的，而是零售、旅游、文化、体育等诸多行业联动发展的有机整体，从而实现消费的规模效应和整体优势，形成对消费者的足够吸引力。例如，伦敦、巴黎等国际大都市凭借相对发达的消费性服务业，2015 年的入境旅游数量超过 1500 万人次，人均消费额达到 1000 美元以上（见图 9）。

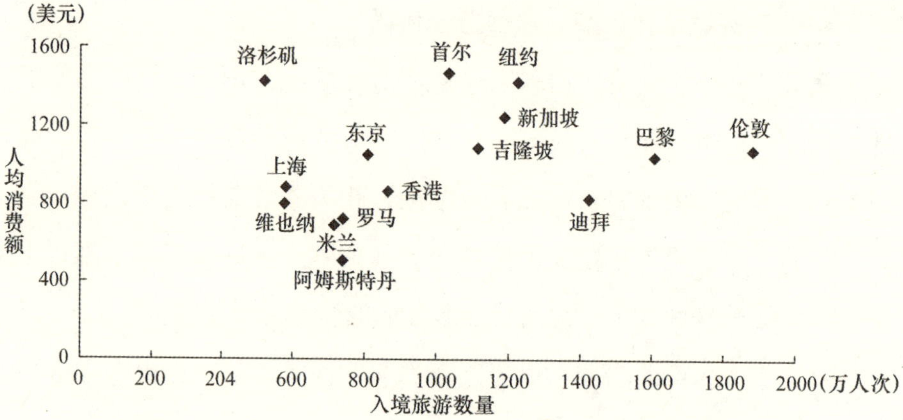

图 9　2015 年全球主要城市吸引入境旅游数量和人均消费额

资料来源：MasterCard Global Destination Cities Index 2015。

随着全球范围“互联网 +”的蓬勃发展，不少国家在消费性服务业创新转型中非常重视线上线下互动，完善“互联网 +”时代的消费生态体系。例如，美国最大的电子商务平台 eBay 于 2013 年开通了“可购物橱窗”，并与时尚品牌 Kate Spade 合作，首先投放到纽约，用来销售该品牌旗下针对年轻人推出的新品牌。这一新的橱窗显示屏安装在建筑物外墙的展示橱窗上，消费者通过可触摸的显示屏下订单，所购商品可货到付款，由快递员使用 eBay 研发的 PayPal Here 移动支付技术进行收款。“可购物橱窗”的应用，不仅扩展了实体店的外延，还帮助新品牌在缺乏实体渠道的情况下打开了线下目标市场。

4. 促进公平竞争，强化消费者权益保护

首先，加强对商标的保护。例如，美国现行的《兰哈姆法》规定，保护注册和未注册驰名商标免于未经授权的使用和（或）注册，不论该驰名商标是否源自国内，均执行相关国际条约规定的驰名商标保护标准。美国联邦法律通过禁止他人在相同、类似、关联甚至不相关联的商品和服务上注册或使用近似商标来保护在先商标，只要此种注册或使用存在混淆可能性，而不考虑该商标是否已注册。驰名商标所有人可以向美国联邦法院提起商标侵权诉讼。

其次，打击不正当竞争行为。日本的《不正当竞争防止法》规定，仿冒、淡化、依样模仿、窃取他人商业秘密、商业诋毁和虚假宣传，属于应当予以制止的不正当竞争行为。同时，美国的《反不正当竞争法重述》也规定，出于商业性目的，未经许可使用他人姓名、肖像或其他身份标记，属于盗取他人身份中的商业价值，应当承担禁令和损害赔偿的责任。

最后，在消费者权益保护方面，发达国家也建立了相对完备的消费者权益保护体系以及配套的消费争议解决机制。由专门的政府部门或非营利组织不定期发布商品和服务质量方面的信息，并为消费者维权提供帮助。在欧盟等经济体，主要城市之间还形成了相对一致和联动的消费者权益保护制度。

5. 建立高效的教育培训体系，大力培养专业人才

消费性服务业创新转型离不开高素质人才的支撑，发达国家高度重视人力资源的积累，将消费性服务业的人才培养放在重要位置，建立了从高等院校到培训机构的多层次体系，培养消费性服务业所需的专业人才，包括从事技术和理论研究的学者和研究人员、不同消费性服务行业的管理与从业人员，还有满足特定需求的人才等。例如，美国在人才培养方面建立了非常完备的体系，不仅拥有众多的专业培训机构，而且许多大学也开设了相关专业，同时，相关培训机构还紧密联系实际，为消费性服务业输送了大量技能人才。另外，日本也非常重视人才培养，以较高的标准要求从业人员，大力支持各领域专业人才的教育培训。

6. 加大政策支持，鼓励服务创新

发达国家为促进消费性服务业发展，都不遗余力地支持和推动服务创新。美国和日本通过资金扶持、减税等方式，鼓励现代信息技术在消费性服务业的应用，引导相关消费性服务行业联动、集群式发展，通过企业之间的知识外溢、合作交流来提升整体创新能力。欧盟在促进服务创新上也采取了很多措施。例如，建立一体化的欧盟内部市场，促进成员国之间的人员和资本流动；加强知识产权保护，为中小服务企业提供技术支持等。

三、我国消费性服务业发展的现状和趋势

随着近年来居民收入的增长，我国消费性服务业[①]呈现快速发展的良好态势，未来消费性服务业的发展还将呈现多方面的新趋势。

---

① 目前，国家统计局只发布试行了生活性服务业（消费性服务业）的统计分类，还未公布其增加值数据。考虑到统计数据的可获得性和国际比较的可比性，文中的消费性服务业增加值包括了零售业，住宿和餐饮业，居民服务、修理和其他服务业，教育，卫生和社会工作，文化、体育和娱乐业。住房服务、出行服务因无法根据公开资料从“房地产业”“交通运输、仓储和邮政业”中分解出满足居民最终消费需求的部分，暂不做考虑。需要指出的是，居民住房服务主要是物业管理、房屋中介、房屋租赁，出行服务包括远途出行、城市出行，其在目前中国 GDP 中的所占比重很小，文中暂未纳入消费性服务业增加值的统计，不会对实际结果产生大的影响。

（一）消费性服务业发展现状

1. 消费性服务业规模持续扩大

2005 年以来，我国消费性服务业增加值①逐年递增，由 22370.1 亿元增长到 2014 年的 84002.6 亿元，年均名义增长 15.8%；占 GDP 的比重波动上升，由 2005 年的 11.9% 上升到 2014 年的 13%，提高了 1.1 个百分点（见图 10）。

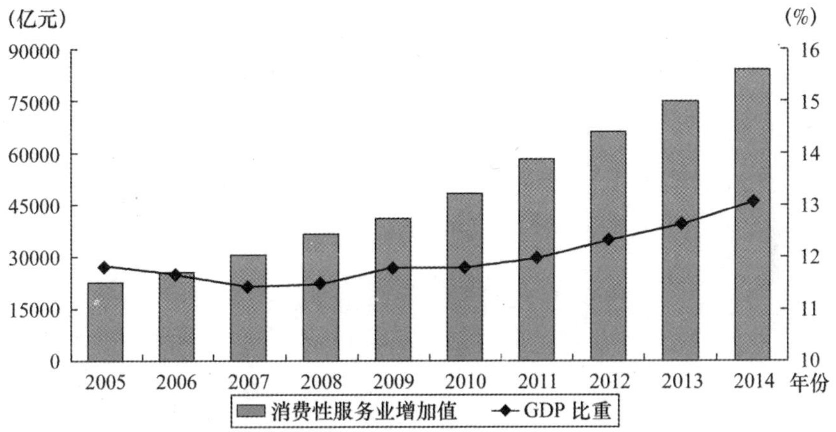

图 10　2005～2014 年我国消费性服务业增加值及其占 GDP 比重

注：国家统计局公布的细分行业增加值的最新数据截至 2014 年。

资料来源：Wind 数据库。

2. 消费性服务业各类市场主体数量大幅增长

根据历次全国经济普查的结果，我国消费性服务业的法人单位数由 2004 年的 107.6 万个增加到 2008 年的 143.8 万个，2013 年又增加到 234.9 万个。主要行业的法人单位数也呈现出递增的态势（见图 11）。与此同时，我国消费性服务业的新开业法人单位数量快速增长，2013 年达到 37.1 万个，比 2004 年增长了 3.3 倍（见图 12），其中，零售业新开业法人单位数的增幅最为明显（见图 13）。

---

① 文中的消费性服务业增加值均为现价。

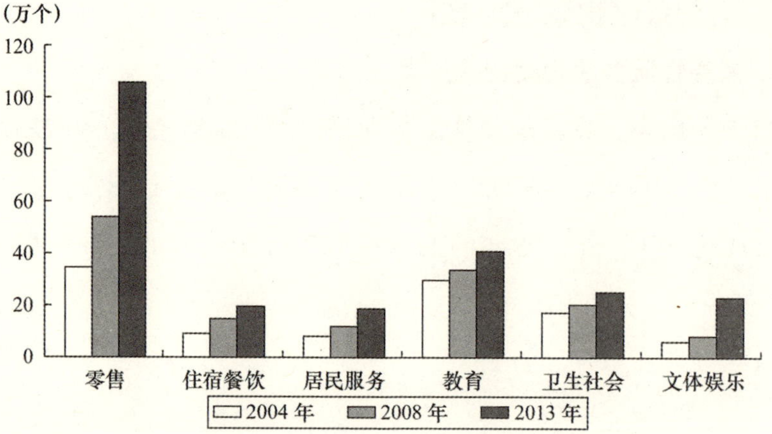

图 11 我国消费性服务业主要行业的法人单位数态势

资料来源：《中国经济普查年鉴》(2004 年、2008 年、2013 年)。

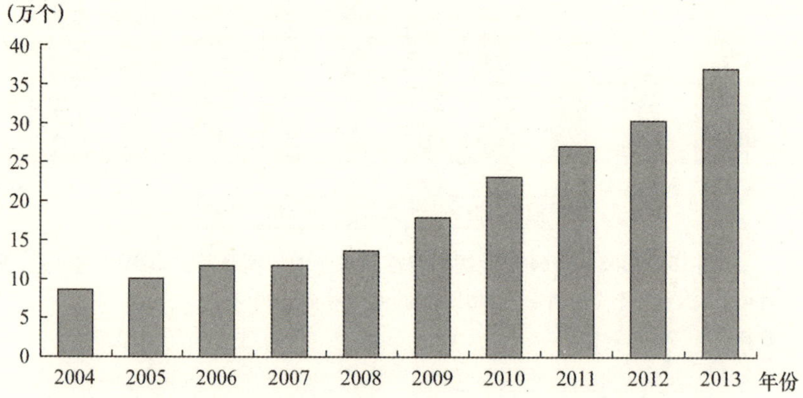

图 12 2004～2013 年我国消费性服务业的新开业法人单位数态势

资料来源：《中国经济普查年鉴》(2004 年、2008 年、2013 年)。

3. 消费性服务业内部发展明显分化

从消费性服务业内部结构看，我国零售业自 2007 年超过教育后保持了消费性服务业第一大行业的位置。2014 年，零售业增加值占 GDP 比重为 3.88%，比 2005 年上升了近 1.2 个百分点。另外，2005～2014 年间，卫生和社会工作、教育、文化体育和娱乐业的增加值占 GDP 比重也都有不同程度的提高，住宿和餐饮业，居民服务、修理和其他服务业的增加值占 GDP 比重则出现小幅降低（见表 2）。

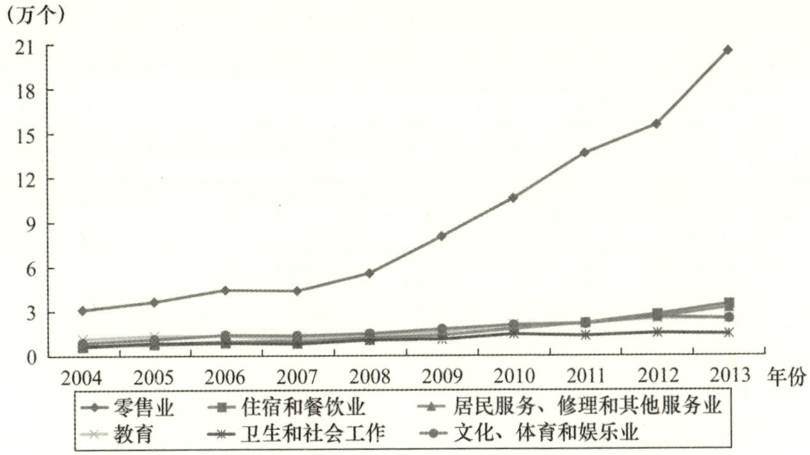

图 13　2004 ~ 2013 年我国消费性服务业主要行业的新开业法人单位数态势

资料来源：《中国经济普查年鉴》（2004 年、2008 年、2013 年）。

表 2　2005 ~ 2014 年我国消费性服务业分行业增加值占 GDP 比重　单位：%

年　份	零售业	住宿和餐饮业	居民服务、修理和其他服务业	教　育	卫生和社会工作	文化、体育和娱乐业
2005	2.72	2.24	1.67	3.07	1.59	0.64
2006	2.77	2.18	1.61	2.92	1.52	0.62
2007	2.88	2.05	1.48	2.85	1.49	0.60
2008	3.08	2.07	1.45	2.78	1.45	0.60
2009	3.15	1.99	1.51	3.00	1.46	0.64
2010	3.33	1.87	1.55	2.91	1.42	0.65
2011	3.46	1.75	1.54	3.02	1.52	0.64
2012	3.61	1.76	1.51	3.08	1.67	0.65
2013	3.74	1.72	1.45	3.18	1.85	0.65
2014	3.88	1.73	1.51	3.29	1.98	0.66

注：零售业增加值占 GDP 比重是根据商务部测算的 2012 年我国零售业增加值、与我国国情相近的日本在相同发展阶段的零售业增加值占比，对我国相关年份批发和零售业增加值进行分解得到的结果。

资料来源：Wind 数据库。

4. 新兴消费性服务业态快速成长

随着互联网、移动互联网、大数据等现代信息技术与消费性服务业发展的深度融合，大量"互联网＋"、共享经济等新业态不断涌现并高速成长，极大促进了消费性服务业的创新发展。

在零售行业，淘宝、京东等综合性网络购物平台保持行业领先，针对细分领域的各类专业性电子商务平台层出不穷。在住宿行业，涌现出小猪短租、途家网等在线住宿服务第三方平台，提供房屋短租、租赁式公寓、民宿客栈等非标准住宿服务。在餐饮行业，出现了百度外卖、饿了么等专业外卖服务平台，提供包括网络订餐、厨师上门等餐饮服务。在家庭服务行业，涌现出阳光大姐、e家洁等，提供专业保洁、家电清洗、保姆月嫂等服务。在居民出行方面，出现了滴滴打车、摩拜单车等出行服务平台，提供包括专车、快车、顺风车、代驾、无桩借还车等。2015年，滴滴平台的订单总量达到14.3亿，相当于美国2015年所有出租车订单量的近2倍，也超过了Uber成立6年来的累计订单数①。

这些新业态的快速成长，还带动了第三方移动支付、移动地图、信用认证服务等更多新业态的迅猛发展。例如，2016年我国第三方移动支付额突破38万亿元，市场规模稳居全球首位②。

5. 消费性服务业线上线下结合日益紧密

现代信息技术的快速发展，为消费者获得优质、高效服务提供了极大便利，也更大限度释放了服务消费增长的潜力。据统计，我国商品类网络消费支出所占比重由2011年的95.7%降低到2016年4月的75%，服务类网络消费支出的比重从2011年的4.3%大幅攀升到2016年4月的25%③。线上服务消费的快速增长，有力拉动了线下的餐饮、

① 滴滴媒体研究院等：《中国智能出行2015大数据报告》，2016年。

② "中国移动支付何以领跑全球"，载《人民日报（海外版）》，2017年2月18日。

③ 华夏新供给经济学研究院、蚂蚁金服：《洞察新消费 助力新供给：新供给—蚂蚁网络消费指数报告》，2016年。

航旅、生活服务、教育等行业加快发展（见表3）。另外，随着行业发展原有边界的日益模糊，线上线下不同消费性服务行业之间也呈现融合发展趋势。例如，旅游业与影视、文化、教育、金融等行业的跨界深度融合。

表3　2012～2016年我国网络消费拉动的不同行业增长率

行业		2012	2013	2014	2015	2016
服务消费	餐饮服务	10%～40%	10%～40%	100%以上	100%以上	100%以上
	航旅服务	100%以上	100%以上	100%以上	100%以上	40%～70%
	教育服务	10%～40%	100%以上	100%以上	70%～100%	70%～100%
	生活服务	100%以上	100%以上	100%以上	40%～70%	70%～100%
	文化娱乐服务	40%～70%	100%以上	100%以上	70%～100%	70%～100%
	医疗保健服务	40%～70%	40%～70%	40%～70%	10%～40%	10%～40%
商品消费	服装鞋帽、针纺织品	70%～100%	40%～70%	40%～70%	10%～40%	10%～40%
	粮油、食品、饮料、烟酒	40%～70%	70%～100%	40%～70%	40%～70%	10%～40%
	日用品	40%～70%	70%～100%	40%～70%	10%～40%	40%～70%
	家电和音响器材	40%～70%	40%～70%	40%～70%	10%～40%	10%～40%
	家具	70%～100%	100%以上	70%～100%	40%～70%	70%～100%
	建筑及装潢材料	70%～100%	100%以上	40%～70%	40%～70%	40%～70%
	书报杂志	40%～70%	40%～70%	40%～70%	40%～70%	40%～70%
	金银珠宝	40%～70%	70%～100%	40%～70%	10%～40%	10%以下
	化妆品	40%～70%	40%～70%	10%～40%	10%～40%	10%～40%
	汽车	40%～70%	70%～100%	70%～100%	40%～70%	40%～70%
	体育、娱乐用品	40%～70%	40%～70%	10%～40%	10%～40%	10%～40%
	通信器材	70%～100%	70%～100%	70%～100%	10%～40%	10%～40%
	文化办公用品	40%～70%	40%～70%	10%～40%	10%～40%	10%～40%
	中西药品	100%以上	100%以上	70%～100%	40%～70%	10%～40%

注：2012～2016年为月同比增速的均值，2016年为前4个月数据。

10%以下　10%～40%　40%～70%

70%～100%　100%以上

资料来源：蚂蚁金服研究院。

6. 中等收入群体、老年人、新生代年轻人成为支撑消费性服务业快速发展的重要力量

根据相关测算，2013 年我国中等收入群体接近 2.5 亿人，已经超过美国的 2.3 亿多人，2016 年进一步上升到 3.7 亿多人。如果按服务消费占整个消费支出的 40% 进行估算，2016 年我国中等收入群体的服务消费支出额比 2013 年增加 3419 亿美元，年均递增 16% 左右[①]。尽管服务消费支出额低于美国很多，但增长速度明显更快。

与此同时，2016 年我国 60 岁及以上的老年人突破 2.3 亿人，已占到总人口的 16.7%，老龄化进程的加快，使得人们更加重视生命和生活质量，对现有服务的内容、提供方式提出了更高要求。值得注意的是，由于老年人群实际上处在动态变化中，低龄老年人相对而言具有较强的消费能力，更容易接受新的消费方式，对于旅游、通信、健康保健等行业发展起到了重要拉动作用。

此外，“80 后”“90 后”“00 后”年轻人也逐渐成为服务消费增长的重要支撑力量。目前成熟的新生代（15～35 岁）在城镇 15～70 岁人口中的占比达到 40%，相比于“50 后”“60 后”“70 后”，新生代年轻人对于高品质、个性化服务具有更强的消费意愿[②]。同时，随着“二孩”政策的落实，新生婴儿明显增长，也促进了生育、家政、幼教等相关服务行业的发展。

7. 大型中心城市消费性服务业发展处于领先地位

随着近年来经济结构的不断调整，我国一些大型中心城市率先实现了消费增长由依靠商品消费向商品和服务消费双轮驱动的转变，居

① Brookings Development, Aid and Governance Indicators: Middle Class database.

② 阿里研究院、波士顿咨询公司：《中国消费新趋势：三大动力塑造中国消费新客群》，2017 年。

民服务消费支出保持稳定较快增长，且增速明显高于商品消费。以北京为例，2016 年全市服务消费实现 8921.1 亿元，占市场总消费的比重为 44.8%，同比增长 10.1%，增速高于商品消费 3.6 个百分点，对市场总消费增长的贡献率达到 55.1%①。

与此同时，大型中心城市还是高端消费资源的集聚地，吸引了国内外的消费客流，成为国内高度繁荣的消费市场乃至世界消费时尚的风向标。根据 2016 年专业机构发布的“全球跨境（奢侈品）零售吸引力指数”②，内地城市中上海的排名最高，居于伦敦、香港、巴黎、纽约等之后的第 6 位，北京跻身前 10 位；成都、沈阳、深圳、天津也进入了全球前 30 位（见表 4）。

表 4　全球跨境（奢侈品）零售吸引力前 30 位的城市

	零售吸引力	奢侈品零售吸引力
1	伦　敦	伦　敦
2	香　港	香　港
3	巴　黎	巴　黎
4	迪　拜	东　京
5	纽　约	纽　约
6	上　海	上　海
7	新加坡	新加坡
8	北　京	迪　拜
9	科威特城	北　京
10	东　京	大　阪

① 北京市统计局、国家统计局北京调查总队：“2016 年北京消费市场由商品和服务消费双轮驱动”，2017 年 2 月 6 日。

② JLL：Destination Retail 2016 - Retailers expanding in leading cities around the world。该研究涵盖全球 140 个城市，包括 240 个国际零售品牌，其中品牌的入选门槛是：在美洲、亚太、欧洲以及中东和非洲四个地区中，至少在两个地区有广泛的销售网络。跨境（奢侈品）零售吸引力指数 = 该城市拥有的（奢侈品）零售品牌数量/各城市平均拥有的（奢侈品）零售品牌数量 ×100。

续表

	零售吸引力	奢侈品零售吸引力
11	阿布扎比	台　北
12	台　北	拉斯维加斯
13	吉　达	曼　谷
14	利雅得	首　尔
15	首　尔	科威特城
16	洛杉矶	洛杉矶
17	莫斯科	成　都
18	曼　谷	莫斯科
19	拉斯维加斯	迈阿密
20	大　阪	米　兰
21	米　兰	吉　达
22	迈阿密	利雅得
23	成　都	阿布扎比
24	吉隆坡	雅加达
25	芝加哥	吉隆坡
26	旧金山	芝加哥
27	马德里	罗　马
28	雅加达	沈　阳
29	马尼拉	深　圳
30	伊斯坦布尔	天　津

资料来源：JLL，Destination Retail 2016，Retailers expanding in leading cities around the world。

8. 消费性服务业的贸易和投资规模显著增长

近年来，我国消费性服务领域的贸易规模持续增长。其中，旅游服务贸易出口由2005 年的293 亿美元上升到2014 年的512 亿美元；电影、音像服务出口由2005 年的1.3 亿美元增加到2014 年的2 亿美元。2005～2014 年间，我国消费性服务业的外商直接投资实际使用额由15.5 亿美元增加到59.9 亿美元，占全部外商直接投资实际使用额的比重由2.6%波动上升到5%（见图14）。此外，消费性服务业的对外直接投资净额由2005年的8.9亿美元增长到2014年的99亿美元，占全部非金融类行业对外直接投资净额的比重也由2005年的7.3%提高到2014年的9.2%（见图15）。

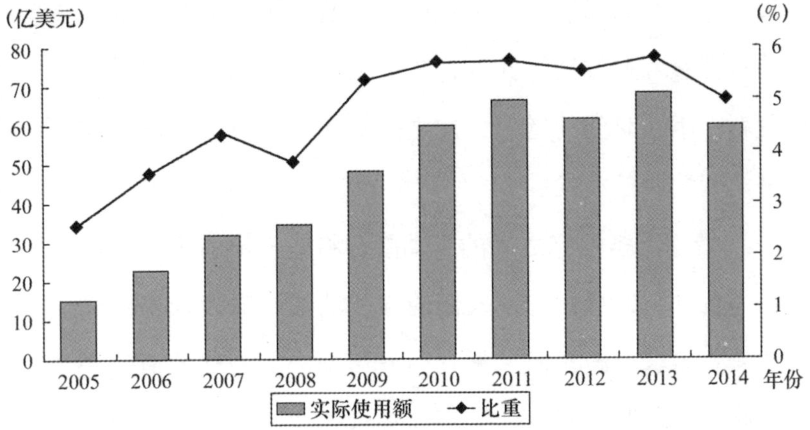

图14　2005～2014年我国消费性服务业外商直接投资实际使用额及占比

资料来源：Wind数据库。

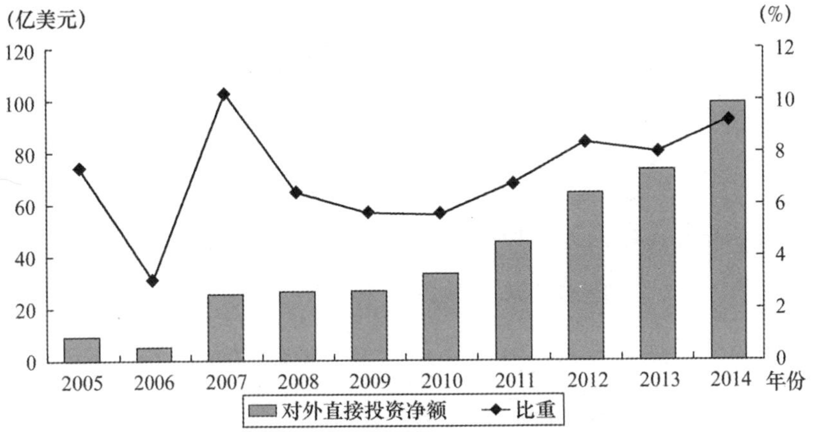

图15　2005～2014年我国消费性服务业对外直接投资净额及占比

资料来源：Wind数据库。

（二）消费性服务业发展的主要趋势

1. 消费性服务业将进入持续较快发展阶段

2016年，我国人均GDP已经跨越11000国际元。按照人均GDP

与服务消费比重变化的经验事实，未来我国服务消费支出将呈较快增长趋势，这将为消费性服务业的发展奠定坚实的基础。同时，随着我国城市化发展进入中后期，人口将进一步向以大型城市为核心的城市群聚集，人们对高品质、精细化服务消费需求将明显增加，将会极大促进消费性服务业发展。此外，我国人口结构的变化以及人们消费观念的更新、闲暇时间的增多，加之中等收入群体规模的扩张，也将有力促进消费性服务业发展。

2. 消费性服务业态之间的互动融合将进一步加深

在消费升级的过程中，人们的服务消费一般表现出由同质化、生存型的消费需求逐渐转向差异化、发展型、享受型的消费需求。这将从需求侧促使消费性服务业态创新加快，业态融合将成为主流，以适应及引领消费需求升级；并通过不断提高服务质量和品质，更好满足人们消费的新需求。

3. 服务供给方式将实现线上线下的深度融合

服务供给的便利性与良好体验性，决定了消费性服务业的发展水平。未来纯粹的互联网企业和纯粹的实体企业都很难获得持续增长，线上线下融合互动发展将成为业态创新的重要方向。一方面，大数据、云计算和人工智能技术的广泛应用，将为有效掌握消费者的现实需求和潜在需求提供了可能；另一方面，为增强服务提供过程中的互动性和体验性，也会对服务供需双方面对面频繁、互动交流提出更高要求。

4. 消费性服务业发展的空间集聚程度将会提高

预计到2020年，我国常住人口城镇化率将达到60%，约有1亿农业转移人口和其他常住人口将落户城镇。从国际经验看，城市群和都市圈将成为我国未来城市化发展的主体空间形态，其中，区域中心城市的地位将越来越重要，消费资源日益向城市，特别是人口规模大、区位条件好、经济水平高、基础设施优的大型城市或城市群中心城市加快集聚。这将会有力推动大型中心城市消费市场的繁荣扩张，成为区域乃至全国领先的消费中心。

另外，消费人群的大量涌入、消费市场的繁荣扩张，将提升大型中心城市的发展能级，而且会促进城市功能的丰富拓展，推动大型中心城市加快向消费主导、服务业驱动的新发展方式转变。

5. 消费性服务业发展将形成双向开放的新格局

随着经济发展水平的提高和综合国力的增强，我国服务业发展的国际化程度将不断提高，从而会对消费性服务业产生多方面影响。一是居民对多样化、高品质服务消费需求的增长，将使国内外市场进一步连通，相关消费性服务行业的进口将会扩大，并将吸引更多大型跨国公司的对华投资，增加国内市场的中高端供给。二是在中国与世界的互动发展中，中国因素的全球影响将会更加凸显，作为一国软实力重要体现的文化、电影、旅游、教育等服务出口将会不断增长。三是在“一带一路”倡议的助推下，一些具有比较优势的消费性服务行业将会加大对外投资，构建自身的全球价值链网络，在更大范围和更高层次上参与全球市场竞争，拓展我国消费性服务业的发展空间。四是在城市层面将会产生具有一定影响力的国际消费中心，不仅能够集聚全球著名消费品牌和各类消费资源，而且将是对外展示和输出中国特色品牌、消费文化的重要门户。

四、我国消费性服务业发展差距、存在问题及体制机制障碍

当前，我国居民服务消费增长较快，但从消费升级的趋势和要求

看，消费性服务业还有明显差距，存在发展偏慢、结构失衡等突出问题。导致这些问题的成因，有发展基础薄弱等历史原因，但当前存在的一些体制机制障碍，是制约消费性服务业发展的深层次原因。

（一）消费性服务业发展的差距

1. 消费性服务业发展水平落后于典型工业化国家和地区

2014 年，我国消费性服务业增加值占 GDP 比重为 13%，与典型工业化国家和地区处在相同发展阶段的水平相比，低于美国 2.2 个百分点，低于中国台湾 2.4 个百分点，低于法国、日本、韩国均为 4 个百分点以上。与相同年份进行比较，2014 年我国消费性服务业增加值比重比中国台湾低 5 个百分点，比韩国、美国分别低 6.3 和 6.5 个百分点，比日本低 8 个百分点，低于法国 11.2 个百分点（见图 16）。

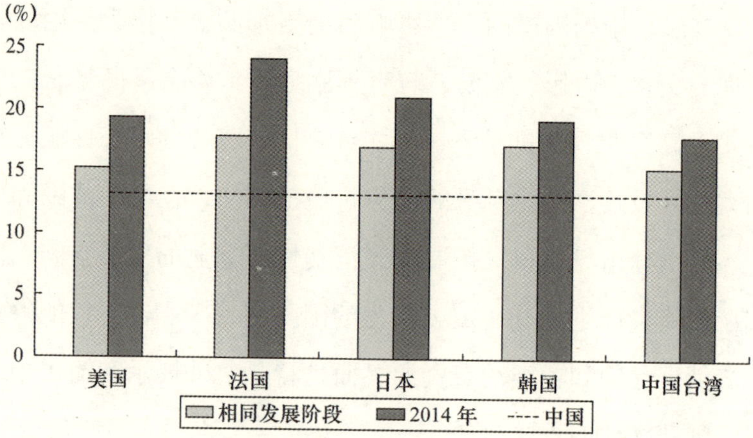

图 16 我国消费性服务业增加值比重与典型工业化国家和地区的比较

资料来源：国务院发展研究中心经济增长数据库、荷兰格罗宁根增长与发展中心数据库、法国统计局、CEIC 数据库、Wind 数据库。

2. 消费性服务业结构整体落后于典型工业化国家和地区

在人均 GDP 达到 11000 国际元左右时，典型工业化国家和地区的发展享受型服务消费增长较快，与此相关的消费性服务业成为服务业结构调整的重要动力。从需求侧来看，近年来我国发展型和享受型消费增长势头已经显现，消费支出占比不断提高。2014 年，我国居民人均教育消费占全部现金消费支出的比重为 7.4%，在外餐饮、文化和娱乐消费所占比重分别为 5.9% 和 5.8%，医疗服务消费所占比重为 4.1%。

从供给侧来看，与上述主要服务消费支出相关的行业发展水平还相对落后。与处在相同发展阶段的典型工业化国家和地区相比，我国教育医疗行业的增加值占 GDP 比重略高于美国和日本，但低于中国台湾 0.1 个百分点，低于韩国 1.5 个百分点，低于法国 2.3 个百分点；住宿餐饮业的增加值占 GDP 比重略高于法国、中国台湾，但低于美国、韩国；文体娱乐业的增加值占 GDP 比重仅略高于美国，低于法国、中国台湾和韩国。与相同年份进行比较，2014 年我国的教育医疗行业、住宿餐饮业、文体娱乐业增加值占 GDP 比重更是大幅落后（见表 5）。

表 5　我国部分消费性服务行业增加值比重与典型工业化国家和地区的比较

单位：%

国家和地区	相同发展阶段			2014 年		
	教育医疗	住宿餐饮	文体娱乐	教育医疗	住宿餐饮	文体娱乐
中　国	5.26	1.73	0.66	5.26	1.73	0.66
美　国	4.74	2.14	0.60	9.93	2.80	1.00
法　国	7.53	1.66	0.68	11.47	2.79	1.35
日　本	4.20	—	—	10.48	2.48	—
韩　国	6.75	2.86	2.73	9.68	2.64	2.72
中国台湾	5.40	1.71	0.76	7.48	2.52	0.88

注：由于日本国民经济行业分类的变化，在相同发展阶段（20 世纪 70 年代初）缺少住宿餐饮业、文体娱乐业的增加值占 GDP 比重数据。

资料来源：美国经济分析局、法国统计局、日本总务省统计局、CEIC 数据库、Wind 数据库。

3. 消费性服务业国际竞争力相对较低

与发达国家相比，我国消费性服务领域的贸易竞争力整体偏弱。以旅游服务为例，2009 年我国旅游服务贸易开始出现逆差，为 40.3 亿美元，此后逐年递增，2014 年达到 1078 亿美元，占整个服务贸易逆差的比重也由 2009 年的 13.7% 攀升到 67.4%（见图 17）。同时，2005～2015 年，我国旅游服务的贸易竞争力指数由 0.15 持续下降到 －0.44。2015 年，与美国、英国、法国、德国、意大利、日本相比，我国旅游服务的贸易竞争力指数名列最末（见表 6）。

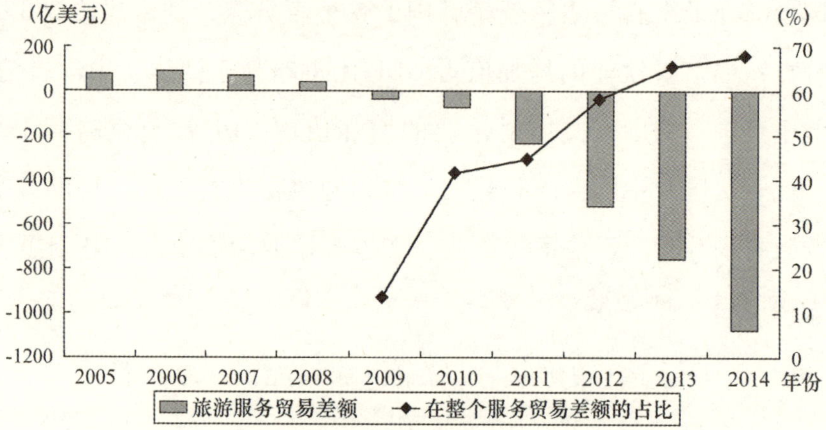

图 17　2005～2014 年我国旅游服务贸易差额及占比

资料来源：商务部：《中国服务贸易统计 2015》。

表 6　2005～2015 年主要经济体的旅游服务贸易竞争力

年　份	美　国	英　国	法　国	德　国	意大利	日　本	中　国
2005	0.12	－0.32	0.16	－0.44	0.23	－0.50	0.15
2006	0.11	－0.29	0.17	－0.39	0.25	－0.52	0.17
2007	0.14	－0.30	0.17	－0.39	0.22	－0.48	0.11
2008	0.18	－0.34	0.17	－0.39	0.20	－0.44	0.06
2009	0.19	－0.29	0.15	－0.40	0.18	－0.42	－0.05
2010	0.23	－0.26	0.10	－0.39	0.18	－0.36	－0.09
2011	0.25	－0.23	0.10	－0.38	0.20	－0.43	－0.20

续表

年　份	美　国	英　国	法　国	德　国	意大利	日　本	中　国
2012	0.23	-0.21	0.15	-0.37	0.22	-0.31	-0.34
2013	0.25	-0.17	0.14	-0.38	0.24	-0.18	-0.43
2014	0.23	-0.15	0.08	-0.37	0.22	-0.01	-0.38
2015	0.19	-0.20	0.07	-0.35	0.24	0.23	-0.44

注：贸易竞争力指数 = 贸易差额/贸易总额，取值范围为［-1，1］，取值越接近于1，表示某经济体该产业的竞争力越强；取值越接近于-1，表示该产业的竞争力越弱，取值在0附近时，表示竞争力与国际平均水平相近。

资料来源：根据 Wind 数据库计算而成。

（二）消费性服务业发展的突出问题

1. 部分消费性服务行业的有效供给不足

在多种因素共同影响下，我国教育、医疗、养老、文化、体育等行业发展相对滞后，无法满足日益增长的消费需求。服务的有效供给不足，也成为当前我国消费性服务业发展的突出短板。以养老服务为例，2016 年全国注册登记的提供住宿的养老服务机构为 2.9 万个，各类养老床位合计 730.2 万张，每千名老年人拥有的养老床位仅为 31.6 张①，尚难以满足养老服务的消费需求。再如体育产业，也存在体育基础设施建设滞后、场馆偏少，体育赛事服务体系不健全、竞技体育与群众体育结合不紧密等问题。

另外，由于不适应消费升级的要求，一些服务领域的低端、同质化供给明显过剩，精细、高品质供给短缺，致使很多消费流失到境外。

2. 消费性服务业整体供给质量较低

部分服务行业或领域的消费体验不佳，消费者满意度较低。

① 民政部：《2016 年社会服务发展统计公报》。

2016年，全国消协组织受理的服务类投诉23.5万件，同比增长25.2%。其中，网络接入、网络购物、移动电话服务、餐饮、美容美发位居前5位，占比为40.2%，投诉主要集中在质量、合同及售后服务方面①。

同时，国内商品和服务对国外消费者缺乏足够吸引力。例如，我国自2011年开始相继在14个省区市实行境外游客离境退税政策，但70%以上的入境游客消费及购物的支出占比不到10%②，很大程度上反映出国内商品和服务品质不高、价格偏贵、消费环境不佳的问题。

3. 消费性服务业供给存在结构性失衡

一方面，大多数消费性服务行业结构层次较低，发展的创新能力和竞争力不强，传统的劳动力低成本优势不断弱化，新的技术、商业模式优势有待加快形成。另一方面，一些消费性服务行业所有制结构仍以国有经济为主导。例如，2015年我国服务业固定资产投资中的国有控股投资占比达44.1%，比第二产业高出26.9个百分点。其中，教育的国有控股投资占比高达72.1%，新闻和出版业、卫生、体育、文化艺术业的国有控股投资也都超过了整个服务业的平均水平（见图18）。民间投资意愿不足，一定程度上导致部分垄断性国有服务企业缺乏增加供给和提高质量的积极性，不利于加快消费性服务业的创新发展。

4. 消费性服务业相关基础设施存在短板

长期以来，我国零售、旅游、文化娱乐、教育医疗、金融、信用体系等基础设施和配套设施整体发展相对薄弱，无法有效满足消费特

---

① 中国消费者协会：《2016年全国消协组织受理投诉情况分析》。

② 中国旅游研究院：《2015中国入境旅游发展年度报告》，旅游教育出版社2015年版。

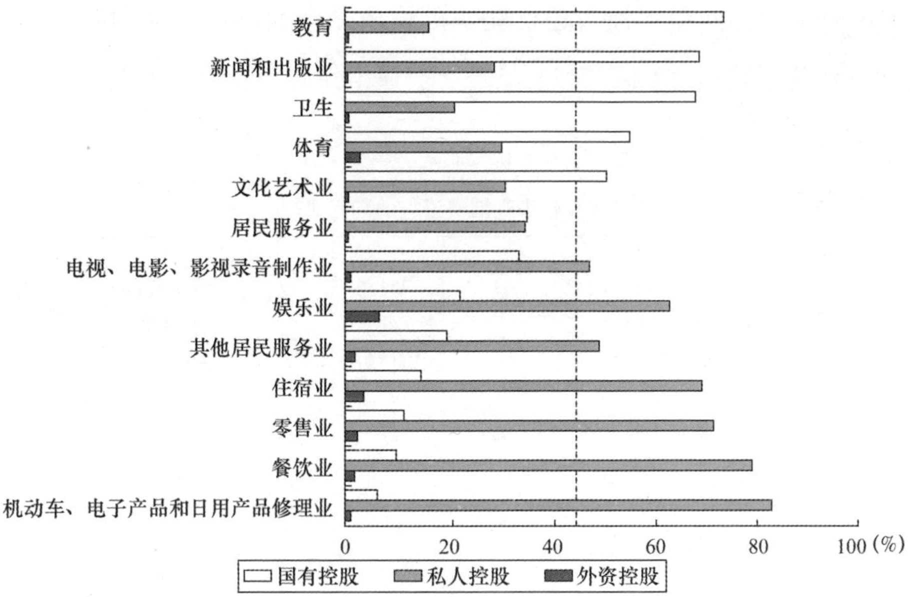

图 18　2015 年我国消费性服务业分行业的固定资产投资占比

注：外资控股为外商投资、港澳台商投资的合计。

资料来源：《中国统计年鉴 2016》。

别是服务消费的实际需求，直接影响到消费体验和效率（见表 7）。以物流和信息基础设施为例，2016 年我国物流绩效指数[①]在全球位列第 27 位，物流绩效水平仅相当于排名第一的德国的 86.5%，与我国经济总量和贸易规模不相称；2015 年我国固定宽带人口普及率为 18.6%，全球排名第 57 位，超过 12.5% 的世界平均水平，但与 OECD 国家 30.7% 的平均水平相比还有差距；移动宽带人口普及率为 56%，位列第 69 位，高于 47.7% 的世界平均水平，与 OECD 国家 81.8% 的平均水平差距较大[②]。

① 物流绩效指数（Logistics Performance Index）于 2007 年由世界银行集团首次发布，是首个对各国物流绩效水平的综合评价指标。该指数根据全球调查结果编制而成，调查问卷发放覆盖 160 个国家，在近千家国际货运代理行、快递航空公司以及各地的货运公司展开，评分采用 5 分制，1 分最差，5 分最佳。

② Broadband Commission for Sustainable Development, The State of Broadband 2016: Broadband catalyzing sustainable development.

此外，不同消费性服务行业基础设施之间的融合互动和对接不足。例如，城市商务区、旅游景点、交通枢纽等与主要商业网点、商圈建设的脱节现象较为普遍。

表 7　　2013 年代表性消费设施的国际比较

	人均铁路里程（米/人）	银行网点（个/10 万成年人）	自动取款机（个/10 万成年人）	POS（个/10 万成年人）	互联网宽带普及率（用户/百人）	移动通信普及率（部/百人）	卫生设施普及率（%）
中　国	0.08	8	47	—	13.6	89	74.2
美　国	0.73	34	—	2156	30.0	97	100
德　国	0.42	15	116	799	34.6	121	99.2
法　国	0.46	39	109	2153	38.8	98	100
墨西哥	0.22	15	48	—	10.9	85	84.4
巴　西	0.15	48	131	1471	10.7	135	82.1
印　度	0.05	12	13	—	1.2	71	38.5
高收入国家平均	—	23	65	1935	27.3	122	96.3
中等收入国家平均	—	11	32	—	6.4	90	63.2

资料来源：何传启：《中国现代化研究报告 2016——服务业现代化研究》，北京大学出版社 2016 年版。

5. 部分消费性服务行业人才、资本等要素保障不足

总体上看，我国消费性服务业的从业人员素质相对不高，特别是零售，住宿和餐饮，居民服务、修理和其他服务业等行业的从业人员主要以初、高中学历为主，对提高服务质量有一定影响。同时，消费性服务业融资能力有限，资本市场在支持消费性服务业融资、发债方面的作用有待加强。再有，知识产权保护运用体系不完善也使文化娱乐等行业的发展受到制约。

（三）消费性服务业发展面临的体制机制障碍

1. 部分消费性服务行业的准入限制较为严格

教育、医疗、育幼养老、文化行业的准入限制相对较多，特别是外资在准入资格、股权设立方式和占比、进入形式和进入区域、经营规模和业务范围等方面。以医疗美容行业为例，我国现行的医疗美容机构临床科室设置规定不尽合理，“至少设有美容咨询设计室、美容外科、美容牙科、美容皮肤科、美容中医科、美容治疗室、麻醉科”的要求[①]，大大增加了民营医疗美容机构的投资成本，也限制了其因地制宜开展服务，造成服务供需之间的结构性矛盾。从外资进入医疗领域来看，2014 年实施的设立外资独资医院试点仅有北京等 7 个省市，根据相关规定，除香港、澳门和台湾投资者外，其他境外投资者不得在上述省市设置中医类医院[②]。同时，促进消费性服务业发展的政策措施没有得到有效落实，民间资本在进入医疗卫生、教育、文化、体育等行业仍受到实质性歧视，很大程度上造成民间投资意愿减弱。此外，行政垄断、行业垄断和地方保护也提高了市场主体的进入成本，加重了企业负担。

涉及消费性服务业的前置审批、核准、认证项目较多，执行层面变相设置不合理规定，提高了企业的经营成本。例如，在体育服务领域，全国综合性和单项体育赛事管理制度改革滞后，审批环节繁冗复杂；在文化领域，电影和电视剧内容审查、审批环节依然较多。除准入环节外，退出环节同样存在过多的审批事项，消费性服务业未开业

---

① 参见卫生部：《美容医疗机构、医疗美容科（室）基本标准（试行）》，卫医发〔2002〕103 号，2002 年 4 月 16 日。

② 参见国家卫生计生委、商务部：《关于开展设立外资独资医院试点工作的通知》，国卫医函〔2014〕244 号，2014 年 7 月 25 日。

企业、无债权债务企业注销制度较为繁琐。此外，消费性服务业相关的行政审批透明度和审批信息化程度有待提高，与实践中服务业态和商业模式快速创新的要求不相适应。

2. 监管理念及体制机制不适应消费性服务业发展的新要求

近年来，我国大力推进“放管服”改革，特别是在简政放权、减少审批许可事项等方面做了大量工作，取得了明显成效，但也存在监管体制改革有待深化的问题，导致部分消费性服务行业的监管归属不明晰，政府监管部门职能交叉且监管协调困难。例如，便利店快餐和配餐食品经营领域，工商、食药监、环保等部门监管权责不清且不同地区监管标准和执行尺度不统一；民宿客栈、农家乐等经营主体在工商注册、消防监管、治安管理等方面的管理归属不明确。需要强调的是，在“互联网+”蓬勃发展的背景下，跨界融合导致很多服务行业的边界日渐模糊，消费性服务业发展格局也发生较大调整。在这过程中，有些地方还停留在不联网时代的重审批、轻监管，过分强调事前审批和“以审代管”等监管方式。有些改革虽加强了事中事后监管，但基于大数据的监管、社会共治的理念还未有效建立。例如，针对共享单车、网约车等新生事物的监管一定程度上存在研究不足、评估不够、民调不充分、标准滞后等问题。

与此同时，部门监管有效协调不足，相互之间沟通联系机制不畅，监管方式和手段创新不够，行政手段依然偏多，市场手段和法规、标准手段运用不足，造成不少新的隐患和监管盲区。传统的“救火式”监管方式，效率相对低下，无法形成合规有效监管的常态化、制度化，难以从源头上维护市场公平竞争秩序。

除此之外，调研中很多企业还反映存在审批从中央转到地方的情况，即使中央明令取消的审批和认证事项，也存在从行政部门转向

“红顶中介”、由明变暗的情况。

3. 消费性服务业相关法律法规和标准体系不完善

从法律法规看，随着消费性服务业新业态、新模式的不断涌现，一些法律法规或者不适应行业发展的需要，或者在执行过程中还存在配套法规不完善、与相关法律缺乏协调性等问题，导致其未能发挥应有效果。同时，一些关键领域和重点环节存在法律缺失的情况日益突出。当前，很多服务创新在交易安全、消费者权益保障、知识产权保护等方面还缺少有效的法律规范，网络诈骗、盗取用户隐私、制造传播不实信息等时有发生。例如，在打击电子商务平台假冒伪劣、规范线上线下企业公平竞争、消除互联网领域市场垄断等方面，缺乏有针对性的立法和跨区域执法依据；在网约车、短租民宿等共享经济领域，缺少明确的法律法规适用条款，不利于各参与主体法律地位和责任的界定；商业用地在商城、公寓、酒店、写字楼、工厂等使用用途之间的流转也还存在法律障碍。从法律制定程序上看，成文法往往具有滞后性。在新业态发展初期，很多创新的趋势、问题需要加以观察和自我完善，而当新兴消费性服务行业和业态发展到一定阶段，有必要在科学判断的基础上，通过立法加以规范和促进。

从行业标准和质量体系来看，与近年来消费性服务业快速发展的实际需要相比，目前我国相关标准体系建设无论是在数量上还是质量上都还有较大差距，特别是针对新兴行业的标准体系建设较为滞后，服务标准整体水平不高，缺乏可操作性，不利于标准的实施；同时，也存在标准宣传力度不够的问题，导致标准实施和监督的效果不理想。这些都在很大程度上影响了服务质量的提升和新兴消费的发展。例如，在居民服务、健康、文化、体育等领域，关键标准的制定明显跟不上发展需要；网络在线旅游、休闲度假旅游、生态旅游等新业态标准制定滞后。更重要的是，符合消费性服务行业特点的标准形成机制尚未建立，社会组织的作用发挥不够，市场自主制定的标准或行业最佳实践上升为国家标准的机制与程序不完善。此外，消费性服务业的质量管理和监督体系不健全，服务质量分级管理制度、诚信制度、认证认可制度建设较为滞后，服务纠纷争议处理机制有待建立。

4. 部分消费性服务行业的开放水平有待提高

近年来，我国通过签订双多边自由贸易协定、建设自由贸易试验区、服务业综合试点城市等方式，积极扩大服务业对外开放，但服务业开放的重点大多在生产性服务行业，与消费直接相关的服务领域，如健康医疗、教育文化等新兴行业的对外开放程度不高，在实际操作和政策落实过程中，针对外资的一些准入和投资的审批限制依然存在，制约了消费性服务业的创新发展和国际化平台建设。

5. 促进消费性服务业发展相关的配套制度不健全

目前，我国消费性服务业相关增值税、消费税、个人所得税、关税等税制设计与行业发展不相适应，难以发挥税收在扩大消费需求方面的作用，不利于居民消费的升级及相关产业的发展。长期形成的以产值、税收为主的政绩考核体系依然有很强惯性，加之现行统计体系不健全，难以客观体现消费性服务业发展给地方消费、就业、创新所产生的积极效果，难以客观体现地方政府的政绩，导致不少地方往往更关注服务业大企业和大项目，对数量众多的小微企业特别是轻资产的服务企业缺少有效的引导和扶持。

同时，与服务消费密切相关的一些配套制度还不完善，也严重影响了我国消费市场的扩张和服务供给的创新。例如，旅游业及相关消费性服务行业的发展，有赖于带薪休假、弹性作息制度的落实和执行；

又如文化、体育和娱乐行业的发展，需要学校和文化部门所管理的公共场馆、场地对社会的开放等。

五、我国消费性服务业创新转型的供给侧结构性改革思路与建议

根据我国服务消费发展的新趋势和新要求，结合发达国家消费性服务业创新发展的政策经验，推动我国消费性服务业创新转型应按照“增供给、补短板、优环境、促改革、建示范”的思路，深化供给侧结构性改革，加快体制机制创新探索，为我国积极扩大消费、促进产业结构优化升级、全面提升对内对外开放水平提供有力支撑和持续动力。

（一）“增供给”

加快培育和发展新兴消费性服务行业。重点发展以健康、美容、教育、培训、文化、体育、旅游为代表的新兴服务行业，促进我国消费性服务业结构加快调整升级。

鼓励消费性服务领域的创新创业。结合服务消费个性化、差异化、定制化的发展趋势以及互联网、大数据的广泛深度应用，促进新服务、新业态和新商业模式发展，尽快形成新型服务体系和提升服务供给能力。

促进消费性服务领域的互动融合。强化商品消费与服务消费的融合互动，推动旅游、文化、购物、娱乐、健康、餐饮等行业的集聚和一体化发展，创新业态和商业模式，构建多样化消费发展的良好生态，进一步提升消费性服务行业的创新能力和质量水平。

多途径培育消费性服务业新增长点。针对城乡居民服务消费要求迫切、消费潜力大的重点领域，加强分类指导，有针对性地制定消费性服务业发展的促进政策。

（二）“补短板”

继续加强交通基础设施建设。在加大综合交通运输体系建设力度的同时，重点加快大型城市群的城际快速交通网络、中心城市综合交通客运枢纽以及国际航空枢纽、城市公交及物流配送等基础设施建设，提高交通运输效率和居民出行便捷性。

加快提高信息基础设施水平。全面推进“三网融合”相关技术发展及应用，推进下一代互联网规模化应用，进一步提高城乡宽带网络普及水平和接入能力。

加强城市公共服务设施及商业服务载体建设。注重完善商业设施布局，合理规划并着力打造一批具有完善基础设施和多样化消费性服务业态的新型商圈或商业街区，促进传统商圈向消费体验中心、休闲娱乐中心、文化时尚创意中心、商品和服务设计定制中心、消费业态和模式创新中心等新型发展载体转变。

（三）“优环境”

加强消费性服务业标准体系建设。特别是针对新服务的标准化建设，更加注重安全、环保、技术等标准，以更好引导服务创新。

全面推进社会信用体系建设。运用“互联网 +”推进诚信体系建设，以此加强全社会对服务市场的监督和强化对消费者保护，为消费者提供安全诚信的市场环境。

进一步完善消费者保护体系。针对新兴服务消费，各级政府及相关行业协会和消费者保护组织应加强消费者教育，通过公共信息平台和各类媒体，传播正确的消费观和提供必要的消费咨询。鼓励各地探索建立便捷的消费纠纷投诉和处置机制，维护市场秩序和品牌信誉。

加快提升大型城市消费的国际化环境。规范公共场所的外语标识，建立多语种的服务呼叫中心，并探索建立符合国际惯例的紧急医疗等救助机制。

（四）“促改革”

1. 进一步放开市场准入，鼓励公平竞争

简化准入负面清单。在现有负面清单的基础上，放宽健康医疗、整容美容、文化创意、休闲娱乐等新兴消费性服务领域的市场准入，简化资质条件和审批流程，重点鼓励民间资本投资。对确需保留的准入限制，应建立公平、透明的准入规范，在准入条件上减少或降低经济性要求，完善环保、安全、技术等方面的要求。

深化行政审批改革。减少涉及服务经营资质、许可及评级等方面的行政审批，将非行政许可事项全部“清零”，破除各类显性隐性准入障碍。对专业性要求较高的审批事项，可转由行业协会或具有认证认可资质的机构审核。进一步优化审批流程、缩短审批时限，降低制度性交易成本。

打破垄断促进公平竞争。垄断性服务行业要在区分和剥离竞争性环节的基础上，逐步引入市场竞争机制，以有效竞争为目标导向，形成兼顾规模经济和竞争活力的发展格局。在教育、医疗、文化、体育、人力资源等社会领域，对能够实行市场经营的服务，要动员社会力量和民间资本增加供给，实现产业化发展。采取政府补贴、购买服务等方式，鼓励社会组织、非营利机构参与提供公共服务和公益服务。

2. 加快转变监管方式，提升消费性服务业发展效率

减少政府对要素配置和服务价格的管制。特别在交通、电信、金融、能源等领域，进一步放宽政府价格管制，加快价格形成机制改革，进一步发挥市场对要素资源配置的决定性作用，降低消费性服务业的资源错配扭曲。

促进政府监管机构之间的协同合作。着力加强监管部门在数据收集、运行监测、信息共享、专业知识等方面的能力建设，促进不同部门之间监管标准、信用信息和认证等方面的融合统一，加强信息共享和联合监管执法，建立监管执法全过程记录制度，全面规范和监督自由裁量权，避免多头执法、重复监管和一事多罚。

探索监管方式的改革创新。鼓励地方政府建立综合性执法机构，加大对各类服务市场秩序的综合监管和治理；切实扭转以检代管、以罚代管的局面，加大对消费性服务业市场主体经营行为的监管，建立守信激励和失信惩戒机制。强化社会化监管，充分发挥行业协会、征信机构、金融企业在资质审查、经营行为记录、信用评估等方面的作用，促进消费性服务业市场主体自律诚信经营，形成规范有序的市场竞争格局。

3. 加快服务组织改革创新，释放创新创业活力

适当放宽对非营利机构、专业服务业领域个人执业等主体发展的限制，完善登记注册制度，确立各种新型服务组织的合法经营、公平竞争地位。

加快推进服务领域所有制改革。推动跨地区、跨行业、跨所有制的资产重组和资源整合，进一步完善国有服务企业的现代企业制度和法人治理结构。国有事业单位应加快推进法人治理结构、产权制度、经营决策机制等方面的改革探索，通过多种有效途径促进事业单位向非营利机构或现代企业转变。积极引导和鼓励社会资本通过控股、参股、收购、兼并等方式参与事业单位改革。

4. 切实营造鼓励创新、宽容失败的体制环境

完善国家创投引导资金的投资支持方式。更多向创新型服务企业初创成长的“前端”倾斜，为创新尝试者提供最大保障，为大众创业、万众创新提供更多动力。

加强知识产权保护与运用。建立统一的知识产权行政管理和执法体制，依法严厉打击各类侵权行为。加快数字版权保护技术的研发，大力推进服务内容、商业模式创新知识产权保护的制度化进程，增强消费性服务业市场主体创造、运用、保护和管理知识产权的能力。

5. 深化消费性服务业对外开放，提升国际竞争新优势

进一步提高对外开放程度。借鉴国际上高水平双边或多边自由贸易协定的经验，在互惠互利基础上推动我国与贸易伙伴国家之间的贸易投资自由化和便利化，着力推动健康医疗、教育文化、休闲娱乐等新兴服务领域的相互开放。

推动消费性服务企业“走出去”。特别是深化与“一带一路”沿线国家的服务贸易合作，加强全球布局，鼓励更多有实力的服务企业拓展海外市场。

提高国际消费的便利化。在进一步简化、优化人员和货物出入境管理的基础上，积极扩围双边免签证国家，加强国内不同口岸和城市出入境信息共享；探索对游学、医疗、美容、庆典、老人等特殊游客和人群提供入境签证便利化措施；提高邮轮母港的游客出入境管理的便利化水平，为境外游客入境旅游消费创造条件。

6. 加强相关立法，确保消费者合法权益

进一步加强消费者保护立法。特别是在信息消费、医疗健康消费、金融消费等新兴领域，加强消费者保护立法。

加强对电子商务交易、互联网支付、共享经济等新兴服务领域的立法规范，防范和化解各类交易和服务纠纷。

7. 加快创新有利于消费性服务业发展的政策体系

加大消费性服务业的人力资本投资。彻底扭转“重设备不重人”的政策导向，推动资源要素向激励人才的方向倾斜。完善人才培养和激励机制，创新校企联合培养人才模式，探索实施人才培训福利计划。

完善有利于消费性服务业创新的税收政策。以简并增值税税率为契机，增强税收中性。延长企业所得税税前弥补亏损的年限，加大消费性服务企业在研发投入、职工培训、技术改造等方面的税收激励。结合消费升级和吸引国际消费，探索推进消费税改革，进一步降低中高端消费进口税负，扩大国际游客购物退税试点地区并简化退税程序。

创新多样化的金融服务。鼓励商业银行按照风险可控、商业可持续原则，开发适合消费性服务业特点的金融产品，积极发展供应链融资、商业保理等融资方式，推动完善动产融资服务体系。支持符合条件的服务企业上市融资、发行债券。加强消费金融创新，特别是网络支付、养老金融等方面的创新，为消费者提升消费能力提供金融支持。

加强城市商圈改造和建设用地保障。将商圈打造、商业设施建设与城市功能调整、产业转移及城市更新统筹推进，积极探索城市更新、工业园区转型及集体用地等土地资源利用的新方式，进一步提高城市用地使用效率。

健全相关统计制度。在借鉴国际统计经验和有关地方创新探索的基础上，加快制定消费性服务业统计核算办法，加强经常性常规统计，探索建立服务消费统计标准和指标体系，并定期开展监测分析和发布。进一步完善消费性服务业主管部门、统计部门和主要行业协会的信息沟通与协作机制。

（五）“建示范”

继续加强开放综合试点探索。特别是以自由贸易试验区、服务业综合试点城市为依托，加大消费性服务业扩大开放的创新探索，加快复制推广成熟经验。进一步优化服务贸易结构，积极扩大新兴消费性服务进口，充分发挥技术和知识溢出效应，改善服务业供给结构。

探索开展国际消费中心建设试点。从国家层面合理布局和统筹推进，依托具备条件和基础的大型消费城市开展创新试点，重点围绕体制机制、政策体系及发展载体建设等内容进行先行先试。在取得初步经验的基础上再复制推广，以在更大范围推动经济新动能的形成和壮大。

执笔人：王 微 王 青 任兴洲
刘 涛 赵 勇 王 念

参考文献

[1] [印] 阿鲁·萨丹拉彻．分享经济的爆发．上海：文汇出版社，2017
[2] [加] 赫伯特·G. 格鲁伯，迈克尔·A. 沃克．服务业的增长——原因与影响．上海：三联书店，1993
[3] [美] 威廉·科瓦西奇，[英] 林至人，[英] 德里克·莫里斯．以竞争促增长：国际视角．北京：中信出版社，2017
[4] [英] 约翰·奈特，丁赛．中国飞速的经济增长．天津：南开大学出版社，2014
[5] 阿里研究院，波士顿咨询公司．中国消费新趋势：三大动力塑造中国消费新客群，2017
[6] 迟福林．转型闯关“十三五”：结构性改革历史挑战．北京：中国工人出版社，2016
[7] 滴滴媒体研究院等．中国智能出行2015大数据报告，2016
[8] 国家标准化管理委员会服务业标准部．服务业标准化．北京：中国质检出版社，2013
[9] 国家信息中心信息化研究部，中国互联网协会分享经济工作委员会．中国分享经济发展报告2016，2016
[10] 国务院发展研究中心市场经济研究所课题组．新时期我国建设国际消费中心的政策研究（工

作报告），2017

[11] 国务院发展研究中心市场经济研究所课题组．培育壮大服务业发展新动能（工作报告），2017

[12] 何传启．中国现代化研究报告2016——服务业现代化研究．北京：北京大学出版社，2016

[13] 何德旭，姚战琪，王朝阳．生产性服务业与消费性服务业：一个比较分析框架，载何德旭．中国服务业发展报告 No. 6. 北京：社会科学文献出版社，2008

[14] 洪涛等．中国生活性服务业发展报告（2011）．北京：经济管理出版社，2011

[15] 华夏新供给经济学研究院，蚂蚁金服．洞察新消费 助力新供给：新供给—蚂蚁网络消费指数报告，2016

[16] 江小涓．高度联通社会中的资源重组与服务业增长．经济研究，2017（3）

[17] 李明德．关于反不正当竞争法的几点思考．知识产权，2015（10）

[18] 刘世锦等．陷阱还是高墙？中国经济面临的真实挑战和战略选择．北京：中信出版社，2011

[19] 刘世锦．中国经济增长十年展望（2017～2026）：老经济与新动能．北京：中信出版社，2017

[20] 刘涛．新常态下服务业发展趋向与税改动力．北京：商务印书馆，2016

[21] 路红艳．产业与消费双升级视角下服务业发展模式与供给政策研究．北京：中国商务出版社，2016

[22] 罗兰贝格．2018 年中国汽车共享出行市场分析预测报告，2017

[23] 马化腾等．数字经济——中国创新增长新动能．北京：中信出版社，2017

[24] 尼尔森，中国连锁经营协会．2016 中国消费者趋势白皮书，2016

[25] 宁吉喆．以消费升级为导向 加快推进供给侧结构性改革．经济日报，2016 年 3 月 29 日

[26] 任兴洲．扩大消费需求：任务、机制与政策．北京：中国发展出版社，2010

[27] 任兴洲，王微．服务业发展：制度、政策与实践．北京：中国发展出版社，2011

[28] 任兴洲，王微，王青等．新时期我国消费新增长点研究．北京：中国发展出版社，2014

[29] 腾讯研究院．互联网前沿．成都：西南财经大学出版社，2017

[30] 吴敬琏等．供给侧改革．北京：中国文史出版社，2016

[31] 夏杰长，瞿华，张颖熙等．中国城镇居民服务消费研究．北京：经济管理出版社，2014

[32] 中国旅游研究院．2015 中国入境旅游发展年度报告．北京：旅游教育出版社，2015

[33] Broadband Commission for Sustainable Development，The State of Broadband 2016：Broadband catalyzing sustainable development.

[34] Homi Kharas，The Emerging Middle Class in Developing Countries，OECD Development Centre Working Paper No. 285，2010.

[35] JLL，Destination Retail 2016：Retailers expanding in leading cities around the world.

[36] Yuwa Hedrick－Wong，Desmond Choong，MasterCard 2015 Global Destination Cities Index.

专题报告一

我国消费性服务业发展现状及存在问题分析

消费性服务业是国民经济的重要组成部分，对于全面建成小康社会、提高居民生活品质、增强发展新动能、促进就业创业具有重要意义。随着经济社会的发展和居民收入水平的提高，我国消费性服务业得到了快速发展。但是，从新常态下消费升级以及消费性服务业发展的内在要求看，目前消费性服务业存在有效和中高端供给不足、供给结构与需求结构不相适应、供给质量和层次不高等问题，这些问题很大程度上受制于现有体制机制，迫切需要通过深化供给侧结构性改革，推动消费性服务业创新转型。

一、消费性服务业的内涵和分类

服务业涵盖的行业广泛且业态形式多样，对其分类存在不同认识。代表性的分类方法主要包括：一是辛格曼（1978）从功能角度，将服务业分为流通性服务业（distributive services）、生产性服务业（producer services）、个人服务业（personal services）和社会服务业（social services）四大类；二是格鲁伯和沃克（1989）从服务对象角度将服务业分为生产性服务业（producer services）、消费性服务业（consumer services）和政府服务业三大类。其中，生产性服务业主要是为其他商品或服务生产提供中间投入的服务行业；消费性服务业主要是直接用于满足人们最终需求的服务行业；政府服务业主要是由政府提供以满足企业和居民生活需要的服务行业。消费性服务业与生产性服务业的主要区别在于，前者主要是为了满足人们最终生活消费需求，能够直接产生效用；后者主要是为了满足企业生产需求，并不直接产生效用。

尽管从理论上可以对服务及服务业分类做出多种划分，并对消费性服务业和生产性服务业给出较为明确的界定。但从实际统计工作和政策研究来看，受数据获取限制、统计分类等因素的影响，很难基于产业分类标准将不同类型的服务业完全分开。在此，以相关理论认识为基础，结合国家统计局 2017 年发布的《生活性服务业统计分类（试行）》以及相关政策文件，并考虑统计数据的可获得性等因素，综合确定消费性服务业包括的行业。

首先，根据国家统计局《三次产业划分规定》（2012）① 以及《国民经济行业分类》（GB/T 4754—2011），在服务业 15 大门类中②，

① 国家统计局 2012 年制定的《三次产业划分规定》：第一产业是指农、林、牧、渔业（不含农、林、牧、渔服务业）；第二产业是指采矿业（不含开采辅助活动），制造业（不含金属制品、机械和设备修理业），电力、热力、燃气及水生产和供应业，建筑业；第三产业即服务业，是指除第一产业、第二产业以外的其他行业。第三产业包括：批发和零售业，交通运输、仓储和邮政业，住宿和餐饮业，信息传输、软件和信息技术服务业，金融业，房地产业，租赁和商务服务业，科学研究和技术服务业，水利、环境和公共设施管理业，居民服务、修理和其他服务业，教育，卫生和社会工作，文化、体育和娱乐业，公共管理、社会保障和社会组织，国际组织，以及农、林、牧、渔业中的农、林、牧、渔服务业，采矿业中的开采辅助活动，制造业中的金属制品、机械和设备修理业。

② 服务业共包括 15 大门类：批发和零售业，交通运输、仓储和邮政业，住宿和餐饮业，信息传输、软件和信息技术服务业，金融业，房地产业，租赁和商务服务业，科学研究和技术服务业，水利、环境和公共设施管理业，居民服务、修理和其他服务业，教育，卫生和社会工作，文化、体育和娱乐业，公共管理、社会保障和社会组织，国际组织。

消费性服务业包括“住宿和餐饮业”“居民服务、修理和其他服务业”“教育”“卫生和社会工作”“文化、体育和娱乐业”，另外，“批发和零售业”中的“零售业”也应归入消费性服务业。

值得注意的是，国家统计局目前并未公布消费性服务业的增加值数据。考虑统计数据的可获得性和国际比较的可比性，住房服务、出行服务因无法根据公开资料从“房地产业”“交通运输、仓储和邮政业”“金融业”中剥离出满足居民最终消费需求的部分，暂不做考虑。需要指出的是，居民住房服务主要是物业管理、房屋中介、房屋租赁，出行服务包括远途出行、城市出行，其在目前我国 GDP 中的所占比重很小，文中暂未纳入消费性服务业增加值的统计，不会对实际结果产生大的影响。

二、我国消费性服务业的发展现状

随着经济的发展和居民收入的增长，我国消费性服务业得到了快速发展，规模持续扩大，结构调整加快，新兴业态不断涌现，对外投资和服务贸易持续增加。

（一）消费性服务业规模持续扩大，占国民经济的比重逐步提高

2005 年以来，我国消费性服务业增加值逐年递增，由 22370.1 亿元增长到 2014 年的 84002.6 亿元，年均名义增长 15.8%；占 GDP 的比重波动上升，由 2005 年的 11.9% 上升到 2014 年的 13%，提高了 1.1 个百分点（见图 1－1）。

从市场主体来看，消费性服务业各类市场主体数量大幅增长。根据历次全国经济普查的结果，我国消费性服务业的法人单位数由 2004

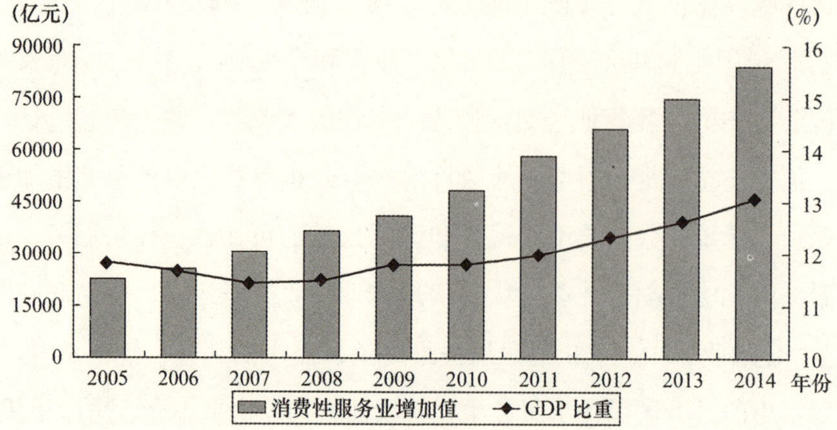

图 1－1 2005～2014 年我国消费性服务业增加值及其占 GDP 比重

注：国家统计局公布的细分行业增加值的最新数据截至 2014 年。

资料来源：Wind 数据库。

年的 107.6 万个增加到 2008 年的 143.8 万个，2013 年又增加到 234.9 万个。主要行业的法人单位数也呈现出递增的态势（见图 1－2）。与此同时，我国消费性服务业的新开业法人单位数量也快速增长，2013 年达到 37.1 万个，比 2004 年增长了 3.3 倍（见图 1－3）。其中，零售业新开业法人单位数的增幅最为明显（见图 1－4）。

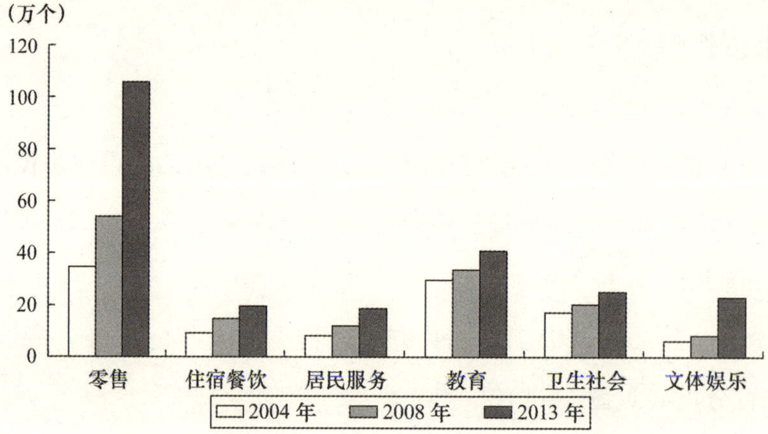

图 1－2 我国消费性服务业主要行业的法人单位数态势

资料来源：《中国经济普查年鉴》（2004 年、2008 年、2013 年）。

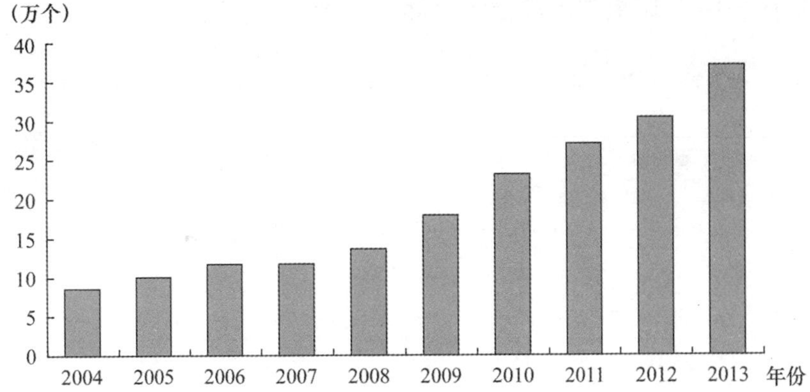

图 1－3　2004～2013 年我国消费性服务业的新开业法人单位数态势

资料来源:《中国经济普查年鉴》(2004 年、2008 年、2013 年)。

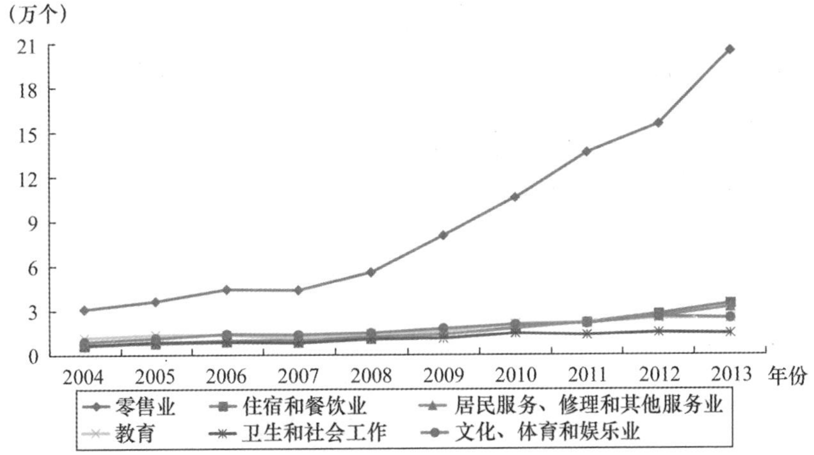

图 1－4　2004～2013 年我国消费性服务业主要行业的新开业法人单位数态势

资料来源:《中国经济普查年鉴》(2004 年、2008 年、2013 年)。

(二) 消费性服务业结构调整加快，内部发展明显分化

从消费性服务业内部结构看，我国零售业自 2007 年超过教育后保持了消费性服务业第一大行业的位置。2014 年，零售业增加值占 GDP 比重为 3.88%，比 2005 年上升了近 1.2 个百分点。另外，2005～2014 年间，卫生和社会工作、教育、文化体育和娱乐业的增加值占 GDP 比重也都有不同程度的提高，住宿和餐饮业、居民服务和其他服务业的

增加值占GDP比重则出现小幅降低（见表1－1）。

表1－1 2005～2014年我国消费性服务业分行业增加值占GDP比重 单位：%

年 份	零售业	住宿和餐饮业	居民服务和其他服务业	教 育	卫生和社会工作	文化体育和娱乐业
2005	2.72	2.24	1.67	3.07	1.59	0.64
2006	2.77	2.18	1.61	2.92	1.52	0.62
2007	2.88	2.05	1.48	2.85	1.49	0.60
2008	3.08	2.07	1.45	2.78	1.45	0.60
2009	3.15	1.99	1.51	3.00	1.46	0.64
2010	3.33	1.87	1.55	2.91	1.42	0.65
2011	3.46	1.75	1.54	3.02	1.52	0.64
2012	3.61	1.76	1.51	3.08	1.67	0.65
2013	3.74	1.72	1.45	3.18	1.85	0.65
2014	3.88	1.73	1.51	3.29	1.98	0.66

注：零售业增加值占GDP比重是根据商务部测算的2012年我国零售业增加值、与我国国情相近的日本在相同发展阶段的零售业增加值占比，对我国相关年份批发和零售业增加值进行分解得到的结果。

资料来源：Wind数据库。

（三）服务创新持续加快，新兴消费性服务业态大量涌现

随着大数据、云计算、物联网、移动互联网等新一代信息技术的广泛应用，我国消费性服务业创新持续加快，新服务、新业态、新模式不断涌现。消费性服务业供给与互联网深度融合，形成了大量新模式，极大提升了服务供给的便利性和消费体验性。例如，在住宿行业，出现了小猪短租、途家网等在线住宿服务供给平台，提供房屋短租、租赁式公寓、民宿客栈等非标准住宿服务；在出行方面，出现了滴滴打车等网络约车平台，提供专车、快车、顺风车、班车、代驾、试驾等个性化出行服务；在餐饮行业，出现了饿了么、百度外卖等服务平

台，提供包括网络订餐、厨师上门等餐饮服务；在家政服务领域，上门清洁、洗衣、皮具保养、宠物寄养等服务形态大量涌现，出现了阿姨来了、e家洁等代表性企业。此外，在零售领域，淘宝、京东等综合性网络购物平台保持行业领先，针对细分领域的各类专业性电子商务平台层出不穷。

值得注意的是，新服务、新业态和新商业模式的不断涌现，还使得我国在一些重要领域开始确立市场规模优势、技术优势，实现了与发达国家“并跑”甚至“领跑”。以网络购物为例，2010年网上零售交易额仅有5131亿元，2013年突破1.8万亿元，超过美国成为全球最大的网络零售市场，2016年进一步升至5.2万亿元，相当于2010年的10倍多。另外，先进的金融科技得到普遍推广，支付宝、微信、银联通道等移动支付用户数量及应用广度在全球居于前列。再有，2015年滴滴出行全平台（出租车、专车、快车、顺风车、代驾、巴士、试驾等）的订单总量达到14.3亿，相当于美国2015年所有出租车订单量的近2倍，超越了已成立6年的Uber实现的累计10亿的订单数①。

（四）消费性服务业外商直接投资和对外直接投资规模明显增长，服务贸易规模不断增加

消费性服务业外商直接投资规模不断扩大。2005～2014年，消费性服务业外商直接投资实际使用金额由15.5亿美元增加到59.9亿美元，年均增速达到16.2%；在全部外商直接投资实际使用金额中的占比则由2.6%上升到5%（见图1-5）。其中，零售业是消费性服务业外商直接投资实际使用金额最大的行业。2005～2014年，零售业外商

① 根据IBISWorld及Statistic Brain数据显示，美国2015年所有出租车订单量约8亿。

直接投资实际使用金额由3.8亿美元快速增加到37.9亿美元。

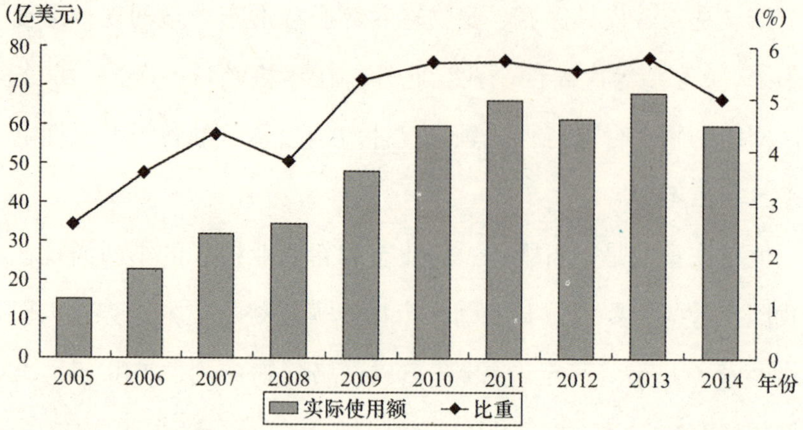

图1－5 2005～2014年我国消费性服务业外商直接投资实际使用金额及占比

资料来源：Wind数据库。

与此同时，我国消费性服务业对外直接投资规模也迅速扩大。2005～2014年，消费性服务业的对外直接投资净额由8.9亿美元增加到99亿美元①，消费性服务业对外直接投资净额在全部非金融类行业对外投资净额中的占比也由7.3%上升到9.2%（见图1－6）。

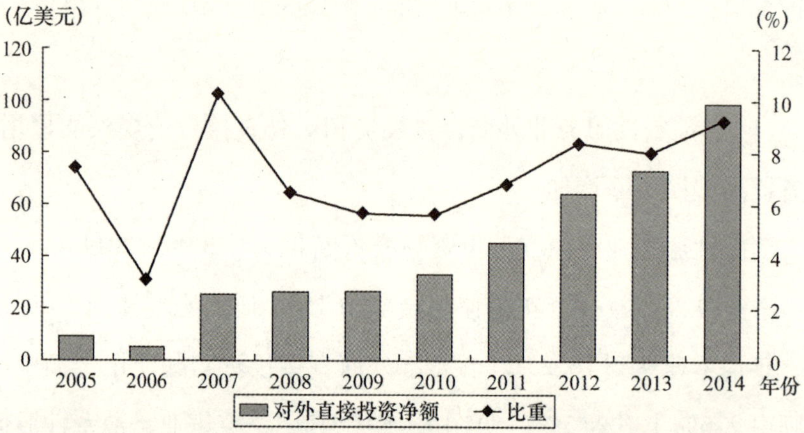

图1－6 2005～2014年我国消费性服务业对外直接投资净额及占比

资料来源：Wind数据库。

① 对外直接投资净额指非金融类行业对外直接投资净额。

此外，消费性服务业的贸易规模不断增加。2005～2014年，我国旅游服务贸易出口金额由292.9亿美元增加到512亿美元，年均增速达到7.3%；电影和音像服务出口金额由1.3亿美元增加到2亿美元，年均增速达到39.6%。

三、当前我国消费性服务业发展中的突出问题

从新常态下消费需求升级以及消费性服务业发展的内在要求来看，我国消费性服务业存在有效和中高端供给不足、供给结构与需求结构不相适应、供给质量层次较低、经营成本上涨过快、要素保障不完善、国际竞争力较弱等问题。

（一）部分消费性服务行业有效和中高端供给不足

当前，居民对消费性服务业的需求正处于从满足基本生活需要向改善生活品质转变阶段，对教育、医疗、养老、文化体育等方面的需求日益增加，但是这些行业发展总体相对滞后，总量供给不足，成为消费性服务业发展的主要短板。例如，我国养老服务有效供给不足，机构养老床位缺口较大。截至2016年，全国注册登记的提供住宿的养老服务机构为2.9万个，各类养老床位合计730.2万张，每千名老年人拥有的养老床位仅为31.6张[①]。另外，在体育产业方面，由于体育基础设施建设滞后、体育赛事服务体系不健全、竞技体育与群众体育结合不紧密等原因，我国体育服务供给还难以有效满足实际需求。从体育产业增加值来看，美国体育产业（包括体育赛事、体育竞技和体

① 民政部：《2016年社会服务发展统计公报》。

育传播，不包括相关产业）占 GDP 的比重为 3%，日本体育产业占 GDP 的比重约为 2.6%；而我国的体育产业占 GDP 比重还不到 1%[①]。

（二）消费性服务业供给结构不适应需求的变化

总体来看，当前我国消费性服务业的供给呈现出结构性过剩与结构性不足并存的特征，传统的同质化服务供给过剩，而专业化、差异化、特色化的服务供给不足。例如，文化旅游业低端化、同质化服务供给较多，甚至在部分地区出现了过剩，而高品质、高水准和高质量的服务供给严重不足，与居民消费升级背景下的现实消费需求和潜在消费需求不适应，致使许多服务消费流失到境外。例如，2015 年全国院线上映影片 358 部，国产片 278 部，引进片 80 部，引进片以不到国产片 1/3 的上映片数获得了全年票房总额的近 40%。与此同时，2009～2014 年，我国旅游、电影和音像的服务贸易逆差由 42.1 亿美元快速扩大到 1143 亿美元（见图 1－7）。

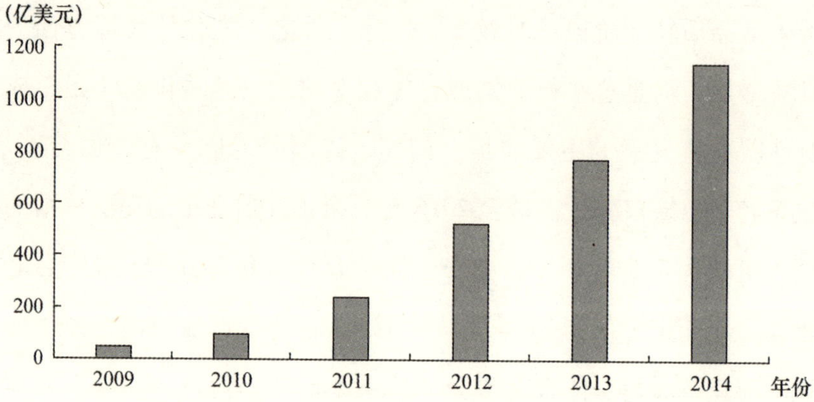

图 1－7　2009～2014 年我国旅游、电影和音像的服务贸易逆差

资料来源：Wind 数据库。

① 国家体育总局：《体育产业发展“十三五”规划》。

（三）消费性服务业供给质量有待提高

由于行业从业人员素质、管理水平等多方面原因，我国消费性服务业整体供给质量较低，部分行业和领域的体验性和顾客满意度较差。据调查，2004～2014年，我国服务业万人投诉量从1.1件大幅攀升至2.1件，增幅达到84.1%；工业万人投诉量从4.2件下降为2.5件，降幅为41.4%。2015年的服务业万人投诉量达到2.4件，已超过制造业同期水平①。此外，邮政服务、文娱体育服务、生活社会服务和销售服务等领域的服务投诉同比上升明显。其中，远程购物、美容美发服务、保养和修理服务等领域一直处于投诉量前列，以网络购物为主体的远程购物投诉量呈高发态势，邮政快递类投诉量不断攀升②。

（四）消费性服务企业经营成本明显增加

受用工成本、店铺租金、水电费、税费等上涨的影响，近几年我国不少消费性服务行业的经营成本出现了明显增加，制约了消费性服务业竞争力的提高。以零售业为例，经营成本上涨主要表现在以下几方面。一是人工成本快速上涨。人工成本在零售业经营成本构成中占比为40%～60%，最近几年的年均增幅达到10%～20%，人工成本上涨导致经营成本上涨约5个百分点。二是店铺租金成本快速上涨。店铺租金成本在零售业经营成本中的占比为20%～30%，近年来在房价上涨的带动下，店铺租金上涨幅度超过了20%，导致经营成本上涨约10%。三是水电费、行政事业性收费等都出现了不同程度的上涨，加剧了经营成本的上升。

① 国家质量监督检验检疫总局：《2014年重点服务行业质量监测结果》。

② 中国消费者协会：《2015年全国消协组织受理投诉情况分析》。

（五）部分消费性服务行业人才、资本和知识产权保障不足

发达国家的经验表明，高素质的从业人员、有效的资本市场以及完善的知识产权保护体系是影响消费性服务业创新发展的重要因素。从当前我国消费性服务业的发展现状看，从业人员素质较低、人员结构不合理是制约消费性服务业创新发展以及改善供给质量和效率的重要原因。

同时，许多消费性服务行业属于典型的轻资产行业且主要以中小企业为主，不仅传统金融机构对其融资支持不足，而且资本市场的不完善也导致企业在融资、发债以及知识产权抵押等方面的渠道有限，制约着消费性服务业的发展。此外，知识产权保护体系的不完善，也使文化和娱乐行业的发展受到较大影响。

（六）部分消费性服务行业的开放程度不高且国际竞争力较弱

与高收入国家相比，我国消费性服务业对外开放的领域和范围相对有限，特别是在教育、医疗、文化等领域。例如，2014 年消费性服务业主要行业中，外商固定资产投资完成额在城镇固定资产投资完成额中的占比仅为 2.2%。

同时，我国消费性服务业服务贸易逆差额持续扩大，国际竞争力整体相对较弱。2009 ~ 2014 年，旅游服务贸易逆差由 40.3 亿美元扩大到 1136 亿美元，占全部服务贸易逆差额的比重由 13.7% 迅速提高到 67.4%（见图 1 - 8）。

我国旅游服务的贸易竞争力指数由 2005 年的 0.15 下降到 2015 年的 - 0.44。2015 年，与美国、英国、法国、德国、意大利、日本相比，我国旅游服务贸易竞争力指数名列最末（见表 1 - 2）。

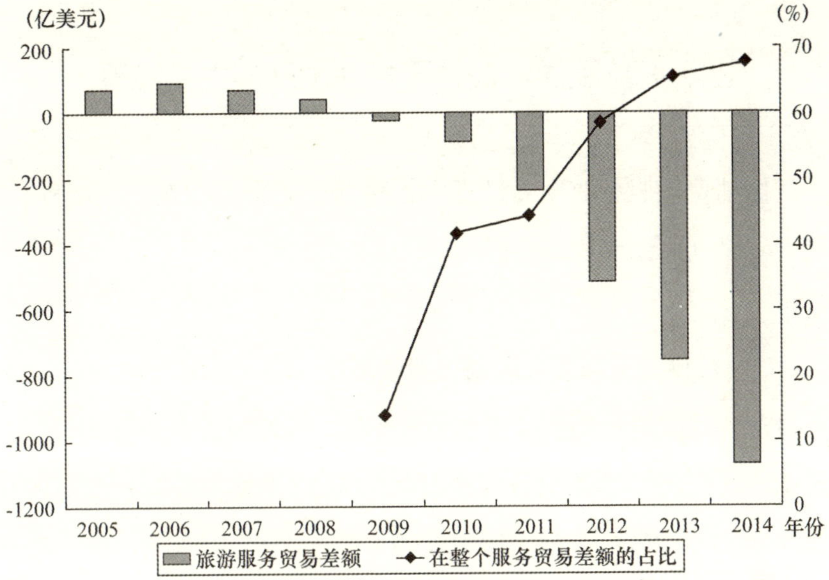

图 1－8　2005～2014 年我国旅游服务贸易差额及占比

资料来源：商务部：《中国服务贸易统计 2015》。

表 1－2　　2005～2015 年主要经济体的旅游服务贸易竞争力

年　份	美　国	英　国	法　国	德　国	意大利	日　本	中　国
2005	0. 12	－0. 32	0. 16	－0. 44	0. 23	－0. 50	0. 15
2006	0. 11	－0. 29	0. 17	－0. 39	0. 25	－0. 52	0. 17
2007	0. 14	－0. 30	0. 17	－0. 39	0. 22	－0. 48	0. 11
2008	0. 18	－0. 34	0. 17	－0. 39	0. 20	－0. 44	0. 06
2009	0. 19	－0. 29	0. 15	－0. 40	0. 18	－0. 42	－0. 05
2010	0. 23	－0. 26	0. 10	－0. 39	0. 18	－0. 36	－0. 09
2011	0. 25	－0. 23	0. 10	－0. 38	0. 20	－0. 43	－0. 20
2012	0. 23	－0. 21	0. 15	－0. 37	0. 22	－0. 31	－0. 34
2013	0. 25	－0. 17	0. 14	－0. 38	0. 24	－0. 18	－0. 43
2014	0. 23	－0. 15	0. 08	－0. 37	0. 22	－0. 01	－0. 38
2015	0. 19	－0. 20	0. 07	－0. 35	0. 24	0. 23	－0. 44

注：贸易竞争力指数＝贸易差额/贸易总额，取值范围为［－1，1］，取值越接近于 1，表示某经济体该产业的竞争力越强；取值越接近于－1，表示该产业的竞争力越弱，取值在 0 附近时，表示竞争力与国际平均水平相近。

资料来源：根据 Wind 数据库计算而成。

四、制约我国消费性服务业发展的主要障碍

我国消费性服务业发展过程中，除了行业自身存在的问题外，还面临着一系列体制和机制障碍。

（一）行政垄断和准入限制仍然较多

目前，我国消费性服务业主要行业中，除零售业，住宿和餐饮业，居民服务、修理和其他服务业的准入限制总体较少外，教育、医疗、育幼养老、文化等行业准入限制仍然较多，特别是外资在准入资格、股权设立方式和占比、进入形式和进入区域、经营规模和业务范围等方面仍然存在较多限制。例如，上海自贸试验区 122 项负面清单中（2015 版），其中涉及服务贸易领域的包括 83 项。2014 年，国家卫生计生委和商务部发布的《关于开展设立外资独资医院试点工作的通知》明确规定，允许境外投资者通过新设或并购的方式在北京、天津、上海、江苏、福建、广东、海南设立外资独资医院。除香港、澳门和台湾投资者外，其他境外投资者不得在上述省市设置中医类医院。

同时，尽管国家出台了一系列促进消费性服务业发展的政策措施，但在实践中却没有得到有效落实，公平准入政策落实仍然不到位。例如，相关规划提出，鼓励和引导民间资本进入医疗卫生、教育、文化、体育等行业，但实际操作过程中民间资本仍然受到歧视。又如，非公立医疗机构在社会保险定点、重点专科建设、职称评定、等级评审、技术准入等方面难以享受与公立医疗机构相一致的标准。

此外，行政垄断、行业垄断和地域保护也对市场进入形成了限制。例如，消费性服务业连锁企业在地方设立分支机构时，当地主管部门

出于税收方面的考虑，要求连锁企业在该区域设立独立法人，导致企业所得税和增值税无法合并纳税，加重了企业的经营负担。

（二）行政审批环节过多过繁

目前，涉及消费性服务业的前置审批、核准、认证项目仍然较多，特别是执行层面变相设置了许多不合理的审批规定，提高了服务企业的设立和运营成本。例如，在医疗领域，医疗机构设立的审批环节非常多，并对营利性医院的数量、规模、布局以及大型医用设备配置有着严格的限制；在体育服务领域，全国综合性和单项体育赛事管理制度改革滞后，审批环节整体较多；在文化领域，电影和电视剧内容审查、审批环节依然较多。除了在市场进入阶段审批环节较多外，在市场退出阶段同样存在过多的审批环节。例如，消费性服务业未开业企业、无债权债务企业的简易注销制度改革仍有改进空间。此外，与消费性服务业相关的行政审批时间过长、行政审批透明度和审批方式信息化程度较低，与服务业新业态、新模式的发展要求不相适应。

（三）监管体制机制不适应实践发展要求

目前，我国消费性服务业监管的体制机制与实践发展要求相比，还存在诸多不适应的地方。

一是部分行业和领域的监管归属不明晰、政府监管部门职能交叉且监管协调困难。例如，网络购物领域，由于监管归属划分不明确，导致普遍存在服务标准不完善和税收征管空白等问题；便利店快餐和配餐食品经营领域，出现了工商、食药监、环保等部门监管权责不清导致出现监管盲区，或尽管监管部门已将其纳入监管范围，但不同地区的监管标准和执行尺度不统一，对相关企业的经营成本和经营便利性产生了不利影响；住宿和旅游领域，民宿客栈、农家乐等相关经营主体在工商注册、消防监管、治安管理等方面的管理部门归属划分不明确，在税率适用等方面也存在一定程度的混乱。

二是消费性服务业监管的协同治理机制不健全。近年来，消费性服务业创新速度加快，新业态、新模式大量涌现，行业监管难度、强度和复杂度不断加大，单纯以政府为主导的监管机制难以适应行业发展，而基于政府、行业协会、居民等多元主体的协同治理机制还未形成。

三是传统的“救火式”“运动式”监管方式难以实现常态化监管，不仅效率低下，而且容易出现监管不到位现象。同时，过分强调事前监管和“以审代管”等监管方式，不利于事前、事中和事后监管的全覆盖。

四是监管手段创新滞后。以现场监管等为主的监管技术手段滞后于行业发展实践，大数据、移动互联等技术手段的应用还不够充分。

（四）相关法律法规不完善

消费性服务业涵盖领域广泛且新兴业态不断涌现，相关法律法规与消费性服务业的快速发展不相适应。

一方面，部分法律法规的实施细则和配套法规不完善。例如，在打击电子商务平台存在的假冒伪劣现象、规范线上线下企业公平竞争，以及消除在线旅游、酒店等互联网领域存在的市场垄断等方面，还缺乏针对性的立法和执法依据。在餐饮配送、消费金融等领域，涉及市场准入的法律法规条款与实践发展不相适应，限制了相关行业的发展。在商业用地流转方面，商业用地在商城、公寓、酒店、写字楼、工厂等使用用途之间的流转还存在法律障碍，不利于土地资源的优化配置和相关行业的发展。

另一方面，共享经济领域适用法律法规的缺失。例如，互联网专车平台在服务过程中，乘客、专车软件平台、汽车租赁公司和劳务服务公司“签署”的“用车服务协议”中，存在平台公司法律地位定位不清、乘客责任定位不清等问题。在民宿服务领域，互联网平台、房主和住宿客人之间权责利界定所适用的法律法规缺失，相关责任划分和损失认定方面尚没有明确的适用条款。

（五）行业标准和质量体系不健全

消费性服务业涉及的行业众多，但是目前许多行业的标准和质量体系还不完善。

一是部分新兴行业的关键标准制定明显滞后于发展实践，特别是居民服务、健康、体育、文化等领域。例如，在家政服务、美容美发、代驾服务、房屋中介服务等行业缺乏专门的标准和规范，服务质量争端难以明确界定，不利于市场主体人身和合法权益的保护。在文化领域，公共文化服务、文化产品与服务分类、文化内容管理以及服务质量等方面的标准不完善。在新闻出版领域，版权保护与版权运营标准体系以及绿色印刷标准体系不完善。在旅游领域，网络在线旅游、度假休闲旅游、生态旅游等新业态标准制定滞后。

二是尽管一些行业制定出台了相关标准，但是由于约束力不强，导致行业标准和质量体系执行落实不到位。部分已出台的消费性服务业标准与相关法律法规以及政策的衔接配套不够，对法律法规的技术支撑和补充作用不足。

三是符合消费性服务业特点的标准形成机制尚未建立。在标准形成和制定过程中，目前仍是以政府为主导，相关学会、协会、商会、联合会等社会组织的作用发挥不够，市场自主制定的标准或行业最佳实践上升为国家标准的机制与程序还不完善。

四是消费性服务业质量管理和监督体系不健全。服务质量分级管理制度、诚信制度、认证认可制度建设较为滞后，服务纠纷争端处理机制不完善，从业人员和消费者权益保障不到位。

（六）相关配套制度不完善、不协调

对于旅游业及相关消费性服务行业而言，消费需求的进一步扩大，有赖于带薪休假制度以及弹性作息等制度的落实和执行；对于文化、体育和娱乐行业来讲，各级学校和文化部门拥有数量众多的公共场馆和场地，但是受部门、学校、社区等主体责、权、利界定的困难以及自身利益等方面的考虑，相关资源、设施和场馆对社会开放不足、共享程度较低，不仅导致资源的闲置浪费，也限制了这些行业的发展。

此外，目前消费性服务业增值税、消费税、个人所得税的税制设计，还难以发挥税收在促进消费和引导消费性服务业发展中的应有作用。例如，消费性服务业增值税、消费税适用税率设定的不合理，导致行业间税负不均等；消费税税收征收环节的设置不尽合理，也在一定程度上制约了居民消费需求的扩大以及相关产业的发展。

从未来发展看，促进我国消费性服务业发展需要深化供给侧结构性改革，进一步打破垄断和放宽市场准入，促进公平竞争，建立统一高效、开放包容、多元共治的监管体系，推动消费性服务业标准体系建设，完善有利于消费性服务业创新的财税政策。

执笔人：赵　勇

参考文献

[1] [加] 赫伯特·G. 格鲁伯，迈克尔·A. 沃克. 服务业的增长——原因与影响. 上海：上海三联书店，1993

[2] 国务院发展研究中心课题组. 中国新型城镇化：道路、模式和政策. 北京：中国发展出版社，2014

[3] 刘世锦. 中国经济增长十年展望（2016～2025）：由数量追赶到质量追赶. 北京：中信出版社，2016

[4] 刘涛. 服务业：初露端倪的主导产业. 载刘世锦主编《中国经济增长十年展望（2013～2022）：寻找新的动力和平衡. 北京：中信出版社，2013

[5] 刘涛. 中国服务业发展的阶段定位和前景展望. 中国发展评论（中文版），2013（3）

[6] 任兴洲，王微. 服务业发展：制度、政策与实践. 北京：中国发展出版社，2011

[7] 王微. 发展服务业 助力城镇化加速推进. 中国经济时报，2014 年 11 月 13 日

[8] 王微. 中国城市化进程中服务业发展的主要特点. 中国经济时报，2014 年 11 月 15 日

[9] 王微. 城市化进程中服务业发展面临的问题与挑战. 中国经济时报，2014 年 11 月 22 日

[10] 中国经济增长前沿课题组. 中国经济增长的低效率冲击与减速治理. 经济研究，2014（12）

[11] Gottlieb, J. D, Glaeser, E. L, 2006. "Urban Resurgence and the Consumer City", Urban Studies, 43 (8): 1275－1299

[12] Henderson, J. V., J. F. Thisse, 2004. Handbook of Regional and Urban Economics (Vol. 4), Amsterdam and New York: North Holland

[13] Sassen, Saskia, 1994. Cities in a World Economy, The Pine Forge Press, Thousand Oaks, CA.

[14] Singelmann, Joachim, 1978. From Agriculture to Services: The Transformation of Industrial Employment, Sage Publications, Beverly Hills.

专题报告二

餐饮业创新转型的供给侧结构性改革探索与实践

“民以食为天”。改革开放以来，餐饮消费一直是我国居民消费中增长较快的领域之一。餐饮业规模逐年扩大，餐饮品类持续增加，经营模式不断创新，服务结构日益优化，在满足城乡居民日益增长的消费需求的同时，在吸纳就业、带动农业发展、增加税收等方面都发挥了重要作用，对经济增长和社会发展做出了突出贡献，成为我国消费性服务业中的重要组成部分。

近年来，随着我国经济发展进入新常态，城乡居民消费升级加快，餐饮消费需求呈现新的趋势和特征。人们不再仅仅满足于吃饱，而更加注重餐饮服务消费的品质、健康、安全、环保和便捷，这对餐饮服务供给提出了新要求，迫切需要餐饮业推进供给侧结构性改革，加快转型创新，拓展餐饮业新的发展空间。

一、我国餐饮业发展的现状和主要特点

随着经济的持续发展，我国城乡居民收入不断增长，生活水平日

益提高、生活节奏明显加快、生活方式发生新变化，居民外出就餐的数量和频次增加，加之各类公务、商务活动日益频繁，国内旅游市场快速发展等因素的共同作用，拉动了餐饮市场的较快发展。“十二五”以来，我国餐饮消费及餐饮业发展呈现出以下突出特征。

（一）餐饮业经历调整阵痛后，实现恢复性增长

改革开放以来，特别是从20世纪90年代初开始，我国餐饮消费持续快速增长，行业收入规模急剧扩大，其增长速度之快、持续时间之长在消费性服务行业中非常突出（见图2－1）。数据显示，1991～2012年，我国餐饮业零售总额[①]年均增长20%以上，比同期社会消费品零售总额年均增速高出近7个百分点，占社会消费品零售总额的比重由1991年的5.2%提高到2012年的12.4%。

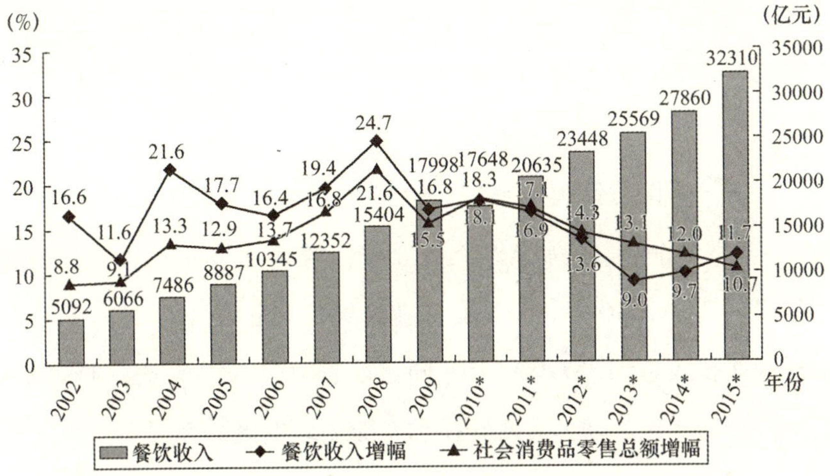

图2－1　2002～2015年我国餐饮业和社会消费品零售总额的增长

资料来源：根据国家统计局相关数据整理而成。

---

① 自2010年开始，国家统计局将餐饮业统计口径调整为餐饮收入，之前为住宿餐饮业零售额。

随着经济发展进入新常态，我国经济下行压力较大，国内需求增长乏力，出口贸易增幅回落，经济增长进入动力转换阶段。特别是受增长速度换挡、经济结构深度调整和前期政策消化等“三期叠加”因素的影响，GDP 增速明显下台阶，由2011 年的9.5%，回落至2012 年的7.8%、2015 年的 6.9%。加上改革深化、反腐力度加大，中央“八项规定”出台等原因，公款消费受到遏制，消费“虚火”明显降温，全国餐饮收入增速出现下降，特别是原来由公款消费支撑的部分高端餐饮收入显著回落。2013 年，全国餐饮收入增幅由上年的 14.3% 回落到9.7%，降幅达4.6 个百分点，创21 年来的增幅最低值，全国的餐饮服务企业经受了行业调整的阵痛，经营收入明显下降，经营成本普遍上升，利润水平大幅降低。一些高端餐饮经营企业受影响更大。据商务部的抽样调查数据显示，2013 年1 ~2 月份，全国高档餐饮企业营业额普遍下降。其中，北京下降了35%，上海下降了20%。一些高端餐饮企业被倒逼转型，有的甚至退出了餐饮行业。经过近四年的结构调整、市场“洗牌”和行业转型，2015 年餐饮行业出现稳步复苏态势，当年全国餐饮收入突破3 万亿元，达到32310 亿元，同比增长11.7%，增幅同比提高了 2 个百分点，增长速度重回两位数的水平（见图2 -2）。2016 年，餐饮服务业继续保持了稳中向好的发展势头，全国餐饮收入达到35779 亿元，同比增长 10.8%。餐饮行业初步实现了结构趋向优化、动力有所转换和企业创新发展的新局面。

（二）餐饮消费潜力不断释放，市场空间明显扩展

第一，餐饮消费潜力进一步释放。随着法定假日的增加和消费方式的变化，我国餐饮消费进一步活跃。目前，我国每年法定节假日（含双休日）在110 天以上，带薪休假制度也在逐步落实和完善。闲

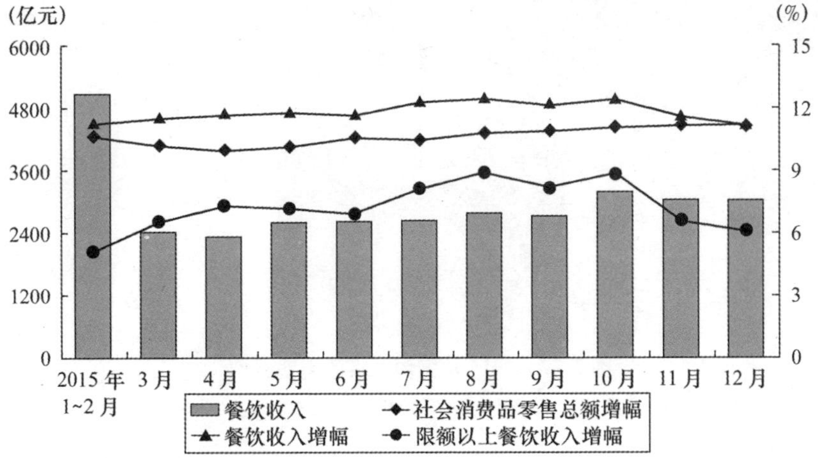

图 2－2　2015 年全国餐饮收入的月度增长

资料来源：中国烹饪协会。

暇时间的增加必然带动假日消费的增长，外出就餐的人数和频次逐年增加。根据商务部的统计，2016 年国庆“黄金周”期间，全国零售和餐饮企业实现销售收入 1.2 万亿元，同比增长 10.7%。除国内的法定假日外，随着我国对外开放和经济全球化的推进，一些西方的节日（如圣诞节、感恩节、情人节等）也逐渐成为国内年轻消费群体的餐饮消费热点期。

第二，旅游餐饮消费增长较快。随着居民收入和生活水平的提高、交通基础设施改善和“互联网＋旅游”的创新，我国旅游消费市场保持持续旺盛的增长势头。截至“十二五”末，国内旅游人数 40 亿人次，国内旅游收入 3.4 万亿元，入境旅游人数 1.3 亿人次，完成预期目标的 102%；全年实现旅游业总收入 4.1 万亿元，占 GDP 的比重为 4.9%。旅游消费市场的持续旺盛带动了餐饮消费的较快增长。在旅游景点、住宿宾馆、民宿以及农家乐等地方，餐饮消费都呈现出较快增长的局面。根据中国旅游研究院的调查，2015 年国内游客消费结构中，餐饮消费占比 22%，在旅游消费结构中占比最高（见图 2－3）。

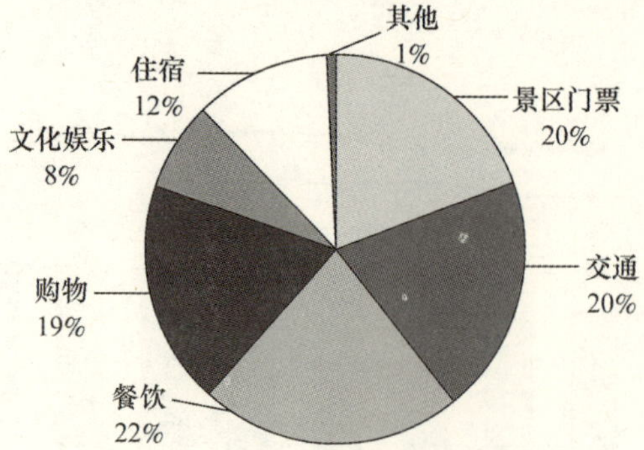

图 2－3　2015 年国内游客的消费结构

资料来源：中国旅游研究院：《2015 年旅游市场调查》。

第三，新型餐饮消费需求快速增长。家庭消费中的各类寿宴、婚庆宴、毕业宴、节日宴等正成为餐饮消费市场的亮点和新增长点。数据显示，目前每年的新婚消费中，有八成左右的新人选择在宾馆饭店举办婚宴；而谢师宴、寿宴、满月宴等已经成为城乡居民稳定增长的消费需求。团餐消费需求呈现快速增长势头。经济规模的不断增长、企业数量的增加以及城市庞大的楼宇经济，带动了团餐消费市场快速增长。根据中国烹饪协会发布的《2015 年团餐 50 强企业分析报告》显示，近年来我国团餐收入已占到餐饮收入 30% 的份额；2015 年的团餐 50 强企业营业收入合计为 322.7 亿元，同比增长 24.5%，远高于同期全国餐饮收入 11.7% 的增速。由此可见，团餐已成为餐饮行业的新增长点。

（三）餐饮消费层次稳步提升，消费方式日益多样

在餐饮消费规模扩大的同时，餐饮消费层次也在稳步提升。无论是居民家庭或个人，还是商务、团体的餐饮消费层次都在提升，突出表现为更加注重菜品的口味、服务的质量和消费的便捷程度，餐饮消费需求呈现出品质化、精细化和个性化的特征。首先，越来越多的消费者对餐饮价格的敏感度有所降低，而对品质、绿色、安全的敏感度显著上升。其次，市场化的高端餐饮消费稳步回升。经过近几年的行业调整，在基本挤出了以公款消费为支撑的奢华消费的泡沫之后，由部分中产以上收入家庭消费、高端商务消费、高端游客消费等需求支撑的市场化高端餐饮消费需求明显回升。再有，个性化特色消费需求增长较快。一些“小而精、小而美”、口味独特、品质可靠、特色鲜明、富有情调、价格合理的餐饮消费需求十分旺盛。此外，一般餐饮消费的品质也在提高，安全、绿色的餐饮产品受到消费者青睐。

在餐饮消费层次稳步提升的同时，消费方式也日益多样化，追求便捷、舒适、实惠成为消费的主流。在保证品质的前提下，消费者更加注重就餐的便捷、实惠，特别是在互联网广泛应用的背景下，消费者线上订位、点餐、等位、支付和外卖、配送等需求不断扩大。餐饮线上平台订购、团购、餐饮 O2O 以及网上订餐、点餐、送餐越来越成为年轻一代消费者餐饮消费的重要方式。餐饮消费方式的这些变化同时也带动了大众点评、美食攻略等相关网络服务的发展。

（四）餐饮企业规模扩大，行业发展活力增强

1. 餐饮企业规模稳步扩大，民营企业占比高

2015 年，我国限额以上餐饮企业法人数量为 25947 个，从业人员 222.1 万人，分别是 10 年前（2006 年）的 2.2 倍和 1.5 倍。2015 年，限额以上餐饮企业营业额为 4864 亿元，其中，餐饮收入为 4343.5 亿元，分别比 10 年前增加了 209% 和 208%（见表 2－1）。

根据中国烹饪协会对典型餐饮企业的统计调查显示，截至 2015 年，餐饮行业（不包括非餐饮企业的餐饮业务）提供正餐、快餐、饮料及冷饮服务、其他餐饮服务的餐饮经营单位增加至 246.3 万个，餐

饮业从业人员1533.2万人，同比增加6.1%，营业收入为22375亿元，同比增加11.4%。

表2-1　2006~2015年我国限额以上餐饮企业的发展情况

年　份	法人企业（个）	年末从业人数（万人）	营业额（亿元）	餐费收入（亿元）
2006	11822	148.9	1573.6	1410.6
2007	14070	167.4	1907.2	1711.3
2008	22523	200.2	2592.8	2358.4
2009	20694	200.6	2686.4	2441.3
2010	21595	220.3	3195.1	2893.2
2011	22496	227.8	3809.0	3433.8
2012	23390	243.7	4419.8	3966.7
2013	26743	246.8	4533.3	4056.1
2014	26634	234.5	4615.3	4120.2
2015	25947	222.1	4864.0	4343.5

资料来源：根据国家统计局相关数据整理而成。

从所有制结构看，目前餐饮企业以内资和私营企业为主，是市场化程度最高的行业之一。截至2015年，全国25947个限额以上餐饮企业法人中，内资企业法人24845个，占企业法人总数的95%以上；私营企业法人16600个，占总数的64%。

2. 餐饮业经营结构更加多元化，呈现多业态发展格局

从经营内容看，正餐仍是餐饮行业的主体，饮料及冷饮服务增长迅猛，快餐保持快速增长。截至2015年，全国限额以上餐饮法人企业中，正餐服务业法人企业数和从业人数分别为24165个和1680942人，占比分别为93.2%和75.7%，年营业额3547.4亿元，占餐饮业年营业额的72.9%（见图2-4、图2-5、图2-6）。同期，限额以上饮料及冷饮服务企业年营业额为151.9亿元，比2008年增长了7.9倍，限额以上快餐企业年营业额增长了1.2倍。

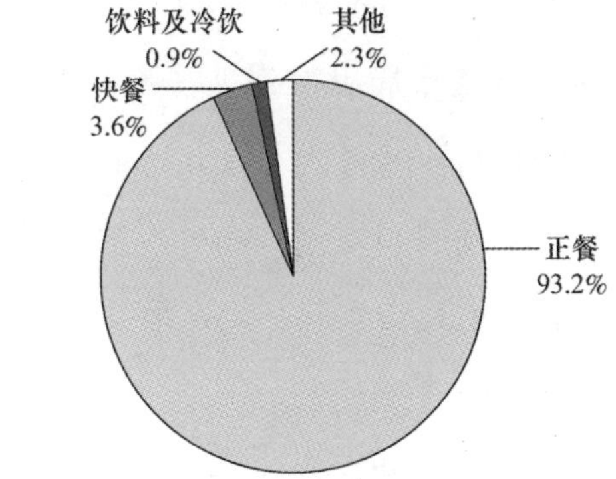

图2-4　2015年我国限额以上餐饮企业法人构成

资料来源：根据国家统计局相关数据整理而成。

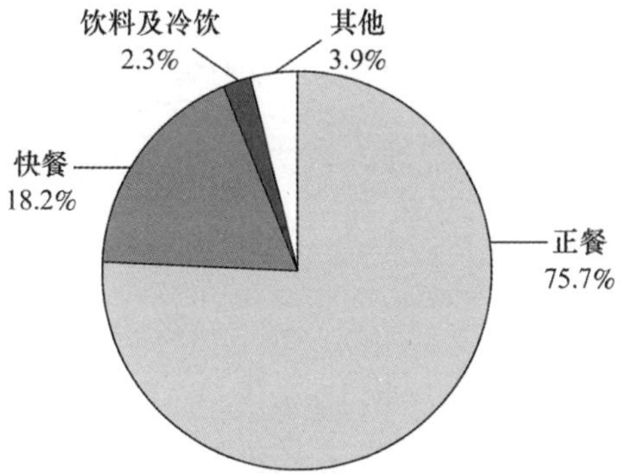

图2-5　2015年我国限额以上餐饮企业从业人员分布

资料来源：根据国家统计局相关数据整理而成。

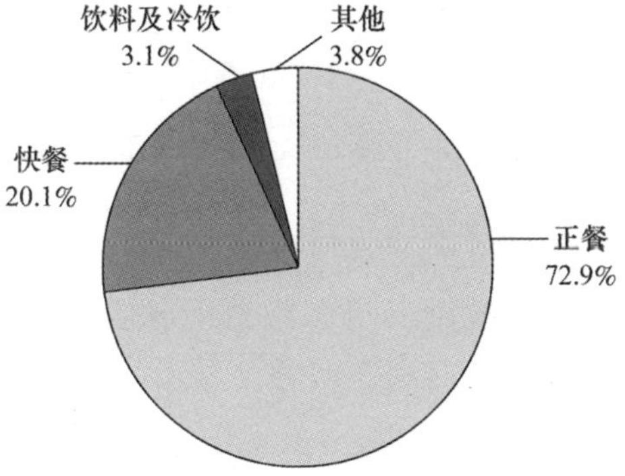

图2-6　2015年我国限额以上餐饮企业营业额构成

资料来源：根据国家统计局相关数据整理而成。

从业态结构看，自助餐饮、商场餐饮、外卖外送、商务餐饮、婚宴、寿宴、家庭聚餐、旅游团餐等多种业态共同发展，满足了不同群体的消费需求。城乡餐饮布局也得到进一步调整。城市的特色餐饮、休闲餐饮、快餐、团餐和社区餐饮发展方兴未艾，乡镇以农家乐餐饮为代表的餐饮服务不断发展和规范。针对儿童、年轻人、老年人等特定消费群体的特色餐饮也逐步兴起，较好地满足了不同消费群体的个性化、多样化、品质化的消费需求。

3. 餐饮业现代化水平不断提升

信息技术的飞速发展，为餐饮业提高科技含量提供了可能。近年来，不少餐饮企业开始运用信息技术，实现了从原材料采购到检验检测、库房管理，从原材料整理、切配到厨房加工，从顾客点餐到埋单结算的全过程实现信息化管理，大大提高了工作效率，增加了企业利润。同时，连锁经营、网络营销、集中采购、统一配送等现代化经营方式的发展，大大提升了餐饮行业的现代化水平。

连锁经营成为餐饮业规模化发展和有序扩张的主要组织方式。“十二五”以来，除百胜集团、麦当劳等外资餐饮连锁企业继续保持较快发展之外，内资餐饮连锁企业也实现了较快增长，涌现出一批全国性、规模化的餐饮连锁企业。截至2015年，全国限额以上餐饮连锁企业门店23721个，餐位数达到333.6万个，营业额达到1526.6亿元，占限额以上餐饮企业营业额的31.4%。连锁经营已成为我国餐饮业做大做强、树立品牌的主导经营模式。

随着互联网的广泛应用，网络营销正在成为餐饮企业满足消费者便捷性需求、拓展盈利空间的新途径。为更好地满足消费需求的变化，餐饮企业更加注重利用互联网技术、智能技术等新兴技术，越来越多的餐饮企业开始自建平台或利用第三方平台等渠道，围绕消费者的新需求，实现线上点餐、等位和支付以及线下快捷配送等，网络营销更好地满足了消费者的需求。据艾瑞咨询统计，2015 年，全国线上餐饮市场规模为 1615.5 亿元，同比增长 45%，占餐饮业总体规模的 5% 左右，发展空间广阔。

以集中采购、统一加工、统一配送为特征的中央厨房发展较快。越来越多的餐饮企业采取自营、联营、第三方平台等模式探索原辅料集中采购、产品统一生产、统一配送的餐饮工业化发展模式，同时建立绿色餐饮原辅材料基地，向种养、加工、物流配送等产业链的上下游延伸，在质量安全控制、降低成本、实现规模经济等方面取得了良好效果。

4. 餐饮业盈利能力有所提升

在餐饮消费实现恢复性增长、餐饮业规模不断扩大、经营模式不断创新、现代化水平不断提高的背景下，餐饮企业的盈利水平也在提升。2015 年，全国限额以上餐饮企业的主营业务利润达到 247.1 亿元，是 10 年前的 3.2 倍。根据中国烹饪协会对全国餐饮百强企业的调查，2015 年，餐饮百强企业营业总收入为 2210.5 亿元，同比增长 2.4%，平均净利润率为 4.8%，较上年提高 0.3 个百分点，盈利能力比前两年行业调整时期有所增强。

二、我国餐饮业供给侧创新转型的主要实践

餐饮业是我国最早实行市场化的行业之一，是市场化程度高、竞争充分的行业，也是最具发展活力和生机的行业。在这一轮经济调整中，餐饮业在严峻的调整转型过程中，坚持以市场为导向，围绕消费需求的新变化，自觉、主动、积极推进供给结构调整，加大转型创新力度，努力探索用现代经营理念和技术手段改造提升传统经营方式，

加快培育行业发展新动能。目前来看，餐饮行业的一些调整转型创新做法已经取得了实际成效，培育出一些新的发展动能和新增长点，有效促进了全行业的恢复和增长。

（一）调整转型：以消费需求为导向，重新调整市场定位

进入21世纪以来，随着消费需求的增长，我国餐饮业发展呈现加速趋势，企业数量、行业规模、销售收入及利润都快速增长。在高速发展的形势下，一些公款消费和奢华消费风气开始盛行，餐饮行业出现了浮躁现象，一些企业追求“高端、大气、上档次”，追逐高额利润和快速致富。当行业进入调整期后，市场需求结构发生了很大变化，公款消费支撑的高端餐饮需求迅速降温，营业收入锐减。一些高端餐饮企业经营收入和利润明显下降。在严峻的市场结构调整和激烈的竞争中，餐饮消费重新回归理性，餐饮企业纷纷审时度势，以消费需求为导向，及时调整经营方向。

一是重新调整市场定位。一些餐饮企业认真研判市场形势，细分市场，重新确定市场目标和定位，主动向大众餐饮服务转变，探寻新的增长点，提升市场竞争力。例如，山东蓝海酒店集团是一家综合性酒店企业。2012年之前，其餐饮服务定位为中高端，商品和服务收入的80%来自于中高端。但2013年以后，随着经济形势和市场需求变化以及中央“八项规定”等政策出台，蓝海集团的高端经营受到很大影响，消费需求骤减，经营收入下降，企业经营面临前所未有的困难。面对这种形势，集团及时调整转型，重新规划发展方向，将经营定位从高端向大众消费转变。细分市场，将正餐的人均消费定位为170～200元的中档、80～120元的低档，着力发展家庭宴、婚庆宴和普通商务消费群体；将散客消费定位为60元左右；还积极开发便餐供给，企

业经营重新焕发出活力。

二是重新调整产品结构。眉州东坡集团抓住行业调整的机会，对其旗下的正餐布局重新梳理。将正餐分别定位为园林版、写字楼版和社区版，正餐供给各有特色。该企业还对菜品进行调整，根据门店大小和消费群体的不同分为A、B、C三类菜单，在不同的门店进行排列组合，既丰富了各门店的菜品供给，还有效降低了运营成本，提高了效率。山东蓝海集团将原来300多款菜品调整为100多款，并将主要服务内容调整为面向大众的风味餐饮系列，剔除虚高的奢华成分，为消费者提供实实在在的商品和服务。

企业主动调整发展方向和定位带动了餐饮市场结构发生显著变化。2013年以来，大众餐饮成为餐饮市场中增长最快的部分，占整个餐饮业的比重迅速上升，成为拉动行业回暖的主力军。根据商务部的调查，目前我国大众餐饮已占到餐饮市场的80%左右。

【案例1】 定位大众消费，突出特色餐饮

浙江外婆家餐饮有限公司成立于1998年。针对现阶段我国家庭日常消费市场的巨大发展潜力，“外婆家”明确将经营定位和目标消费群体锁定为家庭（朋友）聚餐的普通百姓，秉承时尚、品味、健康餐饮的理念做好大众餐饮。“外婆家”的经营特点：一是坚持以普通百姓为目标群体，以高性价比作为企业的核心竞争力。“外婆家”的人均消费长期稳定在几十元左右，主要是针对居民大众消费，在价格上力求“亲民”。二是注重服务回头客，强调对长期顾客的关注。企业注重开发特色菜肴，以满足顾客重复消费中求新求变的心理。而且价格合理公道，使其能够成为一些消费者重复消费的场所。三是积极开发多个品牌，不断创新特色餐饮产品。目前“外婆家”旗下拥有“外婆家”“指福门”“第二乐章”“金牌外婆家”“炉鱼”“锅小二”“Uncle5”等多个餐饮品牌，围绕大众消费和特色餐饮做足文章，开创了“开一家火一家”、店店排队、餐餐排队的经营盛况。“外婆家”的经营理念，是要让大众消费者可以享受到名师打造的菜品和环境、微笑细致的星级服务、色香味俱全的丰盛菜肴。近年来，“外婆家”在家庭聚餐定位上，又加入普通商务宴请，以扩大消费群体。

山东舜和国际酒店在经营定位上主打特色牌和主题文化牌。将目标消费群体定位在会议、婚宴庆典以及中高端个人消费人群。以优质海鲜自助为产品特色，以优质原料、优质环境、优质服务给消费者提供良好的餐饮供给和消费体验，成功实现逆势增长。

资料来源：根据调研和网上公开资料整理而成。

（二）业态创新：探索差异化服务，创新业态形式

为满足消费者日益追求个性化、体验化、多元化消费的趋势，避免业态同质化的困境，在推进供给侧结构性改革过程中，餐饮企业主动调整业态结构，探索差异化服务，创新业态形式。

一是由“大而全”向“小而精、小而美”的大众餐饮发展。例如，浙江“外婆家”的“炉鱼”“锅小二”就是主打烤鱼和火锅，并且着力在制作工艺上下功夫，推陈出新，受到消费者欢迎，引发排长队和“高翻台率”效应。二是着力提供差异化的业态供给模式。例如，山东舜和集团探索差异化经营，将“海鲜餐饮超市”开进星级酒店，还代理德国啤酒品牌，形成特色供给，贴近百姓消费，找到了经营新增长点。三是跨界融合，突出餐饮文化特色，并将创意、休闲理

念融入餐厅酒店，让顾客享受多种消费体验。例如，“呷哺呷哺”在店面升级中，突出文艺小清新、轻奢、极简工业风、中国禅等风格，迎合了年轻消费群体追求时尚、文艺、清新的消费需求；杭州的“湘湖驿站”酒店自2013年开始着力转型发展，利用独特的地理位置，将餐饮与周边游、休闲采摘、养生保健结合在一起，形成餐、旅、文、休融合发展；山东“老转村”酒店也将餐饮与文化、创意、设计、体验相结合，打造独具特色的主题文化酒店。

【案例2】　着力打造贴近百姓的餐饮“社区店”

北京华天集团多年来坚持在居民社区周边开店，贴近社区普通消费者，不断推出便民利民的餐饮服务项目。例如，为了解决居民吃早点难的问题，为社区居民提供方便、快捷、卫生的早餐服务，华天集团旗下不仅有包括庆丰包子铺、护国寺小吃、新川面馆以及众多老字号名店在内的近400家门店，每天为近11万人提供早餐服务，而且从2015年开始，华天集团还特别针对环卫工人的特殊群体，开放100多家门店提供“环卫工人”专项早餐服务。

适应我国老龄化社会到来的大趋势，华天集团关注到当前老年餐饮的市场供给远远不足，未来老年餐食会形成个性化的群体，有着巨大的消费潜力。华天集团正在布局对直属门店进行一系列“适老改造”，力图为老年人群体提供更为便利和合宜的餐饮服务。

资料来源：根据调研和网上公开资料整理而成。

（三）品牌打造：提供特色化服务供给，加强品牌建设

为适应消费者对餐饮消费品质化、精细化的需求，餐饮企业越

来越意识到品牌建设、创新及品牌保鲜的重要性。餐饮企业着力加强品牌建设，并在餐饮产品和服务的差异化特色、品质、服务质量、就餐环境等方面下功夫。在品牌的打造上，注重在传承传统中推陈出新，着力提升服务质量、优化就餐环境来树立品牌形象，吸引消费者。

山东凯瑞餐饮集团是拥有200多家门店、以连锁餐饮经营为核心的多元化餐饮企业。在行业结构调整和转型创新过程中，凯瑞集团在坚持走大众化、特色化、差异化的发展之路的同时，高度重视品牌建设，努力为顾客提供高性价比的用餐感受和舒适尊严的消费体验，突出不同地域餐饮特色，与地域文化相结合，打造多品牌大众化特色餐饮。凯瑞旗下创新有多个餐饮品牌，品牌之间产品不同，风味不同，针对的客户群体不同、服务特色不同，但都是瞄准大众化消费和百姓餐饮。凯瑞集团注重打造不同地域的文化氛围，使每个消费者，不分地位和年龄，都能在凯瑞旗下的餐馆饭店中找到适合自己的产品和服务。例如，其旗下的“老牌坊”和“城南往事”两个品牌，主打传统的鲁菜和济南菜品风味，在传承鲁菜风格的基础上，注入新的时代元素，使传统鲁菜焕发出新的活力；“高第街56号”则主打粤菜风味，使消费者不到广东，也能品尝到清淡味美的粤菜；“皇城根”品牌则具有浓郁的京味特色。凯瑞集团打造多个品牌，各自特色鲜明，总有一款适合消费者的口味，很快就树立起产品和服务的品牌形象，其餐饮服务覆盖了大量的消费人群。从2012年起餐饮行业面临深度调整，很多餐饮企业经营异常困难，但凯瑞集团的年营业额仍始终保持了38%左右的增速。在2015年中国品牌价值榜上，山东凯瑞集团以很高的品牌强度位列其中。

济南快餐企业超意兴餐饮有限公司以“弘扬齐鲁饮食文化，争创国际快餐品牌”为目标，坚持继承传统，突出特色风味，在保留老济南特色名吃传统口味的基础上对生产工艺和流程进行创新和改良，不仅保证了传统风味，而且注入了新的营养健康元素，还实现了制作工艺的标准化，奠定了超意兴传统经营特色品牌的坚实基础。

（四）经营升级：提高管理水平，提升经营效率

根据调研，目前发展好、效益高的餐饮企业，无一例外都在提升企业经营管理上狠下功夫，以供给侧改革和调整为目标，优化内部经营管理制度，整合餐饮产业链，提高企业管理水平和经营效率。主要做法包括以下几个方面。

1. 提升精细化管理水平

餐饮业是劳动密集型的服务行业，其管理特点是相互关联的连续性、流动式的管理，既包括对顾客的直接服务现场，又包括不直接面对顾客服务的后勤作业现场，涉及环境管理、设备物品管理、安全卫生管理、菜品质量管理、服务水平管理等多个方面，涵盖对物、对事、对人的管理，环节多、头绪杂、内容广。管理水平与餐饮企业的经营效率密切相关，也是餐饮业发展中长期面临的瓶颈和短板。在供给侧结构性改革和调整中，许多餐饮企业主动引入先进的现代化管理模式，优化企业内部管理流程，在实现精细化管理方面取得了良好成效。

一是引入和实施科学管理模式。例如，山东舜和集团在行业调整和激烈的市场竞争中，苦练“内功”，引入了先进的“3E”管理模式，实施“天天整理、事事规范、人人自律”的“三效”管理，在质量层面，通过现场指引、标识标记，保证了产品和服务的品质；在安全保障层面，通过警示标识，大大减少了安全隐患，降低了安全事故的发生；在物品管理使用层面，通过物品存放的清楚标识，提高了使用效

能；在降低成本层面，通过循环利用，杜绝了浪费，提高了利用率。舜和集团对“3E”管理制度严抓落实，做到每个环节、每道工序、每个岗位和每个员工都要严格遵守，并且有考核，有奖惩。

二是制定精细化管理规范。例如，山东金德利快餐集团积极推行规范化管理，针对生产、经营、管理的每个环节制定了详细严格的《工作规范》和《金德利运营管理手册》，使所有生产、经营、管理活动按照科学化、制度化、规范化要求进行，确保每一道工序、每一个岗位细化到岗、量化到人、职责明确、落实到位，并强化落实和执行。

三是梳理和重构管理流程。例如，潍坊鸢飞大酒店在调整转型中，重新梳理和优化管理流程，做好管理上的加减法，实施扁平化管理，提升管理效率。

从实践效果看，一些餐饮企业通过推行科学、规范、可行的管理模式，提升了管理能力，优化了经营环境，改善了企业形象，提高了企业的竞争力，对餐饮企业实现可持续发展起到了积极的作用。

2. 提升标准化和产业化水平，变革传统生产加工方式

与西餐相比，中餐的标准化程度低，是更多凭个人经验和个人操作技法的行业。中餐产品的标准化和专业化难以提升，一直是困扰中餐发展的主要瓶颈。非标准化不仅影响中餐产品的品质、口味和稳定性，更是制约了中餐实现规模化发展，造成整个行业的集中度低，难以做强做大。截至目前，在我国经营的洋快餐企业，如肯德基、麦当劳等，其经营规模已达数百亿元，但中餐企业超过百亿元的企业都极少，这也在一定程度上制约了中餐的供给侧结构性调整。

为改变这种状况，近些年来，变革传统餐饮生产方式已成为趋势。一些大中型连锁企业探索建立中央厨房，对菜品进行前期工业化生产，然后将半成品统一配送到一线餐饮网点，网点只需简易二次加工就可上桌。这种新型方式不仅实现了标准化、工业化大规模生产，大大提高了劳动效率，保证了食品安全，同时又可以大大节约了一线网点厨房所占面积，也降低了一线厨师的技能要求和用人数量，有效降低了人工成本。

【案例3】　中央厨房标准化加工配送模式的探索和实践

山东凯瑞集团多年来积极探索和实践中央厨房加工模式，通过科学化的中央厨房和管理后台建设，对来自各供应商的食材和原料经过检验、入库、分拣、洗涤、消毒、加工、包装、再经检验和冷链物流，送达多个品牌的各个门店。这种做法的主要目的，是要保证食材的安全、保持各品牌食物供给的标准化和统一风味，也使得各门店能够按照企业制定的名厨标准将统一配送来的食材和原料进行现场加工制作，为消费者提供标准化的、口味稳定统一、物美价廉的菜肴。以凯瑞集团旗下“老牌坊”和“城南往事”品牌餐厅热销的“糖醋鲤鱼”为例，集团与相关公司共建鲤鱼养殖基地，专供集团采购，并对鲤鱼的品质和大小制定严格标准，在加工过程中，对油温、鲤鱼的加工技法都有明确的标准要求，对汤汁由研发标准中心统一加工配制，再统一配送到各个门店。这就保证了各门店的糖醋鲤鱼口味是标准和统一的。仅“糖醋鲤鱼”这一道菜，凯瑞集团的鲤鱼年采购加工销售量就超过百万条。

山东金德利快餐集团通过制定统一生产标准和严格的操作规程，努力实现快餐的标准化和专业化。同时，企业还研发了10种热销菜品的配料包，购置了机器人炒菜机，目的是保证产品品质、口味的一致性。

资料来源：根据调研和网上公开资料整理而成。

餐饮业的标准化、专业化生产加工，在保证餐饮产品品质、安全和口味稳定性的同时，很大程度提升了餐饮企业的生产加工能力，解决了长期困扰餐饮业特别是中餐难以批量生产的问题。这有利于餐饮企业规模化发展，并向产业链前端延伸，也促进了餐饮业内部的专业化分工，催生了一批专门从事餐饮生产加工的专业化企业。

3. 提升连锁经营和物流配送水平

餐饮业生产加工的标准化、专业化大大提升了餐饮企业的生产加工能力，解决了长期困扰餐饮业特别是中餐领域难以批量生产的问题。一些餐饮企业抓住机遇，纷纷建立中央厨房，同时增强加工配送能力，加强门店的网点布局，提高连锁经营水平，实现企业规模的快速扩张。

例如，山东金德利快餐集团重点对配送公司和中央厨房进行升级改造，增强配送能力。同时，提高集团连锁经营水平。目前，金德利集团拥有4家中央厨房和1家统一配送中心，配送车辆50余台，日配送能力达150余吨，集团依托较强的加工、配送能力，连锁经营网点数量在短短四年内翻了一番，达到200余家，日服务消费者达30万人次，企业成功实现跨越式发展。

又如，山东凯瑞集团较早投资建立了现代化的加工配送物流中心，生产加工能力的提升给企业品牌门店的复制和扩张提供了强大的后台支持，而随着品牌门店的复制和扩张，凯瑞集团在原有加工配送中心的基础了进行提升扩建，并投入巨资引进国内外先进的食品加工及控制设备，在保证产品品质的同时，也支撑和促进了连锁门店的快速扩张。截至目前，凯瑞集团旗下各餐饮品牌门店全部实现中央配送，平均配送率为90%，个别品牌配送率达到95%。与此同时，凯瑞在山东省内迅速布店扩张，目前门店数量已超过200家，年销售额超过20

亿元。

4. 提升餐饮服务品质，倡导“中国服务”的理念

产品和服务的有机结合、相互作用是餐饮服务业的特点之一。菜品风味和价格实惠固然重要，但服务品质的提升同样重要，如果服务水平跟不上，服务态度和质量差，不能在情感上与顾客交融，菜品口味再好，消费者也不会舒心满意。在一定意义上，服务质量、服务水准的高低不仅关系着餐饮企业的效益、声誉，更关乎其生存和发展。为此，在供给侧结构性改革和调整过程中，在餐饮行业转型发展的新阶段，作为餐饮行业管理组织，中国烹饪协会提出并积极倡导“中国服务”的理念，提出要在全行业推广“创新服务精神、传承服务文化、丰富服务内涵、拓展服务外延”的职业规范，这将有效提升餐饮业的核心竞争力。在行业协会的积极倡导和引导下，一批餐饮企业在提升产品质量的同时，狠抓服务品质的提升。例如，山东舜和集团实施“五式服务”，让消费者进入酒店便如沐春风，体验宾至如归的感觉。

5. 提升食品安全意识，强化安全管理制度

“民以食为天，食以安为先”。食品安全关系着广大消费者的健康甚至生命，是决定餐饮企业生存和发展的“生命线”。在餐饮业的供给侧结构性改革中，保证食品安全是提质增效的关键，也是企业必须坚守的经营底线。调研中发现，多数餐饮企业高度重视食品安全，强化食品安全的管理制度，落实食品安全责任制。其具体做法如下。

一是建立和完善餐饮服务安全保障制度。一些餐饮企业成立了食品安全领导小组，由企业主要负责人和专职部门、人员负责食品安全工作，并建立严格的问责制。二是健全各类资质。要求《食品卫生许可证》《餐饮服务许可证》等证件资质齐全，严格从业人员的有效健康证明，加强食品安全知识培训。三是优化餐饮经营流程，优化供应链，从机制上提高食品安全水平。例如，一些大型连锁餐饮企业实行“种养殖基地+中央厨房+餐饮门店”模式，自建或合作建立食材种植养殖基地，保证其生产环节的质量和安全。又如，北京华天集团旗下各品牌企业与绿色食材供应商达成合作，推出一系列健康、营养、绿色的新产品。四是集中统一食材采购，坚持食品原材料采购中索证索票，建立可追溯制度；集中食材进货查验和台账记录，加强入出仓库管理，集中在中央厨房加工制作，统一进行冷链配送，防止运输过程中的二次污染，等等。五是实行“明厨亮灶”。一些餐饮企业厨房间制作和操作过程公开透明，鼓励消费者积极参与食品安全社会监督，强化企业自律和社会共治，倒逼企业强化食品安全管理，提高消费者的餐饮消费信心。目前，北京华天集团直属门店均已实现“明厨亮灶”，通过透视明档和视频实时展示两种方式，将包括烹调操作间、冷荤间、洗消间等在内的后厨全部亮出，接受消费者的监督。

（五）积极拥抱互联网，创新餐饮商业模式

随着现代信息技术的快速发展和广泛应用，互联网已经渗透到各个领域和各个行业，并且产生了深刻影响。互联网在要素资源的配置中具有优化和集成的作用，能够提升实体经济的创新力和生产力。2015年3月，李克强总理在《政府工作报告》中首次提出“互联网+”行动计划。该行动计划旨在重点促进以云计算、物联网、大数据为代表的新一代信息技术与现代制造业、生产和生活性服务业的融合创新，发展壮大新的商业模式和新兴业态，打造产业新增长点，为大众创业、万众创新提供环境，为产业智能化提供支撑，增强新的经

济发展动力，促进国民经济提质增效升级。在这样的背景下，抓住推行“互联网+”行动的机遇，转型创新，探索新的商业模式，拓宽经营渠道，就成为餐饮业发展的重要任务。

从我国“互联网+”实践来看，餐饮业是受互联网渗透且影响较深的行业之一。从团购O2O开始，逐步发展到外卖O2O，后又在餐饮的半成品、准成品、食材采购、系统管理，线上线下营销、交易，以及预订、点菜、排队、大众点评等方面渗透和发展。餐饮业还吸引了百度、阿里巴巴、腾讯等互联网巨头和资本的密切关注和纵深布局，逐步从信息化到交易化再向产业化延伸渗透，“互联网+餐饮”发展正方兴未艾。特别是在移动互联技术爆发带来的营销方式变化的背景下，“互联网+餐饮”步伐进一步加快。

线下餐饮实体企业在转型创新发展中，积极探索与互联网融合发展，拓宽经营渠道。一方面，餐饮企业将互联网先进的技术、理念、思维、方式等引入到餐饮业，更加重视技术投入，加快信息化建设，挖掘互联网对传统餐饮企业在营销、管理等各个方面的作用，使互联网技术真正成为自身加快转型的助推器。另一方面，基于餐饮业庞大的市场和强大的生命力，互联网企业也积极主动地从为餐饮企业提高效益，解决信息化难题出发，通过持续的技术创新，为餐饮企业提供更有效的解决方案，拓宽了餐饮企业营销渠道。以外卖为例，过去餐饮企业营销渠道十分单一，主要依靠门店营销，而互联网背景下，外卖市场的巨大潜力吸引了包括百度、阿里巴巴、腾讯等在内的一批互联网企业投身其中，百度外卖、美团、饿了么等在线外卖平台方兴未艾，仅美团外卖入驻的餐饮企业就达到20万家，日均订单量达210万单。互联网的应用很大程度上拓宽了传统餐饮企业的销售渠道。

【案例 4】 互联网 + 团餐的探索与创新

2015 年，山东济宁潘多拉酒店管理有限公司开始涉足团餐领域，最先与南京华为园区合作，继而又与华为杭州研发中心园区合作。“潘多拉”公司打破了传统的团餐思维，定位为“小微餐饮集成服务商”，公司以团餐平台企业身份与华为签定“总包”协议，以“众包、众创、众筹、众服”等“四众”为理念，以美食广场的形式运作，吸收数十家小微餐饮经营户入驻该企业平台，由“潘多拉”统一管理，为华为园区的员工提供优质多样的膳食服务。“潘多拉”平台对这些经营户进行筛选、招募、确定餐饮内容特色，并实行“托管服务”，即由“潘多拉”平台统一采购食材、统一检验入库，统一装修档口，统一进行管理。随着互联网技术的爆发，“潘多拉”平台运营模式也不断创新。平台运用互联网移动终端的便利性和互动性，通过微信群、好友圈等方式，与园区员工消费者进行交流、互动，发放回收网上问卷，精准掌握员工消费者的饮食偏好，并以此调整优化平台上档口的风味和特色。这种基于互联网 + 的特色团餐推出后，深受员工消费者的普遍认同和欢迎。“潘多拉”公司还创新“美食集市”的概念，融入一些售卖、表演、互动环节，以增强餐饮环境的情景感和体验性。

资料来源：根据调研和网上公开资料整理而成。

（六）优化经营策略：夯实经营基础，实施多元化策略

我国的传统餐饮企业囿于标准化、专业化水平低，管理效率普遍不高，企业规模普遍偏小，且经营类型单一。随着消费市场容量的不断扩大，生产加工、经营管理技术水平的提高，部分餐饮企业在做专

做精原有市场的同时，开始实施多元化经营策略，谋求更加丰厚的回报。

例如，作为一家定位为时尚亲民、主打杭帮菜的区域大众消费餐饮企业，“外婆家”经过17年的发展，在平价餐饮、中档餐饮、特色餐饮等方面的成就有口皆碑。随着经营实力的增强，“外婆家”2015年开始回归杭帮菜的本源，着力打造“宴西湖”品牌，开始向高端餐饮拓展。又如，山东金德利快餐集团以中式快餐为主业，集超市专柜、团膳送餐、网上订餐、便民超市、糕点超市、速冻食品、节令食品、粮油贸易等多种业态为一体，有效促进了企业多元化、规模化、集约化发展。

三、我国餐饮业创新转型中存在的问题及制约因素

随着我国经济发展进入新常态，增长动力的转换和产业结构的调整，消费越来越成为支撑经济增长的主要动力。为了扩大消费，促进消费性服务业健康发展，政府近年来在优化消费发展环境，完善支持鼓励政策方面出台了若干政策措施。例如，国务院先后发布了《关于发展众创空间推进大众创新创业的指导意见》《关于大力推进大众创业万众创新若干政策措施的意见》《关于加快发展生活性服务业促进消费结构升级的指导意见》等。国务院还发布了《关于完善银行卡刷卡手续费定价机制的通知》，大幅下调了餐饮业刷卡收费水平，缓解了长期困扰餐饮业负担重、盈利水平低等问题。商务部还印发了《关于开展优化环境促进餐饮业转型发展试点工作的通知》，在杭州、广州和成都开展试点工作。另外，云南、新疆、重庆等地方政府也出台了促进餐饮业发展的政策措施。

这些政策措施为减轻餐饮业不合理负担，增强餐饮企业的发展动力起到了积极作用。但从调研情况看，餐饮业的发展中还存在一些普遍存在的突出问题，亟待解决。

（一）餐饮市场发展不平衡，部分服务供给明显不足

经过本轮经济调整，我国餐饮业供给结构有了较大的调整和改善。但是随着我国消费群体结构及需求结构的变化，目前一些餐饮需求仍然难以得到有效满足。比较突出的是：一是城市早餐供给不足、质量不高是长期困扰餐饮行业的“老大难”问题。虽然近些年增加了一些网点，但多数网点规模小，且多为流动摊档，质量难以保障。二是针对特定消费群体的供给存在缺失。例如，随着我国老龄化社会的到来，老人家庭空巢化趋势明显，加之我国现阶段仍以居家养老为主，独居老人数量增长较快，迫切需要便利、实惠的大众餐饮满足这部分人一日三餐的基本饮食需求。而目前社区中贴近百姓的餐饮供给比较薄弱，难以满足这一部分群体的消费需求。此外，专门针对病人、中小学校师生、车站、高铁及高速公路服务区旅客等特定消费群体的餐饮供给也明显不足。

（二）企业成本上涨压力大，发展动力不足

调研中多数餐饮企业反映，目前，企业成本上涨较快，已成为制约企业发展的重要原因。房租、人工、原材料、水电燃气成本高，利润率低等“四高一低”是餐饮行业面临的主要困境。据中国烹饪协会对餐饮百强企业成本费用情况的调查，2015年，房租成本同比上涨了55.1%，人工成本同比上涨了13%，水电燃气成本同比上涨10.3%。租金、人工成本的增幅远高出同期餐饮收入的涨幅。人工成本支出中，社保支出部分占比过高（企业承担的社会保障支出大约占工资支出的35%～40%），企业负担较重。另外，餐饮业的水电燃气成本也在不断上升。由于餐饮企业基本以晚间营业为主，基本是用电高峰时段，电价支出水平较高（见表2－2）。

表2－2　2015年餐饮百强企业的成本费用

成本费用	同比（%）	费用增幅与营收增幅之差	费用占营收比重与上年之差
营业成本	13.2	10.8	2.3
人工费用	13.0	10.6	1.0
房租费用	55.1	52.7	2.4
水电燃料费用	10.3	7.9	0.2
广告宣传费用	－1.0	－3.4	0
管理费用	22.1	19.7	0.7
其中：人员培训费用	12.6	10.2	0
研发投入费用	16.0	13.6	0

资料来源：中国烹饪协会：《中国餐饮行业发展报告（2016）》。

（三）企业税负较重，现行税费制度亟待调整完善

餐饮企业普遍反映，目前经营环境改变，经营收入明显回落，但税费负担没有考虑这些变化，企业负担过重。自实行“营改增”以来，企业的税收负担确有减轻，但是，目前餐饮企业在税负方面仍存在一些问题。一是针对市场变化和新营销形式的出现，现行的一些税收规定不尽合理。例如实施“营改增”后，餐饮企业适用6%的税率，而发展较快的餐饮外卖被视同销售非现场消费的食品，属于销售货物，适用17%的税率。随着外卖消费需求的扩大，餐饮企业的外卖比重不断提高，税负也在增加；二是属小规模纳税人的个体餐饮工商户的增值税按照月销售收入3万元的起征点偏低；三是对餐饮企业的某

些收费也不尽合理。例如，环保部门对餐饮企业普遍存在两次收取排污费的现象；四是对连锁企业汇总纳税问题始终未得到有效落实。《关于全面推开营业税改征增值税试点的通知》（财税〔2016〕36号）中明确规定，连锁企业总分支机构不在同地方经省级财政部门和国家税务局批准，可由总机构汇总申报缴纳增值税。但至今多数地方难以落实，增加了连锁经营企业的负担；五是餐饮企业采购农产品进项税抵扣困难较大。餐饮企业的特点是采购农产品较多，而目前一些地方强行要求餐饮企业采用农产品增值税进项核定扣除方法，即使全部取得增值税专用发票的企业也必须适用进项核定扣除方法，且扣除适用税率仅为6%。

（四）行业标准化、产业化水平偏低，效率难以有效提升

近年来，部分餐饮企业开始探索研发标准，推行标准化、专业化加工生产，企业规模和竞争力有了一定程度的提升。但就餐饮整个行业而言，标准化、专业化水平仍然较低，餐饮企业小、散、乱的现象仍普遍存在。截至2015年，我国餐饮行业（不包括非餐饮企业的餐饮业务）246.3万个企业中，限额以上的餐饮企业仅占总数的1.1%；全国百强餐饮企业的营业收入为2210.5亿元，仅占全国餐饮收入的6.8%。企业规模小、行业集中度低显而易见。行业标准化、产业化水平偏低，效率及竞争力难以有效提升。

（五）从业人员教育水平偏低，专业技术和管理人才短缺

餐饮业是一个劳动密集型的服务行业，也是进入门槛较低的行业。从业人员受教育程度不高，素质偏低且流动性大，这些都是影响餐饮业平稳健康发展的重要因素。一方面，从业人员素质偏低且流动

性大。目前我国餐饮业职业教育仍停留在较低的水平上，办学层次低，规模小，质量差，加之传统观念对餐饮从业人员存在偏见，待遇不高、社会地位低下，使得餐饮业一线从业人员大多是只有小学、初中文化水平的进城务工人员。同时，人员流动性大，有数据显示，餐饮行业人员流失率每年在15%以上，快餐行业人员流失率超过40%；另一方面，专业技术和高层管理人才短缺，人才培养方式亟待改变。传统上，中国餐饮业向来是以经验型、手工操作为主，在产品制作过程中随意性较强，很多配方掌握在个人手中，且采取师徒传承方式培养人才，培养规模极其有限，而专业院校和烹饪培训机构培养的专业人才往往短期内很难满足餐饮业的要求，餐饮业人才供求矛盾非常突出。

（六）行业统计滞后，难以准确掌握行业发展情况

一方面，统计范围不完整，无法准确真实地反映餐饮业发展的实际水平，餐饮业对经济社会发展的贡献长期被低估。例如，未将高校、机关食堂纳入餐饮业的统计范围。另一方面，目前对餐饮业的统计分类已不能反映餐饮业发展的新变化，不利于对餐饮业的理论研究、政策制定和行业指导。国家统计局对餐饮业的统计分为正餐服务、快餐服务、饮料及冷饮服务、其他餐饮服务四大类，而现实是，在餐饮业快速发展的同时，出现了许多新的业态和经营模式，例如，近年来发展非常迅猛的休闲餐饮和团餐尚未纳入分类统计。

（七）行业法规、标准建设滞后，监管方式有待完善

餐饮业的发展状况与民生问题息息相关，而无论与其他行业相比

还是与国外同行业相比，我国餐饮业的法律法规、行业标准建设都相对滞后。截至目前，我国尚未建立适用于餐饮业的国家级法规和标准，缺乏系统的市场准入制度和强制性标准，市场竞争缺乏统一的规范，市场监管缺少依据和手段，难以保障对行业的有效监管，在一定程度上导致行业市场秩序混乱。

四、促进我国餐饮业创新转型的政策建议

餐饮业是事关人民福祉的民生产业和幸福产业，具有吸纳就业人员多、产业关联度高的特点，不仅能够提供大量的就业机会，是大众创业、万众创新的重要领域，还能有效带动种植业、畜牧水产养殖业、加工业、物流运输等多个相关行业的发展。在商旅文创多个产业联动发展的背景下，餐饮业发展还将带动文化娱乐、休闲旅游等消费的增长。餐饮业是服务业中的重要生力军，促进餐饮业的繁荣健康发展能够促进服务业的更好更快发展，对经济社会发展都具有重要意义。因此，在“十三五”乃至今后更长的发展时期内，完善餐饮业发展的政策支持体系非常必要。

（一）建立健全法规、标准和统计体系，引导行业规范发展

应从扩大消费、促进就业、改善民生、提高民生福祉的高度重视餐饮业发展，将其作为重点政策支持的产业，出台相应的法规和规划，减少审批环节，大幅削减证照审批；制定餐饮业态标准、市场准入标准、食品安全标准、餐饮服务规范等行业标准，引导和规范餐饮业的发展。同时，加强和完善对餐饮业统计工作，建立全面调查、抽样调

查和滚动调查相结合的统计制度，改进统计和分类方法，建立餐饮业统计调查体系，整合规范餐饮业数据采集渠道，扩大餐饮业统计覆盖面，进一步提高统计数据的时效性、准确性和权威性。及时公布统计结果，让全社会共享，以便更好地利用统计成果对餐饮业发展形势进行分析，为行业发展提供决策依据。

（二）加大政府支持力度，补齐餐饮市场供给短板

支持服务普通百姓的大众餐饮发展。对相对成本高、盈利水平较低的早点企业和社区餐饮应视同准公共服务设施，对于达标的企业予以租金优惠或适度补贴；同时，对供给明显不足的餐饮消费市场（如针对病人、中小学校师生及车站、高铁及高速公路服务区旅客等特定消费群体），应放开市场，鼓励竞争，让有意愿、有能力的餐饮企业进入这些经营领域，补齐市场供给的短板。

（三）完善公平税负的发展环境，切实减轻企业负担

一是根据餐饮企业规模普遍偏小的实际情况，完善对小微餐饮企业税收减免政策，扶持小微企业发展。二是针对市场需求变化带来的外卖业务增加的新情况，合理核定外卖餐饮企业增值税率的起征点。三是促使连锁企业统一纳税政策落到实处，明确汇总纳税计算方法的审批时间。督促指导各省区市增加相关审批的透明度，加快审批时限。四是修订餐饮企业采购农产品的核定抵扣率。建议采用农产品13%的抵扣率。对于选择何种抵扣办法，应给予餐饮企业自主选择权。五是适当降低环保部门对餐厨垃圾的收费标准，对于不合理的收费项目予以取消。同时，建议对餐饮企业（特别是中小企业）的社保缴费费率

和基数适当予以降低。再有，针对餐饮企业人员流动频繁的特点，允许企业在试用期间按低标准缴纳社保。此外，逐步统一各地区的税费名目和税率，完善公平税负机制。

（四）建立行业发展基金，支持餐饮企业转型升级和创新发展

建议设立全国餐饮业发展基金，支持餐饮企业转型升级和创新发展，扶持中小微餐饮企业发展，解决其资金困难；鼓励大型品牌餐饮企业开展产品开发和技术创新，积极运用现代信息技术，引进先进技术设备，推动餐饮企业的生产加工向标准化、产业化方向发展。

（五）建立和完善餐饮职业教育培训体系，培养高素质人才

一是完善餐饮领域职业教育和培训体系，积极发展烹饪中等职业教育和烹饪高等教育，以培养餐饮管理本科人才为主，同时培养烹饪教育、营养、管理等领域的专业人才，推进烹饪、管理等专业的教学改革。政府有关部门应从政策、资金、用地等方面给予支持。二是加强餐饮行业的职业培训工作，规范厨师等职业的执业资格认证。鼓励和促进产学研结合进行职业培训，开展餐饮技能大赛等活动，严格规范执业资格认证。三是根据餐饮业职业经理人标准，在全行业广泛推广职业经理人制度，完善行业专业管理和经营人才选聘机制。四是建立再就业培训机制。充分利用餐饮业扩大就业的渠道，帮助农民工、大中专毕业生掌握和提高职业技能，促进社会就业。政府可以设立专项培训资金，充分利用大中型餐饮企业已有的培训基地和师资资源，对农民工和大学生进行职业指导和技术培训，更好地解决初次就业与再就业的问题。

（六）充分发挥行业组织作用，促进餐饮业自律发展

充分发挥行业协会的桥梁纽带作用，由行业协会牵头，调动社会各界资源组建运营，发挥行业组织进行规划引导、行业标准制定和推广、人才培养、职业培训、职业资质审查、行业自律等工作，促进餐饮业的规范健康发展。

执笔人：任兴洲　漆云兰

专题报告三

旅游业供给侧创新发展的政策研究

伴随经济社会不断发展，旅游业已成为全球经济中发展势头最为迅猛的产业之一。旅游业对各国经济社会的拉动作用、社会就业的带动能力以及对文化、环境的优化作用日益显现，进而成为许多国家经济社会发展中的重要支柱产业。进入21世纪以来，随着城乡居民收入水平持续增长、节假闲暇时间逐渐增加，旅游消费成为我国居民消费中增长最快的领域之一。面对快速增长、不断变化的旅游消费需求以及经济增长动能转换的要求，我国旅游业发展还存在诸多结构性矛盾，行业的法律法规建设滞后、体制机制不顺以及竞争环境欠佳等发展“痛点”，影响和制约着旅游业的健康发展。因此，迫切需要深化供给侧结构性改革，推动旅游业加快创新转型，更好地满足城乡居民日益增长的旅游消费需求。

一、我国旅游服务消费和旅游业发展的现状

随着我国经济的持续较快发展，城乡居民收入不断增加，生活水平日益提高、生活节奏明显加快和节假闲暇时间增加、生活方式

发生新变化，我国城乡居民旅游服务消费已从小众市场向大众市场转变，加之各种类型的公务、商务活动日益频繁，融入全球化步伐加快，交通客运能力得到很大提升，国内住宿、餐饮、文化、娱乐市场快速发展等因素的共同作用，拉动旅游服务市场供求保持较快增长。进入21世纪以来，我国旅游服务消费及旅游业发展呈现出以下突出特征。

（一）消费规模快速增长，结构不断升级，市场潜力巨大

改革开放以来，特别是从21世纪初开始，我国旅游消费持续快速增长，行业收入规模急剧扩大，其增长速度之快、增长持续时间之长在消费性服务业中非常突出。

1. 消费规模持续增长，已成为增长最快的居民消费领域之一

改革开放30多年来，随着我国经济持续快速发展和居民收入水平较快提高，我国旅游人数和旅游收入都以年均两位数以上的增速持续发展，已成为国民经济的重要产业，成为增长最快的居民消费领域之一。据统计，2016年，我国旅游业总收入4.7万亿元，是2000年的10.4倍，年均增长15.7%（见图3－1）；国内游客444000万人，是2000年的近6倍，年均增长11.8%（见图3－2）。

从旅游消费构成看，国内旅游快速增长，已成为全球最大的国内旅游消费市场，是我国旅游消费的主要力量；与此同时，出境游快速增长，入境游趋于稳定（见图3－3）。

国内旅游消费快速增长，是我国旅游市场的主导。数据显示，2016年，我国国内旅游总消费是2000年的12.5倍，年均增长17.1%（见图3－4），比同期社会消费品零售总额年均增速高出近3个百分点，达到3.9万亿元，占社会消费品零售总额的比重由2000年的

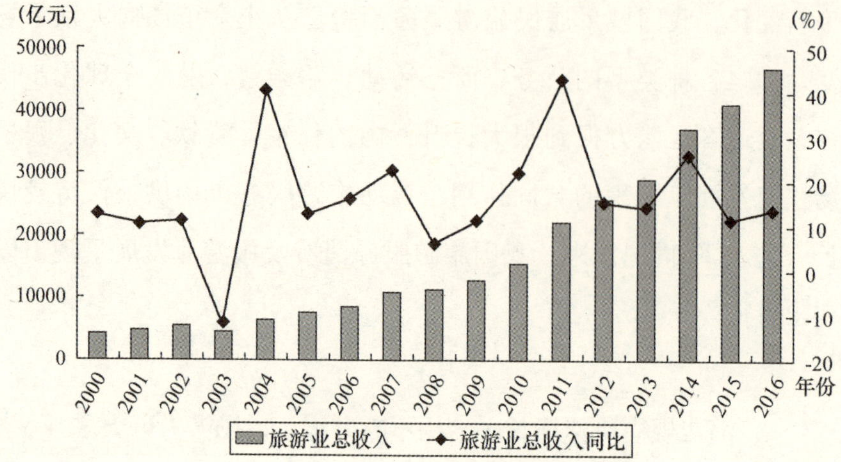

图 3－1　2000～2016 年我国旅游业总收入的增长

资料来源：根据国家统计局相关数据整理而成。

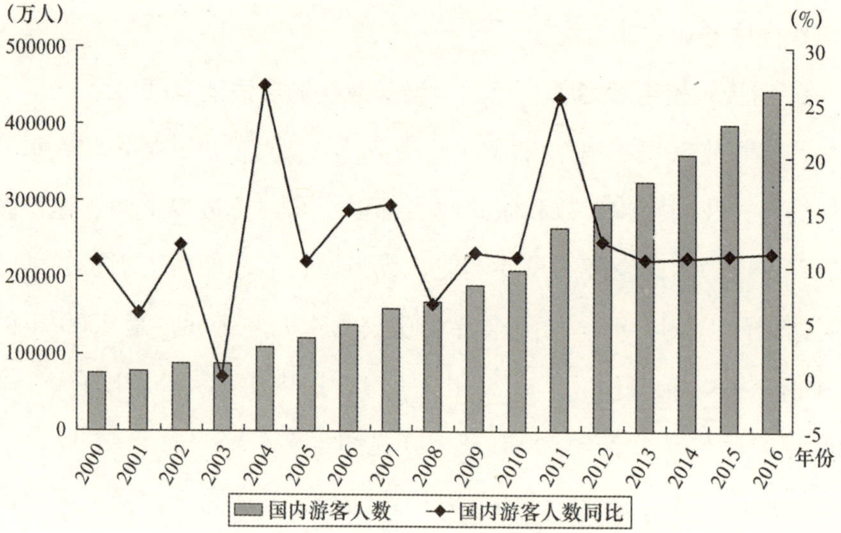

图 3－2　2000～2016 年我国国内旅游人数的增长

资料来源：根据国家统计局相关数据整理而成。

8.1%提高到 2016 年的 14.8%。

国内旅游总花费是我国旅游收入的主要来源。2000 年以来占比都在 65%以上，进入 2010 年，国内旅游总花费占旅游业收入的比重超过 80%，最高达到 89.1%（见表 3－1）。

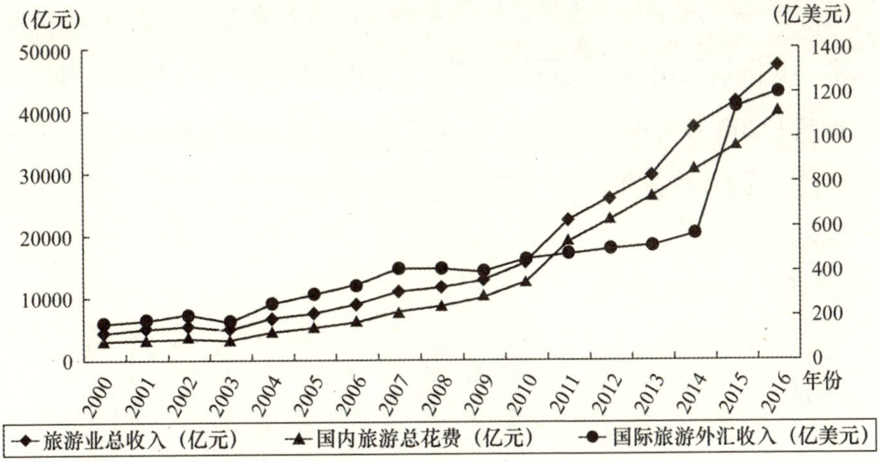

图3－3　2000～2016年我国旅游业收入的增长

资料来源：根据国家统计局相关数据整理而成。

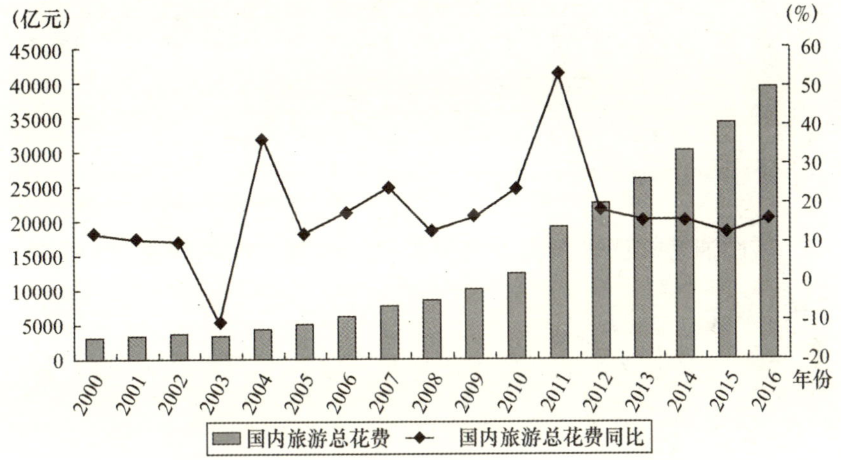

图3－4　2000～2016年我国国内旅游总花费的增长

资料来源：根据国家统计局相关数据整理而成。

表3－1　2010～2016年旅游业总收入与国内旅游消费占比情况

	2010年	2011年	2012年	2013年	2014年	2015年	2016年
旅游业总收入（亿元）	15681	22435	25867	29500	37300	41300	46900
国内旅游总花费（亿元）	12580	19305	22706	26276	30312	34195	39600
占比（%）	80.2	86.1	87.8	89.1	81.3	82.8	84.4

资料来源：根据国家统计局相关数据整理而成。

出境游快速增长，入境游增长缓慢。统计数据显示，进入21世纪以来，我国居民出境游规模快速增长。2016年，我国国内居民出境人数达到12200万人次，是2000年的11.6倍；而同期入境游13800万人次，仅为2000年的1.7倍（见图3－5）。

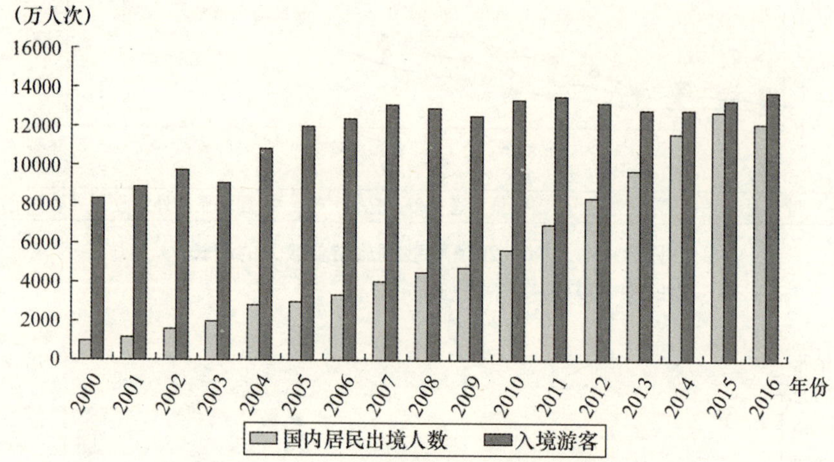

图3－5 2000～2016年我国出入境游客人数的增长

资料来源：根据国家统计局相关数据整理而成。

2. 旅游消费全面进入大众消费时代，消费结构不断升级，消费方式日益多样

世界旅游消费发展的一般规律表明，当人均GDP达到3000美元，旅游需求进入爆发式增长期，即全面进入大众消费时代。我国2008年人均GDP突破3000美元，为3474美元，2016年，我国人均GDP达到8126美元，全年国内旅游人数达44.4亿人次，出境旅游人数1.3亿人次，我国开放的出境游目的地达到151个。这些数据表明，我国已经全面进入大众旅游消费时代。

一方面，旅游消费结构不断升级。一是旅游消费内容更加丰富。除了传统的观光旅游、休闲度假和商务旅行三大传统项目外，近年来，一些享受型、文化型旅游项目消费需求增长很快，例如健身、修学、寻根、考察、探奇、了解风土人情的专项特色旅游越来越成为消费新热点；二是消费强度逐步提高。消费者对旅游消费不再仅仅满足于单一的观光游览、走马观花，而是要求集食、住、行、游、购、娱于一体的综合性服务，更加注重文化体验、健康养生性，随之带来人均消费支出的增长；三是消费者更趋理性化和个性化，旅游消费从大规模从众模仿式消费向个性化、品质化消费转变。

另一方面，旅游消费方式日益多元化。以目的地消费方式为例，游客到景区的方式由过去75%靠旅游团组织变为现在75%靠自驾、自助；观光消费同比由2004年的45%下降到2015年的28%，度假和休闲由19.7%上升到24.4%，同时商务会议由5.5%上升到14.2%。

3. 多因素促进我国旅游服务消费增长，市场潜力得到释放

居民收入水平明显提高，闲暇时间大量增加，成为旅游业发展的重要前提和基础。在收入增长方面，随着我国经济快速发展、全面建成小康社会深入推进，城乡居民收入将继续稳步增长，我国人均消费水平持续提高，居民消费结构和消费方式将发生重大变化，居民消费将由商品消费为主向商品消费与服务消费并重转变。2015年，我国国内旅游、出境旅游人次和国内旅游消费、境外旅游消费均列世界第一。

在居民闲暇时间方面，我国节假日制度逐步完善，劳动者休假增多，时间安排更自由。目前的假日格局大体是“2+2+7+40”① 格局，与国际比较，我国居民的闲暇时间越来越多，已经达到世界中等偏上的水平。数据显示，2016年五一小长假，我国共接待游客1.3亿

① “2+2+7+40”中的第一个2是指带薪休假制度和寒暑假制度；第二个2是指春节和“十一”两个黄金周；7是指形成七个三天的小黄金周（元旦、五一、清明、端午、中秋外加三八妇女节和八一建军节）；40是指除了以上假日之后，还有40个双休日。

多人次，花费791亿元，在线国内游人均花费1800元。

此外，餐饮住宿服务、交通客运服务、旅游服务等基础设施条件不断改善，为消费者实现旅游消费提供了条件。因此，我国旅游消费将进入一个快速发展的新阶段，旅游消费需求潜力进一步释放，将极大地拉动国内需求的增长。

（二）产业规模不断扩大，转型创新加快，在国民经济中的地位和作用日益增强

1. 旅游服务业规模迅速扩大，实力显著提升

随着我国城乡居民收入持续快速增长，旅游消费市场进入爆发性增长阶段，我国旅游业规模也在迅速扩大，特别是2009年国务院明确提出“到2020年要将旅游业建设成为国民经济的战略性支柱产业和人民群众更加满意的现代服务业”①，全方位推动旅游业步入了黄金发展期，旅游业规模和实力显著提升。

截至2015年，全国已有旅行社27364家，比1999年的7355家净增加了2万多家（见图3－6）；全国已评有星级饭店数量13491家，其中包括五星级饭店867家、四星级饭店2779家、三星级饭店6776家；我国已有各类经济型连锁酒店约1.5万家，客房总数超过140万间。

1999年，国家旅游局开始实行旅游区（点）质量等级管理。其中，5A级景区首次评定始于2007年，截至2015年，我国5A级景区数量达到200多家。自1998年起，国家旅游局通过推动创建“中国优秀旅游城市”，提升了我国城市旅游的吸引力。截至2015年，全国已有370个城市成功创建成“中国优秀旅游城市”。

① 参见《国务院加快发展旅游业的意见》，国发〔2009〕41号，2009年12月1日。

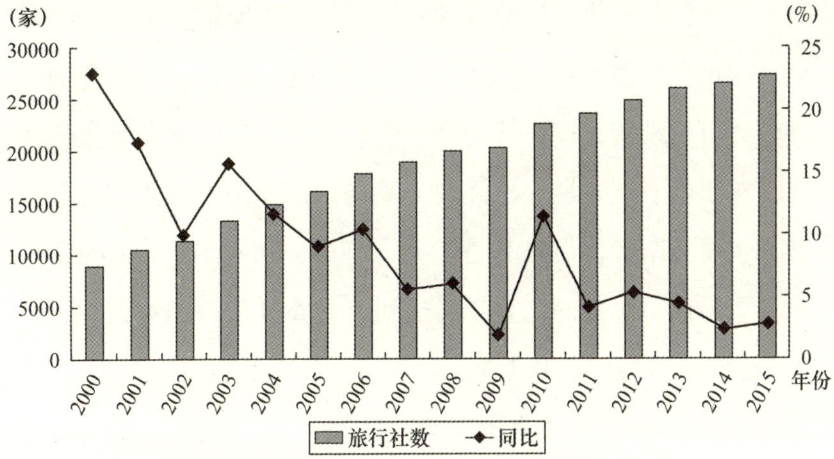

图 3-6　2000~2015 年我国旅行社数量的增长

资料来源：根据国家统计局相关数据整理而成。

2. 新产品新业态新模式不断涌现，转型创新加速

在我国旅游消费快速增长、消费结构不断升级的同时，旅游业转型创新的步伐也在加快。首先是产品创新。除了提升传统旅游产品的品质外，新型旅游产品层出不穷，如工业旅游、农业旅游、低空飞行旅游、水上旅游、森林旅游、红色旅游、演艺影视旅游、邮轮旅游，等等。其次，旅游业态不断创新。旅游产品的创新带动并加速了旅游业态和模式创新。近年来，在产业融合发展、资本并购、连锁化经营、互联网等创新发展中，旅游新业态层出不穷，涌现出一批有竞争潜力的大型旅游企业，包括以华侨城、宋城等为代表的景区连锁经营商，以锦江、首旅、万达等为代表的综合性旅游商，以携程、去哪儿、同程、途牛等为代表的线上旅游服务运营商，业绩增长迅速，成为我国旅游企业的领跑者。

3. 发展环境不断优化，产业地位和作用日益提升

旅游业综合性强、关联度高、产业链长，已经明显地突破了传统行业发展边界，广泛涉及并交叉渗透到 29 个相关经济部门，直接和间

接影响109个细分行业，旅游业的发展可以显著地带动相关产业的发展。联合国世界旅游组织（UNWTO）的研究表明，旅游业每增加1单位附加值，可带动相关产业（观光产业）增加4.3单位附加值。21世纪以来，旅游业和观光产业已经成为我国国民经济及现代服务业的支柱产业和主要贡献者，而且潜力巨大。2001～2009年间，旅游创汇占我国服务贸易出口总额的比重年均达到37.7%，旅游和观光经济占我国GDP比重则年均达到10.1%。

与此同时，旅游业就业不仅具有容量大、门槛低、劳动密集等特征，能够在酒店、旅馆、娱乐场所、自然景区和文化遗址等地为非熟练或半熟练工人提供诸多就业岗位，而且具有较强的就业带动效应。UNWTO的研究也表明，旅游从业者每增加1个就业岗位，可带动相关行业增加4.2个就业机会。当前，旅游业和观光产业已经成为我国吸纳就业量最大的产业之一，特别是在解决少数民族地区居民、妇女、农民工、下岗职工和大学毕业生首次就业者等特定人群的就业问题上发挥了重要作用，在未来十年内将会为我国带来更多就业机会。2001～2009年间，我国观光产业的就业人数全国占比则年均达到7.5%；预计到2020年将提高到10.7%。

（三）初步形成由政府、企业、社会共同推进的大格局

改革开放初期，我国旅游业发展的热点区域主要集中在北京、西安、桂林等少数旅游城市和黄山、峨眉山等著名旅游景区，如今，旅游业发展已遍及全国，成为国家和地方经济增长的重要驱动力。几乎所有的省区市都将旅游业作为战略性支柱产业，一系列在更大范围的区域旅游合作品牌相继产生。国家旅游局与各省区市建立了推进战略合作机制。2014年，国家成立了旅游工作部际联席会议制度，由国务

院分管副总理任召集人，成员单位包括了国家旅游局、外交部、国家发改委等28个国家政府部门。在政策的引导和支持下，全国各类金融机构、非旅游类大型企业集团也开始纷纷参与旅游业投资与经营，形成了多层面、多区域、多形式推进旅游业发展的大格局。

二、我国旅游业供给侧创新转型的探索与实践

旅游消费是进入21世纪以来我国增长最快的居民消费领域之一，旅游业也成为我国最具发展活力和潜力的行业之一。在这一轮经济调整中，旅游业也经历了严峻的调整转型。在此过程中，旅游业以市场为导向，围绕消费需求的新变化，主动推进供给侧结构性改革和调整，加大转型创新力度，努力探索用现代经营理念和技术手段改造提升传统经营方式，加快培育行业发展新动能，并取得了一定成效。

（一）理念创新：注重顶层设计，创新发展思路

针对我国旅游消费全面进入大众消费新阶段，传统上依靠景点景区、宾馆饭店等基础旅游要素的发展思路已不能适应新时期消费结构升级的实际，为促进旅游业的健康发展，首先从顶层设计上创新发展理念，转变发展思路，树立由传统的景点旅游发展思路向全域旅游发展思路转变，围绕全域统筹规划，全域资源整合，全要素综合调动，全社会共治共管、共建共享的目标，在推动综合管理体制改革方面取得新突破，促进旅游服务业发展战略提升。

（二）产品创新：以消费需求为导向，创造有效供给

随着城乡居民收入的持续快速增长和消费结构的升级，旅游消费

全面进入大众化消费阶段，旅游业进入高速增长阶段，企业数量、市场规模和收入、利润都呈现快速增长态势。与此同时，针对市场需求结构的新变化，旅游服务企业以消费需求为导向，及时调整经营方向，实现旅游产品由单一观光旅游产品向多元化优质休闲旅游产品转变，提升和创造有效供给。

首先，及时调整和改进旅游产品的开发与设计，深入发掘旅游产品的地域文化内涵和特色，更好地满足消费者对地域文化内涵和特色的消费体验；其次，通过高水平景区规划和高标准建设，打造精品，提升景区内涵，更好地满足消费者对品质的要求；再次，充分运用先进的科技成果和信息技术手段开发具有现代气息的、科技含量高的旅游产品，更好地满足旅游者追求新、奇、特的旅游心理。

（三）模式创新：与相关产业融合，拓宽发展空间

在我国旅游业创新发展的实践中，充分利用现代旅游业综合性强、关联度高、产业链长的特点，积极探索与城镇化、新型工业化、农业现代化及与康养、文化、体育等服务业融合发展的新模式，取得了良好成效。

以旅游与现代农业的融合为例，农家乐是广受消费者欢迎的旅游休闲模式，但普遍存在经营业态底端，基础设施不足，产品同质化严重的问题，缺乏可持续发展能力。近年来，许多地方积极探索农家乐与当地现代农业相结合，将当地的农耕文化、农业生产、农业加工相结合，使传统农家乐模式进入创意化、精致化发展新阶段，向观光、休闲、度假的复合型乡村旅游模式转变，不仅大大丰富了农家乐的内容，更促进了农业综合开发利用，提升了附加值，拓展了乡村旅游的发展空间。

【案例】 无锡农家乐转型升级，一年收入6亿元

无锡是农家乐发展较早的地区，在起步阶段主要是以吃饭、钓鱼、采摘为主要内容的小而散的家庭式“农家乐”，为挖掘市场潜力，吸引更多的中外游客，无锡围绕生态和文化做文章，促进当地农家乐向精品乡村旅游转型，取得了良好的成效。

无锡依托乡村生态旅游资源丰富的优势，创建当地特色的旅游项目。例如荡口，就能够环绕荡口古镇这一文化景点资源开发文化乡村游项目，鸿山的农业生态园就依托鸿山遗址博物馆、泰伯景区等大力发展文化游，环绕葡萄采摘的季节举行了鸿山葡萄文化旅游节，旅游文化相结合，吸引了很多游客前去体验乡村生活。无锡通过实施“旅游即城市”战略，打造“旅游休闲之都”，将乡村旅游正在从吃饭、钓鱼等简单的“农家乐”形式向有规模、有特色的农庄、农业旅游示范点转型。

目前，无锡市已创建全国农业旅游示范点14家，江苏省星级乡村旅游区16家，无锡市星级乡村旅游点（农家乐）126家，占江苏省乡村旅游点的近1/5。全市年接待游客总量达到800万人次，乡村旅游就业人数达6000余人，总收入近6亿元。

资料来源：根据调研和网上公开资料整理而成。

（四）业态创新：拥抱互联网，探索经营新模式

随着现代信息技术的快速发展和应用，互联网已经渗透到各个领域和各个行业，并且产生了深刻影响。互联网在要素资源的配置中具有优化和集成的作用，能够提升实体经济的创新力和生产力。

从我国“互联网+旅游”的实践看，互联网已经渗透到了旅游业

的各个环节：机票、车船票、景区门票和宾馆饭店预定已经普及，旅游电子商务发展迅速，网络营销、网络预定、网上支付以及网上咨询旅游服务发展迅速，旅游网上租赁等新业态正在兴起，以携程、去哪儿、同程、途牛等为代表的线上旅游服务运营商，业绩增长迅速，正已成为国内旅游企业的领跑者。

（五）组织创新：培育主体，提升企业竞争力

旅游企业作为旅游产品的供给者，在旅游发展中起着重要作用，提升旅游企业自身的能力是整个旅游产业转型升级的关键和核心。在旅游市场竞争日益激烈的背景下，旅游企业通过转型升级、提升企业竞争力方面进行了创新实践。主要包括：一是部分有竞争力的旅游骨干企业通过兼并重组、投资合作、强强联合、发行上市以及连锁化经营等途径，促进企业的规模化、网络化、品牌化经营，扩大企业规模，增强企业的竞争力和活力；二是一些中小旅游服务企业通过特色化、专业化发展，增强自身的抗风险能力和可持续发展能力；三是部分旅游企业通过引进外资、人才、技术和管理模式，提升企业的实力和市场竞争力。

（六）制度创新：多策并举，优化产业发展环境

随着我国旅游消费全面进入大众消费时代，旅游业以其产业带动性强、市场消费潜力大、吸纳就业能力强等特征，成为国民经济的战略性支柱产业。为促进我国旅游业的健康发展，国家在产业政策和制度安排上作了一系列的创新实践，相继出台了一系列政策推动旅游服务业的发展。包括：2009 年发布了《国务院关于加快发展旅游业的意见》（国发〔2009〕41 号），明确旅游业的定位是成为国民经济的战

略性支柱产业和人民群众更加满意的现代服务业；2013 年出台了《国民旅游休闲纲要》和《旅游法》，首次将《“十三五”全国旅游业发展规划》纳入国家“十三五”重点专项规划，围绕促进旅游投资和消费出台了《国务院办公厅关于进一步促进旅游投资和消费的若干意见》，提出 26 项任务要求，国土资源部等部委出台了旅游用地政策，在旅游服务行业全面推开的“营改增”，以减轻旅游企业税收负担，开展国家公园试点工作、推行旅游企业混合所有制、实行旅游规划在内的“多规合一”等，均为旅游业发展提供了良好的政策环境。这些政策和制度的出台，使得旅游业发展环境得到优化，对促进我国旅游业的健康发展具有重要作用。

以资本投入为例，房地产、能源、金融、制造业、农业等大型企业集团均投资旅游，2015 年，全国旅游投资额超过万亿元，达到了 10072 亿元，同比增长 42%，增速为整个服务业固定资产投资增速的 4 倍。同时，还加强了旅游试点示范工作。截至目前，国家旅游局先后公布了 2 批国家全域旅游示范区创建名单：2016 年 2 月国家旅游局公布了首批国家全域旅游示范区创建名录，共计 262 个；2016 年 11 月又公布了第二批国家全域旅游示范区创建名录，共计 238 个。

三、我国旅游业创新发展存在的突出问题及成因

随着我国经济发展进入新常态、增长动力的转换和产业结构的调整，消费越来越成为支撑经济增长的主要动力，旅游消费则是消费中最活跃、最具增长潜力的行业之一。为进一步扩大和释放旅游消费潜力，促进旅游业的健康发展，政府近年来在优化旅游服务消费和发展环境，完善支持鼓励政策方面出台了若干政策措施，对促进旅游业的

转型创新，增强旅游业的发展动力起到了积极作用。但在旅游业转型创新过程中还存在一些突出问题和制约因素亟待解决。

（一）旅游业创新转型过程中存在的突出问题

从旅游消费需求升级以及旅游业发展的趋势和内在要求看，当前我国旅游业还存在有效供给不足、供给结构与需求结构不相适应、供给质量层次较低等诸多问题，影响甚至制约我国旅游业的持续健康发展。

1. 市场主体不强，旅游消费领域有效供给不足

近年来，从中央到地方都加大了发展旅游业的力度，旅游业发展较快，但总体来看，提供旅游产品和服务的市场主体特别是处于第一线的旅行社散、小、低的情况非常突出，难以提供有效满足旅游消费需求的旅游产品和服务，有效供给不足已成为旅游服务业的主要短板之一。我国旅游产品呈现低端化、同质化特征，部分旅游服务业还存在低端供给过剩的格局，而高端化、专业化、差异化的旅游服务供给明显不足。例如，文化旅游低端化、同质化服务供给较多，在部分地区出现了过剩，而高品质、高水准和高质量的服务供给则不足，一方面致使居民消费需求难以满足，国内旅游消费能力严重外流。数据显示，2016 年，我国居民出境游超过 1 亿人次，达到 1.2 亿人次，是 2000 年的 11.6 倍；另一方面是不利于吸引国外旅游消费需求。2016 年，入境游人次虽然超过出境游，为 1.3 亿人次，但就增长情况看，仅为 2000 年的 1.7 倍。旅游业服务贸易逆差额由 2009 年的 40.3 亿美元扩大到 2014 年的 1136 亿美元。同时，国内商品和服务对入境游客缺乏足够吸引力。我国自 2011 年开始相继在 14 个省区市实行针对境外游客的离境退税政策，但 70% 以上的入境游客消费集中在 500 ~

3000 美元，其中旅游购物所占不到 10%[①]，很大程度上反映出国内商品和服务存在品质不高、价格偏贵等问题，导致境外游客购买意愿不强。

2. 旅游服务业产业链条延伸不充分，附加值偏低

目前，我国旅游业仍是以安排交通、游览、住宿、饮食、购物、娱乐及提供导游服务为主，大多以门票经济主导，而在产业横向、纵向延伸方面很不充分，与工业、农业以及文化、娱乐、康养、医疗、教育等现代服务业的融合程度很低，产业链较短，未能有效发挥行业优势，提升自身和相关行业的附加值，产业融合亟待深化。

3. 旅游服务模式单一，业态创新能力较弱

旅游服务消费本质上是对物质空间消费，是经济发展到一定阶段，消费从生存型消费向享受型发展型消费升级的结果。特别是随着经济社会的进步，人们旅游消费的动机和体验要求越来越多，已经不再简单满足于"吃、住、行、游、购、娱"，更追求"商、养、学、闲、情、奇"[②]，即对服务模式提出了更高要求，对旅游消费全过程提供便捷性、一站式的综合服务的需求增长，而传统的旅游服务模式很难实现这样的服务功能。这就要求旅游服务业态不断创新，为游客提供全方位的优质旅游产品和游览安排为基础，通过完善地面无缝旅游穿梭交通服务和资源整合来安排游客的行程，帮助游客完成一趟安心、随心、放心的休闲度假旅游消费，成为游客真正的旅游贴身管家。

---

① 中国旅游研究院：《2015 中国入境旅游发展年度报告》，旅游教育出版社 2015 年版。

② "商"指商务旅游，"养"指养生旅游，"学"指研学旅游，"闲"指休闲度假，"情"指情感旅游，"奇"指探奇、探险旅游。

4. 旅游服务质量整体较低，难以实现服务标准化和个性化的统一

我国居民消费已由单纯的商品消费向服务消费升级，服务消费内容及方式日益呈现多元化和个性化特征，这客观上对旅游业提出了更高要求，旅游服务应做到标准化和个性化的有机统一。而目前我国旅游业标准化程度低，服务不规范甚至不合法、质量不稳定是长期困扰旅游业发展的突出问题。据中国消费者协会的调查，在旅游投诉中关于服务质量的投诉比重最大，超过40%，投诉内容包括旅行社擅自降低服务等级标准、缩短旅游行程、增加购物时间，导游服务未尽职责，违规转团和拼团等。另外，旅游服务中的违约现象、旅游服务的虚假广告、旅游当中的安全隐患和价格陷阱也成为投诉重点。标准缺失的服务更难以提供更高要求的个性化服务，我国旅游消费者满意度较低。根据北京市消费者协会公布的2015年度在线消费者满意度调查显示，消费者最不满意的在线旅游问题依次为：网上宣传与实际不符（31.6%）、订单被随意更改或取消（22.5%）、退改票费太高（18.4%）、霸王条款（13.4%）等。

5. 旅游基础设施存在短板，智能化智慧化支撑不足

长期以来，我国与旅游相关的交通客运、商业、文化娱乐、金融、信用体系等基础设施和配套设施主要是根据人口规模、市场容量和经济发展的需要，而对旅游需求的增长缺乏前瞻性的考虑和设计，使得这些基础设施相对薄弱，难以有效满足消费者对旅游消费的实际需求，直接影响了旅游服务的有效供给能力，从而影响旅游消费潜力的释放。以与旅游消费相关度较高的交通客运基础设施为例，2013年，我国人均铁路里程数仅为0.08米，不仅远远低于发达国家的水平，甚至于墨西哥、巴西等中等收入国家也存在较大的差距（见表3－2）。

表 3－2　　2013 年消费基础设施的国际比较

	人均铁路里程（米/人）	银行网点（个/10 万成年人）	自动取款机（个/10 万成年人）	POS（个/10 万成年人）	互联网宽带普及率（用户/百人）	移动通信普及率（部/百人）	卫生设施普及率（%）
中　国	0.08	8	47	—	13.6	89	74.2
美　国	0.73	34	—	2156	30.0	97	100
德　国	0.42	15	116	799	34.6	121	99.2
法　国	0.46	39	109	2153	38.8	98	100
墨西哥	0.22	15	48	—	10.9	85	84.4
巴　西	0.15	48	131	1471	10.7	135	82.1
印　度	0.05	12	13	—	1.2	71	38.5
高收入国家平均	—	23	65	1935	27.3	122	96.3
中等收入国家平均	—	11	32	—	6.4	90	63.2

资料来源：何传启：《中国现代化研究报告 2016——服务业现代化研究》，北京大学出版社 2016 年版。

同时，各种消费行业之间、基础设施和商业之间的融合互动和对接不足。例如，我国大城市主题商务休闲区域、旅游景点、交通枢纽，与主要消费群体相适应的商业网点和商圈建设之间相对脱节，智能化、智慧化支撑不足。

6. 旅游专业人才短缺，资金等要素保障不足

在旅游业中，从业人员的素质高低对行业发展至关重要。而由于旅游消费存在季节性、节假日集中消费的特点，难以提供给从业人员全年、全职工作岗位，且不适于社交时间安排的职业特点，从业人员缺乏明确的职业发展道路，难以吸引高素质人才，行业进入门槛较低，从业人员受教育程度普遍不高且流动性大。据《中国旅游报》发表的“全国导游人员、旅行社经理人员人力资源状况调查”结果显示：在导游人员中，高中（中专）学历占41.7%，大专以上学历只占48.3%，其中，低等级（资格和初级）导游人员占96.3%，中、高、特级导游员人数尚不到4%，全国特级导游员不足百人；旅行社经理人员中，大专及以下学历者超过73.1%，本科以上只占26.9%。从业人员整体素质低，使其服务水准难以达到标准化、规范化要求，导致服务质量的下降。

旅游业是一个竞争性行业，旅游投资应充分发挥市场在资源配置中的基础性作用。但目前，社会资金进入旅游业仍较为困难，在直接投资和间接融资方面存在诸多限制，所以我国旅游企业从总体上看规模偏小、组织化程度低，竞争力较弱，相对于其他产业，市场化的程度远远不足。

7. 对外开放程度较低，国际竞争力较弱

近年来，我国通过双多边自贸协定、自由贸易试验区等方式，积极扩大服务业对外开放，但服务业开放的重点大多在生产性服务行业，与消费直接相关的包括旅游业在内的现代服务行业的对外开放程度不高，在实际操作和政策落实过程中，针对外资的一些准入和投资的审批限制依然存在，制约了旅游业的创新发展和国际化平台建设。例如，我国旅游服务的贸易竞争力指数2005年为0.15，而到2015年则持续下降到-0.44。

（二）影响旅游业创新转型的成因分析

当前，我国居民消费已由单纯的商品消费向服务消费升级，服务消费内容及方式日益呈现多元化特征。我国旅游业发展不足，既有初期发展基础薄弱、供给严重不足的历史原因，但深层次原因则是我国旅游业发展面临较为突出的体制机制障碍。

1. 行业准入制度不完善、隐性准入限制依然存在

随着改革的深化，政府职能转变，进一步简政放权，旅游市场准入的“门槛”在降低，但一些隐性的市场准入限制依然存在。一是行业壁垒和地区壁垒难以打破。受旅游资源垄断以及金融资本对民营企业和国有企业的差别化待遇等因素影响，民营资本在直接投资和间接融资方面存在诸多限制，社会资金进入旅游业比较困难。二是跨地区经营限制难以打破。目前，各地对旅行社跨省设立分社、设立门市存在较为严格的政策限制，使得品牌信誉度较高的旅行社、旅游车船公司难以跨地区经营，实现规模扩张。三是外资在准入资格、股权设立方式和占比、进入形式和进入区域、经营规模和业务范围等方面仍有限制。例如，国内游客出境游业务未对外资旅行社全面开放。行政垄断、行业垄断和地区保护提高了市场主体的进入成本，也加重了企业负担。

2. 监管理念、体制机制不适应新形势要求

监管体制机制改革滞后，导致部分行业和领域的监管归属不明晰，政府监管部门职能交叉且监管协调困难。例如，民宿客栈、农家乐等经营主体在工商注册、消防监管、治安管理等方面的管理归属不明确。特别是在“互联网+”蓬勃发展的背景下，跨界融合导致很多服务行业的边界日渐模糊，服务业发展格局也发生较大调整。在这过程中，有些地方还停留在不联网时代的重审批、轻监管，过分强调事前监管和“以审代管”等监管方式。有些改革虽然加强了事中事后监管，但基于大数据的监管、社会共治的理念还未有效建立。同时，政府部门之间的监管缺乏有效协调，相互间沟通联系机制不畅，造成不少新的隐患和监管盲区。监管方式和手段创新不够，行政手段依然偏多，市场手段和法规、标准手段运用不足。再有，以政府为主导的监管机制难以适应行业发展，基于政府、行业协会、居民等多元主体的协同治理体系还未建立。

3. 相关法律法规不完善或滞后

多数发达国家在旅游业方面建立了完善的法律体系，并成为国家法律体系的重要组成部分，在我国，虽然也建立了以《旅游法》为上位法的旅游法律框架，但随着旅游业新业态、新模式的不断涌现，一些法律法规或者不适应行业发展的需要，或者在执行过程中还存在配套法规不完善、与相关法律缺乏协调性等问题，但是从部门法的角度来看，我国旅游方面的法律仍然存在不完善和滞后性，不利于旅游市场秩序的规范和消费者合法权益的保护。突出表现在：通过国家层面成文法形式的促进旅游业发展的制度安排数量少，以地方性立法、国务院文件和部门规章形式的制度安排多，法律层级相对较弱，在执行过程中，执法标准不一、选择性执法或执法不严的情况普遍存在。

4. 旅游服务行业标准和质量体系不健全

与近年来旅游业快速发展的实际需要相比，目前我国相关标准体系建设无论是在数量上还是质量上都还有较大差距，旅游服务标准体系建设还明显滞后。服务标准体系整体水平还不高，缺乏可操作性，不利于标准的实施。同时，也存在标准宣传力度不够问题，导致标准实施和监督的效果不理想。这些都在一定程度上影响了消费质量提升和新兴消费发展和市场扩张。例如，网络在线旅游、度假休闲旅游、生态旅游等新业态标准缺失和滞后的情况比较突出。更重要的是，符合旅游业行业特点的标准形成机制尚未建立，社会组织的作用难以发挥，市场自主制定的标准或行业最佳实践上升为国家标准的机制与程序仍然不完善。此外，旅游业质量管理和监督体系不健全，服务质量分级管理制度、诚信制度、认证认可制度建设较为滞后，服务纠纷争端处理机制不完善。

5. 部分促进旅游消费的相关配套制度不完善、不协调

旅游业及相关消费性服务行业的发展，有赖于带薪休假制度以及法定工作日等制度的落实和执行。这些与旅游服务消费密切相关的配套制度改革或建立滞后，已严重影响我国旅游服务消费市场的扩张和服务消费供给创新。

四、促进我国旅游业创新发展的政策建议

（一）加大投入，增加旅游产品的有效供给

一方面，各级政府要加大对旅游公共设施、公共服务、公共政策等旅游公共产品的投入力度，主要包括：游客服务中心、集散中心、咨询中心、旅游厕所、交通基础设施及相关服务设施等；面向游客的信息服务、咨询服务、投诉服务、安全保障等；服务于行业和社会的旅游宏观数据、产业及分行业、分地区统计数据；公民休假制度安排以及旅游人才培养等。

另一方面，鼓励旅游服务企业以旅游市场需求为导向，充分运用先进的科技成果和信息技术手段，深入发掘富有地域文化内涵和特色的旅游产品，开发具有现代气息的、科技含量高的旅游产品，打造面向世界的旅游精品，实现旅游产品种类多元化、体验化，由单一观光旅游产品向休闲度假为基础的多元休闲旅游产品转变，从单纯服务型

旅游产品向创新化、体验化旅游产品转型，提高核心竞争力，以满足消费者追求新、奇、特的心理。

（二）放宽准入，培育壮大旅游市场主体

依法放宽旅游市场准入，简化审批环节和审批程序，坚决打破行业、地区壁垒，鼓励社会资本公平参与旅游业发展，鼓励各种所有制企业依法投资旅游产业。通过国有旅游企业改组改制，支持民营和中小旅游企业发展，支持各类企业跨行业、跨地区、跨所有制兼并重组，培育一批具有竞争力的大型旅游企业集团，推进企业产业链条的延伸，提高企业综合效益。积极引进外资旅游企业，发挥鲶鱼效应，以开放促改革，以改革促发展。

（三）完善标准，提升旅游服务品质

进一步推进旅游标准化工作，制定和完善旅游业标准体系，包括旅游业态标准、市场准入标准、旅游服务规范等行业标准，全面提升旅游标准化水平，更好地服务于经济新常态下旅游业的改革创新、转型升级和提质增效，推动我国旅游从景点旅游模式向全域旅游模式转变。

（四）完善法规，保障旅游业发展要素支撑

从法律和制度的层面，加强对我国旅游法规的关注和研究，补足立法空白，提高旅游法规的法律层级和可操作性，并借鉴国际旅游立法经验，促进我国旅游业法规建设与国际接轨，当前，更应从更高层级的法规安排上加大保障旅游业发展要素的力度，重点是完善基础设施建设和人才培养机制。要从多角度、多层面采取措施，提高导游队

伍的综合素质。通过等级考试改善导游队伍的结构，激励和引导导游人员不断学习提高；通过学历教育提高导游的文化层次，适当时机提高导游入门的门槛，并对在职导游进行学历教育。

（五）加强监管，规范旅游市场秩序

首先，要加快完善旅游行业的法规体系，使监管做到有法可依。其次，要强化执法。对旅游市场进行有效监管，特别是针对旅游投诉较为集中的旅游服务中的违约现象、虚假广告、旅游过程中的安全隐患和价格陷阱进行严格监管，对违法违规经营行为要进行严厉的惩戒，以充分地保证消费者的合法权益。第三，加强舆论监督，培养旅游者的法律意识和自主消费意识，强化旅游者的自我保护意识，倒逼旅游服务企业提高旅行社服务质量，对整顿治理旅游市场秩序起到监督与促进作用。

（六）政策引导，促进产业融合发展和业态创新

充分发挥政府的引导作用，通过制定和完善标准体系、科学规划、产业政策激励、先行试点示范等，鼓励旅游服务企业通过新理念、新技术、新经营管理模式，推动旅游与城镇化、新型工业化、农业现代化和现代服务业的深度融合发展，培育和催生新的旅游服务业态，促进旅游业从传统的景点旅游发展模式向区域资源整合、产业融合、共建共享的全域旅游发展模式加速转变。加强试点示范，形成促进旅游业创新发展的可复制可推广经验。

（七）充分发挥行业组织作用，促进行业自律

发挥行业协会的桥梁纽带作用，由行业协会牵头，充分调动社会

各界资源组建运营，发挥行业组织进行规划引导、行业标准制定和推广、人才培养、职业培训、职业资质审查、行业自律等工作，促进旅游业的规范健康发展。

执笔人：漆云兰

专题报告四

零售业转型创新趋势及对居民消费升级的影响

零售业作为重要的消费性服务行业，从事直接针对消费者的商品交易活动，其服务的对象是最终消费者。因此，零售业的发展与居民消费息息相关。近年来，我国零售业规模持续扩大，业态不断创新，但也暴露出有效供给不足、发展方式粗放等突出问题，迫切需要加快自身转型创新，进一步促进居民消费结构调整和升级。

一、近年来我国零售业转型创新的主要趋势

作为连接社会生产与居民消费的纽带，零售业的发展变革与社会生产方式、居民消费方式的变化相互呼应、相互影响。当前，随着现代信息技术的快速发展和广泛应用，以及居民消费偏好的演变，我国零售业进行了转型创新的多路径尝试。目前来看，零售业转型创新在业态、渠道、商业模式、经营重心等方面呈现出新的趋势。

（一）大业态发展放缓，小业态和精品业态快速增长

“十二五”期间，我国实体零售业中的仓储会员店、大型超市、

专卖店等大业态的门店总数呈下降趋势，而专业店、便利店等小业态的数量快速增长（见图4-1）。2015年，我国连锁零售企业中仓储会员店的门店总数为128个，大型超市的门店总数为8584个，专卖店门店总数为21093个，相比于2011年分别下降了51.7%、28.1%和33.6%；而专业店门店总数达112959个，比2011年增长了18.1%，便利店门店总数达17675个，比2011年增长了29.9%。

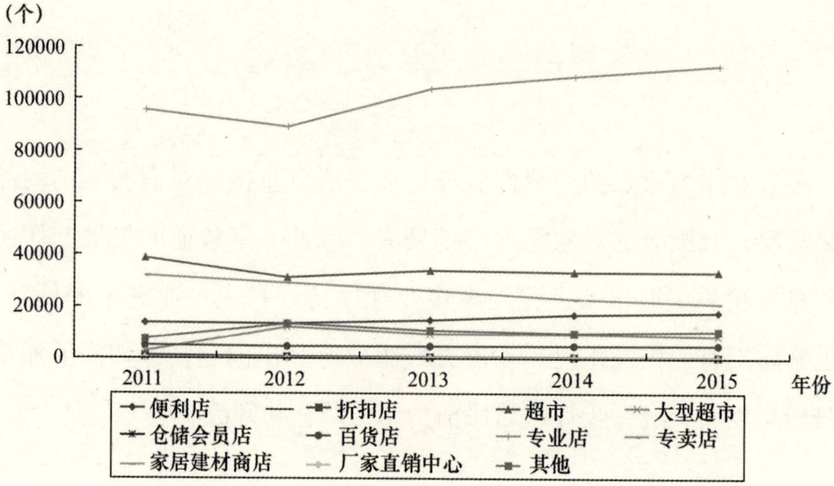

图4-1 2011~2015年我国连锁零售企业各业态的门店总数

资料来源：《中国统计年鉴2016》。

在小业态快速发展的同时，“精”成为小业态发力的重点。一方面，传统零售企业重新打造门店形象，明确商品定位，完善供应链体系。以后端的供应链管理和组织管理体系优化为支撑，通过前端的分销服务升级以及商品品类优化，更精准地满足目标群体的消费需求。另一方面，零售企业积极开发社区商业业态。围绕着社区消费者的核心需求组织经营活动，以“精”和“美”的特点打造新型零售业态，通过持续的互动交流与消费者建立强联系，从而获得信任和喜爱。

【案例 1】　SG home 社区店

SG home 是苏果社区店的升级版，店铺面积在 3000～5000 平方米，主要面向 25～65 岁年龄段的消费者，可满足社区居民家庭的即时型和存储型消费。店铺的设计原则是：轻装修装饰、重设备功能，简洁现代、自然环保，成本可控、快速复制，更人性化、更贴近社区家庭生活。商品主打大众化精品、无公害有机绿色产品、健康养生类食品。SG home 社区店还融入“互联网 +”概念，发力 O2O 社区服务，成为新一代社区居民的服务中心，得到了消费者及同行的一致好评，从社区店升级的设计到店铺落地，打造出了不少亮点，成效明显。

资料来源：根据 2016 年中国连锁经营协会“中国创新案例大奖”案例材料整理而成。

（二）跨界经营方兴未艾，复合型新业态受到市场欢迎

当前，零售企业的经营边界日益模糊，专业化的实体零售店不断扩大经营业务范围，通过增加商品品类以及丰富零售服务来满足消费者多层次和一站式的需求，涌现了众多具有跨界经营特征的复合型新业态。

这种复合型新业态打破了传统零售企业的经营边界，通过具有高度关联性的主题来组织商品和服务，围绕身份认同感、场景体验感、情绪参与感与人文关怀感等消费者主观情绪和心理特征来打造零售功能和购物场景，从而形成高度融合的、具有复合功能的新型零售业态和商业模式。在当前零售市场上，这种复合型新业态呈快速发展态势，受到年轻消费者和中高端消费者的广泛青睐。

【案例2】 方所——从“书店”到“文化公共空间”的转变

方所书店成立于2011年11月，正逢传统书店纷纷倒闭，整个实体书店行业呈现持续负增长，方所逆势而生，在一片质疑声中在广州最昂贵的太古汇开设了第一间实体书店，继而在2015年、2016年分别在成都、重庆、青岛开出具有当地文化特色的方所书店。方所提出从“书店”到“文化公共空间”的转变，将图书销售与文化活动、服饰、美学产品、咖啡销售等有机结合，开辟出具有高度联结性的体验式复合功能的新型商业模式，近三年的平均增长率达37.6%，曾两次获得“世界零售业大会”颁发的“年度最佳购物场所设计奖”，以及中国零售创新大奖。

资料来源：根据调研和网上公开资料整理而成。

（三）网络零售范围不断拓宽，“村淘”“海淘”发展迅猛

随着电子商务的蓬勃发展，我国网络零售的触角延伸到多个行业和领域，并进一步在更大范围展开创新实践。从目前的发展看，农村电商和跨境电商快速发展，“村淘”和“海淘”越来越成为推动网络零售发展的新引擎。

近年来，我国农村电商市场呈现出巨大增长潜力，特别是以淘宝村、淘宝镇为代表的农村电商迅猛发展。截至2016年，国内淘宝村广泛分布于18个省区市，淘宝村总数达到1311个，淘宝镇为135个，年销售额达百万元的淘宝村网店超过11000个①。淘宝村、淘宝镇的快速发展加速了农村网络零售市场的转型升级，农村网络零售的发展呈

① 阿里研究院：《中国淘宝村研究报告（2016年）》，2016年。

现出网店企业化、服务体系化、发展模式多元化的新特征。此外，针对农村零售市场的特点，基于网络平台开展的新型农村零售 O2O 模式也为农村电商发展注入了新活力。传统的农村零售是以夫妻店、个体户为主的小零售业态，其优点在于运营成本低，且符合农村熟人购买、就近购买的消费特点；不足之处在于供应的商品数量有限，无法有效满足农村居民的消费需求。近几年，利用网络平台和现代信息技术开拓农村市场的零售企业，致力于打造“大型实体 + 网络”的乡镇零售平台，有利于促进农村零售 O2O 的发展。

【案例 3】　五星电器“万镇通”

“万镇通”是运用互联网的方式，将所有的乡镇夫妻老婆店连接起来，建立了一个“共同创业、共享成果”的创享平台。该平台充分利用共享经济的思维，整合家电零售的各种专业资源，五星电器公司提供商品、供应链、IT 技术、品牌维护、营运管理、市场营销、售后服务和金融服务等，乡镇店发挥本地化、社群化的优势，合伙经营，让数亿乡镇消费者与城市消费者一样享有优质的商品和服务。

五星电器公司的“万镇通”项目经过一年来运营，截至 2016 年 8 月底已开设乡镇店 93 家，该项目的目标是到 2020 年开设乡镇店 500 家，实现年销售 30 亿元，打造全国最优质的“大型实体 + 网络”乡镇零售平台。

资料来源：根据调研和网上公开资料整理而成。

另外，我国跨境电商也呈现出蓬勃发展态势。截至目前，全国已有 13 个跨境电商综合试验区和 10 个跨境电商试点城市。2015 年，跨境电商交易额达到4.8万亿元，占全国进出口贸易总额的19.5%；跨境电商零售交易额增势强劲，2015年达到7512亿元，其中跨境电商零售进口额为2480亿元，出口额为5032亿元（见图4-2）。据预测，到2020年，我国跨境电商零售交易额将超过3.6万亿元，占比也将从2015年的不足16%上升到30%左右[①]。

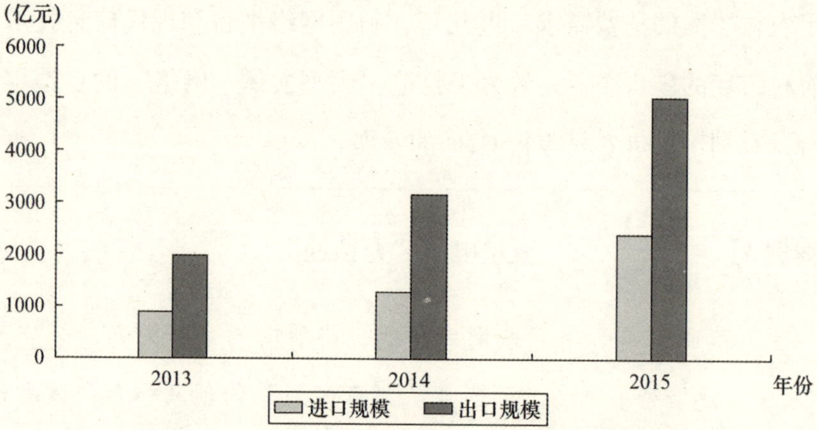

图4-2 2013~2015年我国跨境电商零售交易规模

资料来源：阿里研究院《贸易的未来：跨境电商连接世界（2016中国跨境电商发展报告）》。

（四）全渠道转型方兴未艾，线上线下紧密融合

随着“互联网+零售”的推进，现代信息技术正在成为实体零售企业转型创新必不可少的手段。同时，传统渠道凭借其在消费终端的体验优势，也吸引了许多线上企业的重视。实体零售企业的数字化转型与电子商务企业的线下尝试齐头并进，呈现出线上线下相融合的特点。

① 阿里研究院：《贸易的未来：跨境电商连接世界（2016中国跨境电商发展报告）》，2016年。

一方面，实体零售企业纷纷试水线上，通过自建网络商城或与现有网络零售平台合作，实现经营上的O2O模式，并在此基础上整合线上线下资源，实现全渠道经营。实体零售企业在强化线下渠道（店铺、服务网点等）优势的同时，进一步利用线上渠道（PC端、移动端、电视、社交媒体等）与消费者实现即时、持续的互动，不断增加零售企业与消费者的接触机会，实现对多渠道资源的整合和综合利用。

另一方面，面对线下零售企业纷纷进行数字化转型的形势，越来越多的电子商务企业开始从线上走向线下，通过与实体零售企业的合作或自建线下体验店为消费者提供购物体验的场所，以此弥补自身的短板。电子商务企业的线下尝试并非简单的开设实体门店，而是利用现代信息技术打通线上线下资源，将企业的线上运营与线下实体门店有机结合，实现全渠道信息数据的交互，从而提升整体营运效率，实现智能化零售。

（五）零售逐渐回归商业本质，强化经营职能并重视服务体验

在以往零售运营模式中，百货店以联营、出租柜台的方式获利，超市更多是依靠收取“通道费”而获利，这就导致零售店铺商品、品牌的同质化，以及零售企业自身经营能力的严重弱化。

在目前零售业转型创新的实践中，零售企业将构建核心竞争力的重点重新放在自身能力建设上，通过采购模式变化以及实施“买手制”实现商品的自采自营，商品是否被零售企业选购取决于专业买手团队的市场判断以及商品本身的畅销程度，而非被动接受供应商的供货情况。在这一过程中，零售企业的商品选购能力和销售能力得以重新培育，在整条流通链条中商品组织者与服务提供者的中间商角色得

以重构。

【案例4】 银泰集货——全渠道买手制卖场

银泰集货是一家全渠道买手制的卖场，于2015年11月在银泰百货的武林总店成立。集货的商品主要依靠6位专业买手基于大数据分析以及多年实体门店销售经验从各地采购而来。目前，商品主要来源天猫TOP品牌、线上TOP单品、线上原创设计师作品和生产商直采。买手们为顾客精选了十多个商品品牌，陈列近千个单品，坚持“以客为先”的经营理念，寻找优质货源，以质优价廉赢取顾客“芳心”。

集货商品的渠道非常多样，但基本都是从供应链源头，缩短了商品供应链，保证商品的高性价比。团队买手的看货选货，带来了更为快速的商品流转和最新的商品搭配，让顾客觉得这是一个常来常新的卖场。

资料来源：根据调研和网上公开资料整理而成。

此外，零售企业更加重视为消费者提供人性化服务，实现“经营商品”向“经营顾客”的转变。考虑到人们消费方式、购物习惯以及购物心理的变化，零售企业纷纷围绕消费者的核心需求，组织自身商业空间以及商品和服务内容。一方面，零售企业通过打造特色的“主题”模式避免与其他企业的同质化竞争，通过创新建筑风格、增强文化体验、创新商品及门店布局，丰富了消费者的购物体验；另一方面，零售企业不断丰富服务内容，例如，购物中心和百货店的餐饮、休闲娱乐等服务内容的供给比重出现明显上升（见表4-1）。

表4－1　2013～2015年上海市主要购物中心不同业态营业面积占比　单位：%

年　份	零　售	餐　饮	休闲娱乐服务
2013	65.6	21.4	13.0
2014	63.5	23.2	13.3
2015	55.9	24.9	19.2

资料来源：上海市商业信息中心。

二、我国零售业转型创新对居民消费升级的影响

零售业是直接面向最终消费者提供商品和服务的行业，零售业的发展与消费需求的变化呈现“你中有我、我中有你”的相互影响、螺旋上升的特征。一方面，零售业在特定的社会生产方式下，围绕消费需求的变化来调整、变革、创新自身的组织模式和经营内核，从而形成差异化的商业模式和零售业态；另一方面，不断演化和创新的零售业态又对消费需求的变化产生重要影响，从消费内容、结构、方式以及渠道等多方面推动着消费升级。

（一）多元零售业态发展丰富了人们的消费内容

随着经济社会不断发展，生产由大规模、标准化转变为柔性化、定制化，消费需求也由排浪式、模仿式转变为多样化、个性化。在生产方式和消费需求都发生变革的背景下，连接生产与消费的零售业势必要实现自身的转型创新，才能满足发展的要求。

传统业态的转型升级与新业态的兴起发展，满足了消费者对新商品和新服务的需求，多元化、多样化的业态满足了各阶层、各年龄段的消费群体对于商品和服务的差异化需求。一方面，新业态、新商业模式的出现会直接激发消费者的消费热情。典型的是以网络零售为代

表的无店铺零售业态对于消费潜力释放的极大促进。网络零售打造的“双十一购物节”激发了全民的购物热情，交易总量、参与人数、商品品类、品牌等多个方面呈持续增长态势。2016 年，天猫、淘宝的“双十一”活动当日销售额为1207 亿元，8 年来复合增长率达到 204%；参与活动的商家有 61163 家，8 年来复合增长率也达到 201.5%（见图4－3）。

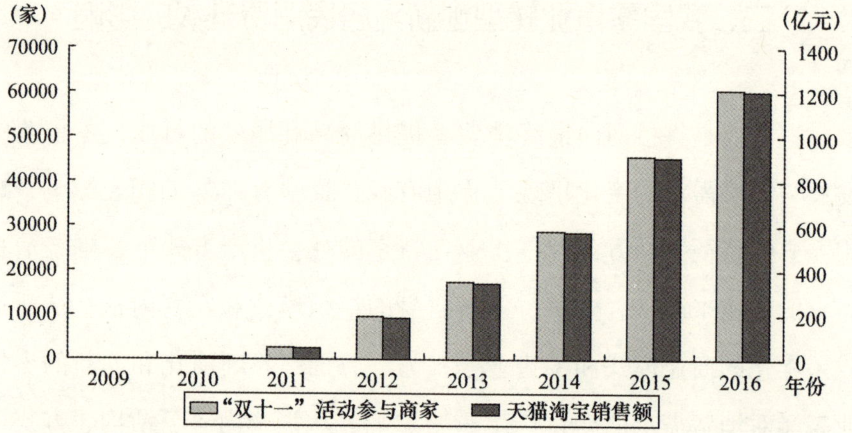

图4－3 2009～2016 年天猫、淘宝“双十一”活动的销售额和参与商家数量

资料来源：阿里研究院。

另一方面，移动互联网、社群互动的发展，促使零售企业能够更加便利地与消费者保持持续沟通，通过体验式服务增强与消费者的交流互动，从而将消费者的一系列反馈、诉求转变为商品或开发的概念，反向拉动零售企业的空间设计、商品组合内容、商品和服务的功能等。并且，在持续不断的互动过程中，零售企业逐渐建立起与消费者的信任关系，成为消费者生活方式的代言人与个性化需求下商品或服务的采购人。由此，零售企业能够围绕忠实客户的核心需求和延伸性需求，在持续提供服务的同时，不断创造新的消费热点，释放巨大的消费潜力。

（二）零售业休闲体验娱乐功能的增强促进了人们的消费升级

在当前零售业转型创新的过程中，很多零售企业对跨界经营与体验服务等内容展开了积极探索，这些探索推动了消费者购物行为的重点由单纯的商品购买向商品与服务并重的方向转化，推动了消费内容的扩展，促进了消费结构的优化。

在传统零售经营中，零售企业的经营活动是围绕着“商品”展开，销售商品是零售活动的核心内容，与此相对应，消费者的购物活动只能限定在一定时间和空间范围的商品选购，导致消费者的多元消费需求难以得到充分满足。伴随零售企业的跨界经营与零售终端体验式服务的增加，越来越多的服务内容被充实到零售活动中，多功能的复合型、集聚式商业模式极大丰富了消费者的购物活动。零售企业由“经营商品”向“经营顾客”的思维转变，这使得零售业态和零售内容更能够满足消费者的多元化需求。消费者在新型零售空间和零售业态中得以实现一站式的购物、就餐、休闲和各种娱乐活动。

从实践上看，百货店向购物中心的转型以及传统购物中心的转型创新最突出地体现了上述特点。据调查，餐饮、娱乐和休闲消费已成为“90”后光顾购物中心的首要目的（见图4－4）。提高餐饮、娱乐业态的比重，被视为购物中心实现体验式营销和延长顾客停留时间的主要手段。

由此可见，零售业的转型创新促使消费者的购物活动不再围绕着购买商品展开，体验服务与休闲娱乐成为消费需求的主要内容。也就是说，伴随零售业的转型创新，人们享受型消费和发展型消费的内容逐渐增多，生存型消费的内容相对减少；服务消费的重要性明显提升，商品消费的重要性相对下降。

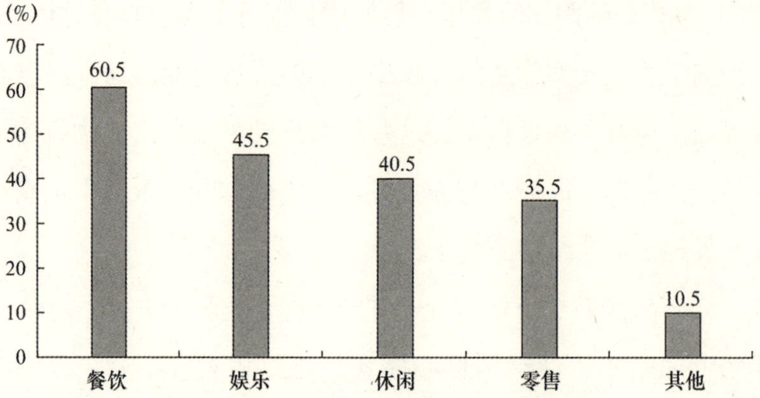

图4-4 “90后”对购物中心的消费偏好

资料来源：睿意德中国商业地产研究中心。

（三）零售业的变革创新为人们提供了多样化的消费选择

随着现代化的实体零售业态的发展以及无店铺零售的成长，消费者购物的选择越来越多样化，各种业态、商业模式为消费者获得商品和服务提供了丰富的渠道。而随着线上线下零售资源的进一步融合，人们的消费方式也呈现出明显的多渠道特点。

根据调查，消费者对于服装的多渠道选购倾向最为显著，所占比重达到39%，而单线上、单线下渠道购买的比重分别占28%和33%；对于化妆品、母婴儿童用品、日用商品、食品饮料等品类，消费者多渠道选购的比重也都在15%以上；在生鲜、家居清洁、个人清洁、酒类等品类的渠道选择上，消费者也表现出一定的多渠道选购倾向（见图4-5）。总体上看，对于大多数商品，线上渠道和线下渠道是互为补充的，消费者进行多渠道、多业态购买的趋势越来越明显。

（四）农村电商的发展缓解了消费升级的城乡二元结构矛盾

电子商务特别是农村电商的发展，克服了传统交易中的时间和空间限制，满足并激发了农村市场的消费需求和消费潜力，从而在一定

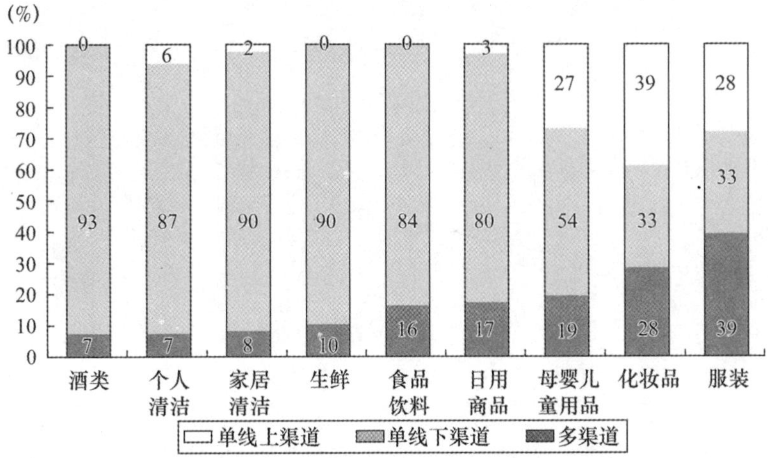

图 4-5　消费者购买不同商品的渠道选择

资料来源：波士顿咨询公司。

程度上缓解了消费升级的城乡二元结构矛盾。

在原有流通模式下，商品需要经由生产商——各级批发商——零售商的多层流通环节才能到达消费者手中。在这种“推式”流通渠道模式下，即使在买方市场的情况下，供需的错位与不匹配仍然存在，特别是在广大农村和交通不便的地区，人们的有效需求难以得到真正满足，城乡消费呈现出明显的二元结构特征。而随着农村电商的普及和快速发展，传统流通模式被打破，网络零售使得生产商、零售商与消费者的直接接触成为可能，商流、物流、资金流、信息流得以重新组织，农村地区、偏远地区的消费者可以通过网络和实体等多个渠道获得商品和服务，并完成最终交易。从农村电商发展的实践来看，2006～2015 年，全国农村网民数量以及农村电商规模均呈现出稳定上升态势。截至 2015 年，全国农村网民已有 1.9 亿多人，占网民总数的 28.4%，其中农村网民网络购物用户数 9239 万人，使用率达 47.3%（见图 4-6）。虽然城乡网络购物的整体规模仍存在较大差距，但农村网络零售的增长速度快于城镇，且农村网民网络购物的使用率提升更为显著（见图 4-7）。

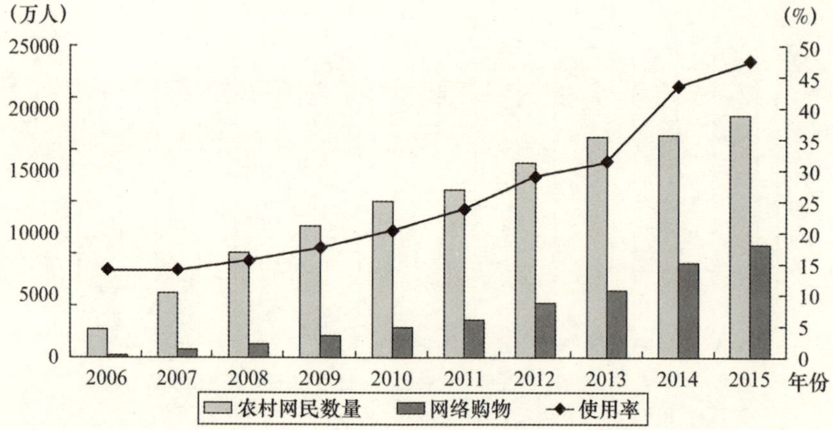

图4－6　2006～2015年我国农村网民数量及网络购物的增长

资料来源：中国互联网络信息中心：《2015年农村互联网发展状况研究报告》。

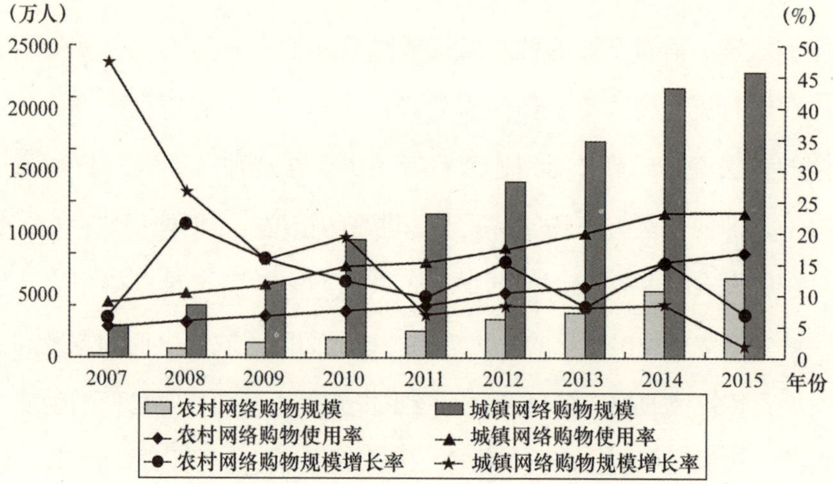

图4－7　2007～2015年我国城乡网络购物发展的对比

资料来源：中国互联网络信息中心：《2015年农村互联网发展状况研究报告》。

由此可见，农村电商的发展拓展了农村、偏远地区商品供给的渠道，丰富了农村居民的消费选择，从而加快了消费升级步伐。

（五）高端业态和跨境电商的发展一定程度上吸引了消费回流

首先，高端零售业态和跨境电商的发展，可以在一定程度上缓解国内零售市场中高端品牌、高品质商品有效供给不足的问题。国内中高端业态集聚的商业街区快速发展，吸引了越来越多国际知名品牌进入国内市场，从而有利于缓解高品质商品、高端品牌在国内市场的供需结构性矛盾。

【案例5】　上海南京西路商圈

南京西路商圈是上海最著名的城市商圈之一，其特点在于商业和商务相融合。南京西路全长2933米，位于上海中心城区核心地带，截至2015年，南京西路拥有商业商务区规划面积515万平方米，已建成370万平方米。

南京西路沿线汇集国内外品牌近1600个，其中国际知名品牌1000多个，占比超过60%，已成为上海高端消费的集聚地和风向标。南京西路商圈既有LV、Hermes、Gucci等高端奢侈品及国际顶级品牌，又汇聚了Coach、MichaelKors等中高端一线品牌及轻奢品牌。此外，南京西路还集中了大量的专卖店、旗舰店、概念店、便利店、品牌集合店、名特商店，云集了优衣库、H&M、M&S、GAP等全球知名快时尚品牌、梦芭莎等国内原创品牌及王家沙、绿杨村、雷允上、龙凤、蓝棠博步等老字号品牌，从而形成顶尖奢侈品牌、高端品牌、轻奢品牌、老字号品牌、原创品牌协同发展、梯度分布的形态。由于商流、人流的汇聚，使得南京西路近年来零售销售额保持了较高的增长速度。

资料来源：根据调研和网上公开资料整理而成。

此外，以京东全球购、天猫国际、小红书、洋码头等为代表的国内跨境电商企业快速成长，消费者能够以相对更低的价格买到高品质的国外商品和品牌，这对于因商品价差导致的国内消费外流也能有一定的缓解。值得注意的是，跨境电商企业通过“双十一全球购”活动以及与国外“黑色星期五”[①] 的同步促销活动，极大激发了国内消费者通过跨境电商平台购买国外商品的热情，从而对引导消费回流具有积极作用。根据2016年天猫国际的“黑色星期五”数据，天猫国际只用7小时就超过了2015年全天的交易额，新用户占到74.6%，其中60%以上是18~35岁的年轻“海淘”消费者，购买的商品主要来自美国、日本、韩国、澳大利亚、德国等国家。

三、当前我国零售业转型创新存在的突出问题

（一）供需结构性矛盾仍然较多

在当前零售业创新实践中，不断丰富的服务供给一定程度上满足了消费需求，但日益壮大的中等收入群体对于高品质商品和服务的追求以及新生代年轻人对个性化消费的偏好，还无法被完全满足。

尽管高端零售业态和跨境电商的发展一定程度上缓解了上述问题，但两者目前还处在起步阶段，尚未进入成熟发展期，且高端业态的发展需要依托规模效应才能真正吸引国际商流的集聚，才能形成充足的有效供给。同时，跨境电商的发展也需要在税收、监管、渠道建设等方面进一步调整完善。此外，实体零售的业态创新升级在大城市发展较快，但在中小城市发展仍相对落后，供需的结构性矛盾在区域层面较为突出。

---

① “黑色星期五”起源于美国，指的是每年11月感恩节之后的第一天，在此期间北美洲国家的商场都会推出大量的促销优惠活动。

（二）跨界经营受到一定的体制和政策约束

跨界经营是当前零售业转型创新的主要趋势，也是直接影响零售业能否适应并促进居民消费升级的重要内容。但是，目前零售企业跨界经营的发展，还受到一些体制和政策的制约。

首先，相比于快速创新和变革的零售实践，政府部门针对跨界经营的支持政策出台滞后，部分监管存在空白。其次，监管部门之间缺乏有效协同，也增加了零售创新的制度性成本。再有，目前的监管政策对企业增值服务的限制较多，且不同地区审批标准不一，导致许多连锁零售企业的跨界经营活动难以标准化地推进。

【案例6】　便利店的餐饮项目

餐饮是便利店内的常设项目，也是吸引客流、增加利润的主要来源。从全家、7-11、罗森三大便利店的统计数据看，60%~70%的进店消费者会购买鲜食商品，包括寿司、饭团、糕点、关东煮等购买频次很高。

但目前，便利店餐饮项目的快速发展受到阻碍。例如，经营快食业务需要申请食品卫生许可证，以前这方面工作归卫生部门管，现在归食药监部门管，但相关规章制度并未出台，导致现在老店只能在食品卫生许可证规定期限内销售，而新店拿不到相关部门的许可证就无法经营快食业务。另外，部分地区便利店的餐饮项目需要同时拿到食品流通许可证和餐饮服务许可证，但多数便利店的铺面有限，难以满足餐饮许可证的标准。

资料来源：根据调研和网上公开资料整理而成。

（三）城市零售业态结构尚需进一步优化

目前，各地实体零售业态的发展不均衡，一些业态（如购物中心）在发达城市已趋于饱和，且同类零售业态之间的同质化竞争严重，经营雷同现象普遍，造成极大的资源浪费。

据统计，2016年全国新开业的大型商业项目总开业量465个，其中近42%的商业项目分布在华东地区，而东北、西北、华中等地区项目则较少，均低于10%（见图4-8）。从重点城市的商铺情况看，空置率有所上升。2015年，沈阳、上海、大连、苏州的商铺平均空置率超过了10%（见表4-2）。可见，城市零售业态结构存在较为严重的不合理现象，盲目地增加商业项目会造成资源浪费严重和经济效益低下。

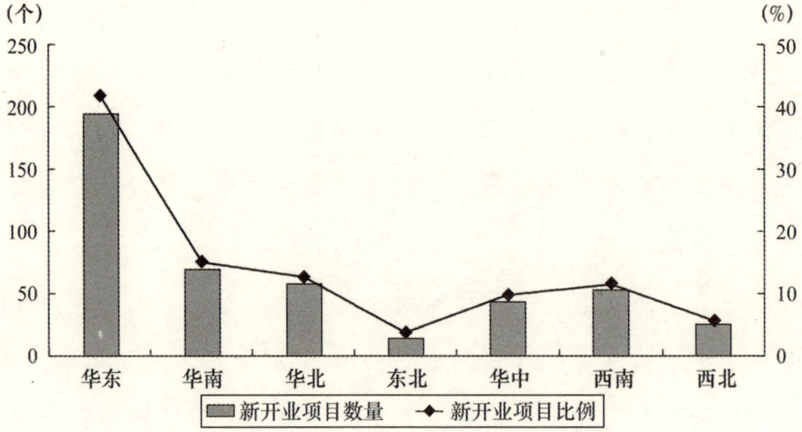

图4-8　2016年我国新开商业项目的区域分布

资料来源：赢商网。

表4-2　我国重点城市的商铺平均空置率　单位：%

城　市	2014年	2015年	城　市	2014年	2015年
北　京	5.2	5.1	广　州	9.4	8.8
上　海	10.7	12.4	大　连	4.7	11.0
天　津	5.3	7.6	青　岛	5.8	9.7
沈　阳	18.2	18.0	厦　门	6.7	5.6

续表

城　市	2014 年	2015 年	城　市	2014 年	2015 年
南　京	5.4	4.1	深　圳	7.1	6.2
武　汉	6.9	7.6	杭　州	6.6	8.8
成　都	7.1	8.1	苏　州	8.0	10.3

资料来源：赢商网。

（四）线上线下存在局部的不公平竞争

随着零售业线上线下的不断融合，构建线上线下公平竞争的发展环境势在必行。目前，实体零售企业与电子商务企业在一些方面存在不公平竞争现象。

首先，一些获得资本市场多轮融资的互联网企业和电子商务企业，更多关注用户数、访问量、点击率等业绩目标，采取补贴、返现、低价等方式，追求短期内迅速做大市场，使得线上商品和服务价格远低于线下水平，造成线上线下企业之间的不平等竞争乃至恶性竞争。这种依靠资本和技术优势的低价竞争行为，不仅严重削弱了实体零售企业的发展能力和创新能力，也极大地抑制了大量尚处初创阶段的创新企业。

其次，由于发展初期遵循“放水养鱼”的原则，C2C、O2O 平台上以自然人名义开设的网店数量越来越多，经营规模越来越大，经营范围越来越广。一些自然人商户销售额早已超过每月 3 万元的增值税起征点标准，但由于税务部门无法掌握其真实经营情况，导致这部分商户长期游离于税收监管之外，造成与其他经营主体特别是实体零售企业之间的税负不公。

最后，互联网领域出现新的滥用市场支配地位的行为。例如，部分互联网企业或电子商务平台凭借市场优势地位对商户收取高额流量费、广告费，或者对规模较大的商户实施限制性措施，导致近年开设网店的综合成本快速上升，甚至与一些地区实体零售企业的经营成本不相上下。

四、政策建议

（一）推动新型零售业态加快发展

大力引入新业态、新品牌、新商业模式，营造多样化消费融合互动、共同发展的良好生态，促进零售业转型和消费升级。着力打造一批具有较强国内外影响力的新型商圈或现代商业街区。进一步完善海关监管、检验检疫监管以及税收政策，鼓励跨境电商等新业态发展，丰富国内零售市场供给。

（二）探索监管体制改革和政策创新

深化行政审批制度改革，探索建立与电子商务企业、实体零售企业转型发展相适应的管理体制和监管机制，加强工商、税务、商务、检验检疫、交通等监管部门的信息化建设，积极运用大数据和现代信息技术提升监管能力和改进执法方式，加快线上线下一体化监管机制建设，创新电子商务监管模式，健全消费者维权和交易争端解决机制，提高监管和执法效能。

（三）完善城市商业发展规划与设施布局

进一步加强城市零售业态发展和商圈建设的规划，统筹推进商圈改造、商业设施建设与城市功能调整、产业转型升级以及城市更新。加强高水平城市公共交通体系建设及相关市政、服务设施配套，提升城市智能化水平，特别是强化信息化在各类商业载体中的覆盖和应用。引导大型购物中心、百货店、奥特莱斯等业态科学选址，实现合理的商业集聚和同类业态之间的错位竞争，从而促进商业资源的有效配置。

（四）营造线上线下公平竞争环境

加快完善《反不正当竞争法》等相关法律法规，对互联网和电子商务领域新出现的滥用市场支配地位排挤、限制竞争的不正当竞争行为进行必要调整和规范。对网络零售经营者逐步实施统一的工商备案和税务登记，网店经营者应在经营所在地工商税务部门登记备案。将从事网络零售的自然人纳入个体工商户管理体系，使其承担与经营者相对应的权利和义务。加强电子商务经营主体的信息公开披露，促进信息共享，完善互联网及电子商务领域的社会共治。

执笔人：黄雨婷

参考文献

[1] 阿里研究院．中国淘宝村研究报告2016，2016
[2] 阿里研究院．贸易的未来：跨境电商连接世界——2016中国跨境电商发展报告，2016
[3] 陈丽芬．发力“两淘”实现消费转型升级．国际商报，2016年12月21日
[4] 刘向东．商业经济学概论．北京：中国人民大学出版社，2009
[5] 罗格·R. 贝当古．零售与分销经济学．北京：中国人民大学出版社，2009
[6] 任兴洲，王微，王青等．“互联网+流通”：创新实践、成效与政策．北京：中国发展出版社，2016
[7] 睿意德中国商业地产研究中心．购物中心如何吸引90后消费者?，2016
[8] Ehrlich I，Fisher L. The Derived Demand for Advertising：A Theoretical and Empirical Investigation. American Economic Review，1982，72（3）：366～388.

专题报告五

互联网个人金融服务创新的进展、问题和建议

近年来，现代信息技术的广泛普及和深度应用，助推了个人金融服务的创新变革，促进了互联网个人金融服务的蓬勃发展，为扩大消费、改善民生创造了新的金融服务供给。与传统的个人金融服务相比，互联网个人金融服务利用更高效的渠道，为更广泛的群体提供了满意度更高、体验更好的服务。不过，作为新兴业态，互联网个人金融服务的快速发展也暴露出一些问题，亟需通过完善法律法规、健全监管体系、推进信用信息共建共享、强化消费者信息安全保护、加强行业自律等措施，逐步规范并促进其健康发展。

一、我国互联网个人金融服务发展的背景和动因

按照服务对象的不同，金融服务可分为公司金融服务和个人金融服务两大类。个人金融服务主要是面向消费者提供的存款、支付汇款、贷款、保险和投资理财等专业化金融服务活动。在传统金融体系下，个人金融服务的供给方主要是银行以及非银行金融机构。这些机构提

供的个人金融服务业务量占比远低于公司金融服务。据统计，2016 年我国金融机构个人短期消费贷款余额约为 4.2 万亿元，仅占金融机构合计贷款余额的 5.2%[①]。由于我国个人金融服务对传统金融机构业务总量的贡献较小，各项成本费用相对较高，银行和非银行金融机构通常都不太重视此项业务，并且设置较高的服务门槛，总体表现为金融抑制[②]。

随着近年来现代信息技术的不断进步，个人金融服务的供给模式不断创新，大多数被排斥在传统金融体系之外的消费者有机会获得低门槛、便利化的金融服务。更重要的是，便捷的信息传播很大程度上提升了消费者的金融意识，培养了消费者对服务渠道和内容的自主选择和要求。与此同时，大数据、云计算技术的应用丰富了金融服务机构的营销和风险管理手段，降低了运营成本，为适应市场需求、开发有针对性的金融服务奠定了技术基础。另外，居民人均收入的不断增长与新生代年轻人超前消费观念的逐步形成，共同决定了在消费升级背景下个人金融服务的需求持续上升。

以上多方面因素的综合影响，催生了互联网个人金融服务的创新发展。互联网个人金融服务，是指个人金融服务的提供者通过互联网平台、移动客户端等线上渠道，直接面向消费者提供内容多样化、覆盖范围广、实时性强的金融服务，主要包括支付、投资理财、消费贷款、P2P 借贷、保险、证券交易等。互联网个人金融服务正在快速成长，成为越来越重要的个人金融服务新供给。

---

① 中国人民银行：《存款类金融机构人民币信贷收支表》，2016 年。计算公式：个人消费贷款业务占比 = 居民短期消费贷款/（居民短期及中长期消费贷款 + 非金融企业及机关团体短期及中长期贷款）×100%。

② 陈斌开、林毅夫："金融抑制、产业结构与收入分配"，载《世界经济》2012 年第 1 期。

二、我国互联网个人金融服务创新的主要进展和特点

（一）市场规模快速扩张

近年来，我国互联网个人金融服务的发展呈现业务规模大幅增长、用户群体不断扩大的特点。2011～2016年，互联网消费金融交易规模从6.8亿元增长到4367.1亿元，年均增长率达到264.4%（见图5-1）。以互联网货币基金“余额宝”为例，2017年6月底该基金总规模突破1.4万亿元，用户数3亿人以上，已成为全球最大的货币基金[①]。另外，2016年我国第三方支付[②]总交易额达到58万亿元，同比增长85.6%。其中移动支付交易规模为38.6万亿元（见图5-2），约为美国的50倍。

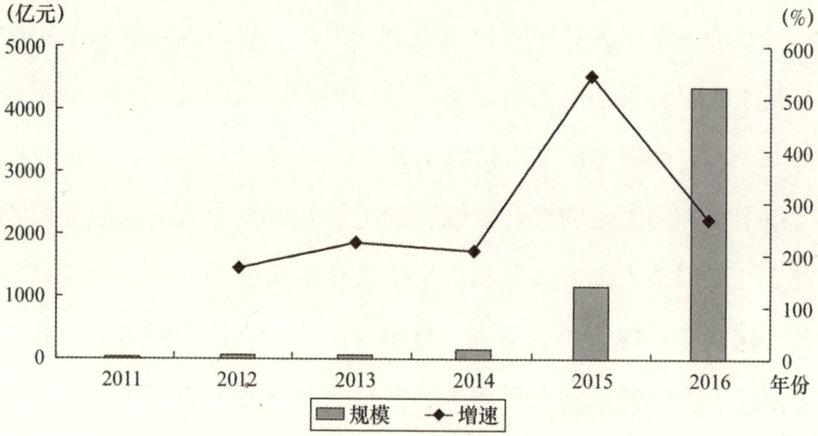

图5-1　2011～2016年我国互联网消费金融的增长

资料来源：艾瑞咨询：《中国消费金融洞察报告》。

---

① 天弘基金官方网站。

② 第三方支付包括互联网支付和移动支付。

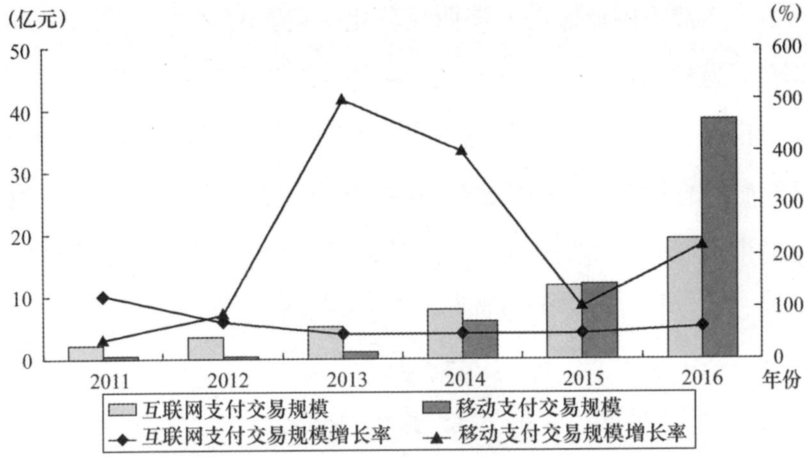

图 5－2　2011～2016 年我国第三方支付交易规模和增长率

资料来源：比达咨询：《2016 中国第三方移动支付市场发展报告》。

大量未被传统金融机构服务所覆盖的消费者也成为互联网个人金融服务的对象。以理财投资为例，传统的理财产品往往针对较富裕人群，设有较高的门槛。例如，银行理财产品一般 5 万元人民币起投，信托产品一般 100 万元人民币起投。2013 年以来，以余额宝为代表的互联网个人金融服务实现了零门槛的突破，使得理财服务的消费群体在年龄、职业、地域分布等多维度上实现了很大拓展。2016 年，我国互联网金融服务的消费者人数超过 5 亿人，居世界第一①。

（二）服务业态发展分化

从实践来看，我国互联网个人金融业态种类较多，包括互联网支付、互联网证券、互联网基金销售、个体网络借贷、互联网保险、互联网消费金融、直销银行和互联网股权融资等。近年来，互联网个人

① 麦肯锡咨询：《中国银行业白皮书：颠覆与连接——解密中国互联网金融创新》，2016 年。

金融服务内部不同业态的发展明显分化。互联网支付、互联网证券由于具有交易性的特点，业务规模所占比重分别为62%和35.6%，互联网基金销售的市场规模占比为2%，P2P借贷、互联网保险、互联网消费金融、直销银行和互联网股权融资等业态的市场规模相对较小，合计的市场规模仅占到0.4%（见图5－3）。

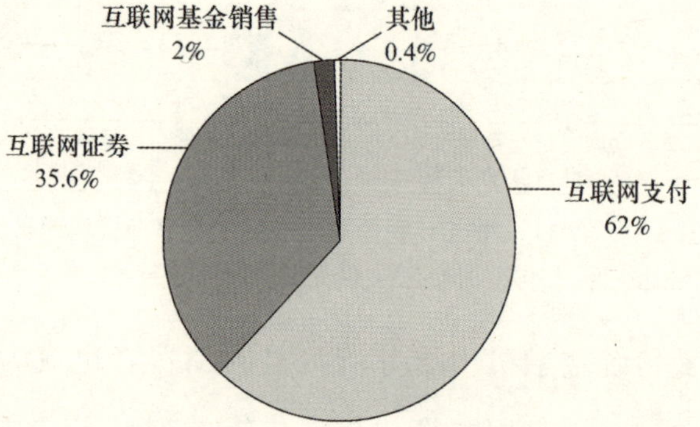

图5－3　2016年我国互联网个人金融服务内部业态结构

资料来源：中国互联网金融协会。

（三）服务创新主体日趋多样化

互联网个人金融服务创新的供给主体既包括传统金融体系中的金融机构，也包括新的金融服务供给主体。传统金融机构利用互联网工具扩展个人金融服务供给的途径，例如银行业的直销银行和保险业的互联网保险销售公司等。新的金融服务供给主体类型多样，主要包括以微信为代表的互联网即时通信公司、以京东为代表的互联网电子商务平台、以百度为代表的互联网信息搜索公司、以人人贷为代表的P2P借贷平台、以支付宝为代表的第三方支付机构等非传统金融机构。相比于传统金融机构，这些非金融机构主体可以有效掌握特定的垂直细分市场人群的消费习惯，具备识别消费者潜在金融服务需求的优势。

（四）服务内容创新更加贴近消费需求

互联网个人金融服务内容创新贴近消费者的生活场景。例如，网络购物消费者在面对商品金额较高的情况下，京东商城为其提供“京东白条”分期付款服务。又如，在社交互动中产生转账需求，或有发红包需求时，微信在聊天工具中提供了方便的转账服务和有趣的“红包”支付服务。消费者不断变化的生活场景为互联网个人金融服务提供了源源不断的产品创新空间。

（五）互联网个人金融服务方式更加灵活

一方面，服务创新的基础来自于对移动互联网、大数据、云计算等现代信息技术的综合运用。依靠这些技术，大部分消费者通过在线的方式即可完成整个金融服务流程。这些新的线上渠道使得消费者可以在任何时间、任何地点获得想要的服务，不会受到实体网点在营业时间、空间位置等方面的制约。另一方面，平台广泛地借鉴互联网企业的平台化组织管理模式创新，增强了组织灵活性，面对不断变化的消费者需求具备了快速响应、持续创新、高效迭代的服务供给能力[①]。

（六）互联网金融服务成本不断降低

互联网个人金融服务利用大数据技术可以精准识别消费者的特定需求，有效降低成本，增加消费者福利。根据蚂蚁微贷的估算，传统信贷模式下单笔信贷操作成本大约是2000元，而蚂蚁微贷基于数据的信贷模式将单笔操作成本控制在2元左右[②]，成本仅为前者的1‰。

---

① 叶文辉：“大数据征信机构的运作模式及监管对策——以阿里巴巴芝麻信用为例”，载《武汉金融》2016年第2期。

② 麦肯锡咨询：《中国银行业白皮书：颠覆与连接——解密中国互联网金融创新》，2016年。

三、我国互联网个人金融服务创新对消费发展的影响

（一）释放潜在的消费需求

互联网个人金融服务有利于释放潜在的消费需求。以消费金融为例，在传统消费金融市场中，住房、汽车等大额贷款占据了很大比重，其他金额较小的消费需求难以得到有效满足。基于信用评价为基础，互联网消费金融服务借助电子商务平台等在线消费场景，依托线上审核、放款、消费、还款等便捷的服务流程，可以为信誉良好的消费者提供贷款。

互联网消费金融服务从商品品类、消费群体两方面释放了潜在的消费需求。一方面，家用电器、3C 产品和家具装饰品等更多的商品品类纳入了消费金融服务的范围；另一方面，互联网金融服务对象既有从传统金融体系中需求未能得到满足的消费者，也有大量传统金融体系之外的“草根”用户，特别是学生、工薪阶层、农民等，使更广泛的消费群体得到了消费金融服务的覆盖，因而扩大了个人金融服务的普及范围，具有明显的“普惠”性质①。互联网个人金融服务产品具有低门槛、多样化、低成本、信息透明的特点，决定了其有能力满足消费者零散小众的“长尾需求”。

【案例 1】　　芝麻信用释放潜在消费需求

互联网信用评价在促进互联网消费金融市场发展、释放潜在消费需求中起到了重要作用。阿里巴巴旗下的芝麻信用管理公司建立了

① 李涛、徐翔、孙硕：“普惠金融与经济增长”，载《金融研究》2016 年第 4 期。

互联网个人信用信息数据库。相比于传统征信统计数据，其数据来源更为广泛，主要包括以下四类：一是阿里巴巴集团下属电子商务平台3亿多个人和3700万家小微企业的交易数据；二是蚂蚁金服集团采集的包括支付宝、余额宝、蚂蚁微贷的金融数据；三是从外部机构获得的信息数据，包括政府公开信息、公安、工商、法院信息，以及部分网贷P2P平台的互换信息；四是用户主动提供的数据。

在综合考虑消费者身份性质、信用历史、人脉关系、行为偏好、履约能力五个维度，并参考国际通用的评分模式的基础上，芝麻信用为消费者提供“芝麻信用评分”个人信用评分服务，芝麻信用状态“良好”以上的消费者可以享受租车、酒店免押金的服务，也可以向蚂蚁微贷旗下的“花呗”平台申请高达3万元的消费额度，或通过“借呗”平台申请高达5万元的个人消费贷款。

资料来源：根据调研和网上公开资料整理而成。

（二）促进消费的快速增长

互联网个人金融服务创造了全新的金融服务供给方式，有利于消费的快速增长，其中P2P借贷具有代表性。不同于银行的个人贷款业务，P2P借贷平台并不吸收居民存款，仅作为信息中介撮合借款人与出借人完成交易。P2P借贷属于全新的个人借贷服务市场，创造了消费增长的新领域①。P2P借贷市场成交规模的增长直接促进了消费的快速增长。据统计，2017年5月单月P2P网贷成交量达到2488.4亿元，

① 在国家统计局公布试行的生活性服务业（消费性服务业）统计分类中，居民借贷服务作为重要的金融服务，被纳入“其他生活性服务”大类下的“居民金融服务”中。

比2015年同期增长15.3倍[①]。同时，行业综合参考收益率由2015年的20%平稳下降至2017年的10%左右（见图5-4）。

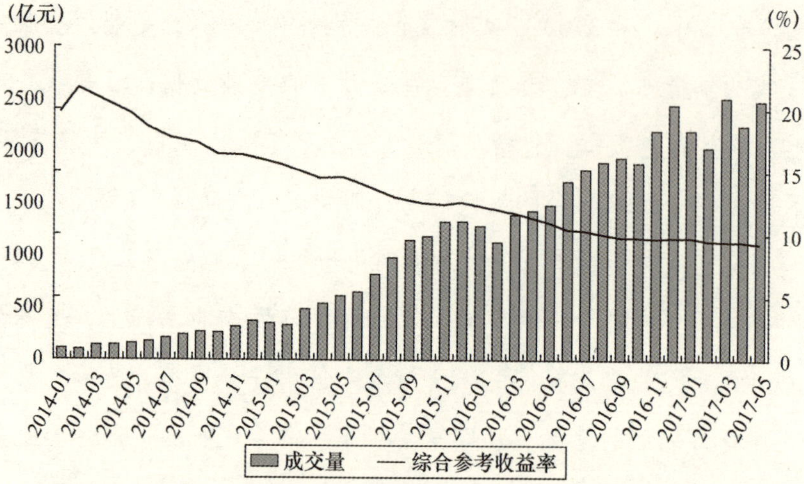

图5-4　2014~2017年我国P2P借贷市场成交量和综合参考收益率

资料来源：根据网贷之家统计数据整理而成。

（三）促进消费结构的升级

互联网个人金融服务的盈利性要求，决定了服务创新首先围绕层次较高、单笔金额较大的消费场景展开，从而有利于促进居民消费结构的加快升级。据测算，我国服务类网络消费支出在2011年1月~2016年4月间扩张了70.2倍，月均增长7%，商品类网络消费支出只扩张了8.6倍，月均增长率仅为3.5%。这一时期的人均服务类网络消费支出增长了43.3%，人均商品类网络消费支出则下降了5.8%。可见，无论是网络消费支出的增速还是人均网络消费支出的增速，服

① P2P业务主要包括居民个人与个人之间发生的借贷以及小微企业与居民之间发生的借贷两种。其中，前者属于互联网个人金融服务创新，并且是P2P业态中的主要业务类型。考虑到统计数据暂时无法将上述两种业务类型加以区分，此处使用P2P市场整体成交量数据说明互联网个人金融服务创新促进了消费快速增长，有一定的合理性。

务类消费明显快于商品类消费。与此同时，不同消费层次（见表5－1）的网络消费支出增长有所差异。2011年1月～2016年4月，享受型网络消费支出月均增长率为4.2%，生存型网络消费支出月均增长率为3.7%，享受型网络消费支出的增速明显更高；这一时期的生存型、发展型人均网络消费支出缓慢下降，享受型人均网络消费支出则呈上升趋势[①]。

表5－1　网络消费层次和主要内容

消费层次	主要内容
生存型消费	粮油、食品、饮料、烟酒，服装、鞋、帽，日用品，中西药品，家具，建筑及装潢等
发展型消费	书报杂志、文化办公用品、通信器材、医疗保健服务、教育服务等
享受型消费	化妆品、金银珠宝、体育娱乐用品、家用电器和音像器材、石油及制品、汽车相关、文化娱乐服务、生活服务、航旅服务、餐饮服务、城市服务、团购等

资料来源：华夏新供给经济学研究院、蚂蚁金服。

（四）进一步提升消费体验

由于网点少、排队久、业务流程繁琐等原因，传统金融机构提供的个人金融服务往往造成客户体验不佳等问题。互联网个人金融服务的发展针对上述问题明显提升了消费体验。具体来看，一是互联网金融平台利用移动客户端提供全天候不间断的金融服务，保证了体验的时效性；二是大幅简化、优化了客户的操作流程，保证了体验的便捷性；三是以互联网支付为代表的金融服务场景越来越多元化，例如信用卡还款、游戏快充、生活缴费等均能通过移动客户端实现，使得服

① 华夏新供给经济学研究院、蚂蚁金服：《洞察新消费，助力新供给：新供给－蚂蚁网络消费指数报告》，2016年。

务内容越来越多样化；四是互联网个人金融服务更加贴近消费场景，保证了服务内容的精准性。由此可见，互联网个人金融服务在时效性、便捷性、服务内容的多样化和精准性等方面持续进行改善，有利于促进消费体验的不断提升。

【案例2】　京东消费金融创新提升消费体验

2015年年初，京东金融基于对长期积累的消费者行为信息的挖掘，提出“场景化消费金融”概念，通过“京东白条”将消费金融服务覆盖到旅游、租房、装修、教育等多个生活场景。与此同时，京东金融不断强化金融科技能力，自主研发的大数据模型和风控系统，并引入京东商城等多渠道数据来源，不断细化和评估不同场景下的消费需求。

以装修为例，相比于银行提供的消费信贷，京东金融可以根据家装需求中不同的环节设计差异化的消费信贷服务，包括家电采购分期、装修务工费用分期、装饰材料分期等，并提供相应环节中的信息咨询、价格对比、团购折扣等服务。

随着个人金融服务向越来越细分的生活场景渗透，更多的消费者个性化需求得到识别，京东金融不断进行服务创新，开发新的金融产品满足这些个性化需求。截至2017年6月，京东消费金融推出了针对不同消费群体的“校园白条”“乡村白条”，针对不同需求内容的“旅游白条”“养车白条”“驾校白条”，以及针对积分消费的“京东钢镚”等。互联网个人金融服务与消费场景的有机结合，促进了消费体验的提升。

资料来源：根据调研和网上公开资料整理而成。

四、当前我国互联网个人金融服务创新存在的突出问题

（一）信用信息难以充分共享

一方面，基于互联网的个人金融信息共享机制尚不成熟，各类市场主体难以与中国人民银行的征信系统进行对接，而其自身征信系统又难以建立，制约了互联网个人金融服务创新及对消费发展的促进作用。从全球来看，英国、美国等互联网个人金融服务较为发达的国家都在实践中建立了较为完善的征信体系，各个平台可以与征信系统进行信息对接，能够更加快速高效地完成线上交易。而在我国，目前网络借贷主要依托中国支付清算协会、上海资信的网络金融征信系统来实现网贷行业用户征信信息的共享，对于掌握信息更为权威和充分的人民银行征信中心，还未能实现与其用户信息的共享和交换。

另一方面，互联网个人金融服务的征信数据缺乏统一标准，尚未建立统一、开放的信息库，各个运行主体之间彼此封闭、相对独立。同时，由于尚未接入第三方征信机构的信息，难以对消费行为产生有效约束，客观上为同一消费者在多处获得金融服务并且多处违约打开了便利之门，造成风险累积，很大程度上影响了互联网个人金融服务的健康发展。

【案例3】　电商自建征信体系却存在诸多问题

京东作为主营业务为电子商务的互联网企业，试图发展金融服务业务，却要面对征信平台的信息垄断和信用信息披露成本高的现实。这倒逼京东金融在自身积累的大数据基础上，积极建立自身的信用评价平台。

以“京东白条”为例，不同于传统征信管理方式，消费者互联网行为数据的主要优势来自京东的核心业务，如网络购物、网络支付、收货退货以及商品评论数据等。然而同一消费者在搜索引擎、社交网站、网络游戏等互联网领域的行为数据却由不同的行业巨头所掌握，京东很难通过入股或兼并等市场行为获取这些数据，而这些企业出于自身业务的需要，也不会向京东出售这些行为数据。因此，京东金融虽然根据自身数据建立了征信体系，但是在无法对接中国人民银行征信数据，也缺乏第三方互联网数据共享机制的情况下，难免受到数据片面性和非标准性等问题制约，形成数据孤岛，影响互联网个人金融服务的可持续发展。

资料来源：丁磊，“互联网消费信贷资产证券化基础资产信用风险与征信——以‘京东白条资产证券化项目’为视角”，载《西南金融》2016 年第 9 期。

（二）消费者隐私保护不到位

目前，我国第三方支付、P2P 借贷等互联网个人金融服务新业态尚处在发展初期，云计算、大数据等现代信息技术的安全性能有待提升。各类金融诈骗、病毒木马攻击、钓鱼网站、恶意泄露信息、恶意篡改信息等情况屡有发生，已经威胁到交易双方的信息安全、资金安全等，影响了行业可持续发展和消费者信心。

以互联网个人借贷服务为例，2014 年以来，全国已有超过 150 家 P2P 平台遭遇黑客攻击，造成消费者账户被盗取、个人隐私被泄露、资金被提走等严重后果。2015 年上半年，某金融数据库中超过 8000 名客户的资料在论坛上流传，资料中包括客户的姓名、身份证号、邮箱、手机号、银行卡信息等，只需要用人民币充值即可下载这些数据。这些泄露数据经过测试发现均可成功登录，许多账户内资金额度达几十万元，总额加起来超过3000万元[①]。

（三）行业发展缺乏自律

在快速发展过程中，我国互联网个人金融服务创新还缺乏有效的自我约束。平台企业的公司治理、人员素质和风险管控能力有待进一步加强。在公司治理方面，不少网络集资平台由于盲目发展、管理不善等原因，出现倒闭、管理者携款潜逃等现象，造成消费者损失严重。截至2016年，全国从事网络借贷的平台累计达到5879家，尽管2016年新增平台数量仅为2015年的30%，但问题平台的数量呈现快速增长趋势。2016年，问题平台数量达到1778家，占平台总数的比重高达30.2%（见图5－5）。在人员素质方面，大量互联网金融企业员工并未取得相应的从业资格，这一方面造成了服务缺乏专业性的问题，另一方面也制约了金融产品和服务的持续创新。在风险管控方面，一部分集资平台突破单纯的信息中介经营模式，擅自开展吸储和放贷业务，利用互联网平台以资金池的形式进行非法集资活动，利用高回报作为诱饵布局庞氏骗局，增大了网络诈骗风险。

（四）监管政策和体制机制不适应发展要求

很多互联网个人金融服务的业务模式产生于跨行业、跨市场的创新，已经突破了现有的金融监管框架，依旧沿袭传统的审慎监管和机构监管无法适应创新发展的步伐。跨界创新的互联网个人金融服务意味着不同的金融模式和金融风险，也意味着需要在统一框架内实施有针对性的监管。例如，目前“余额宝”的合作双方支付宝与天弘基金就分

① 朱晓辉：“P2P网络借贷行业分析和IT应用研究”，载《经营管理者》2015年第3期。

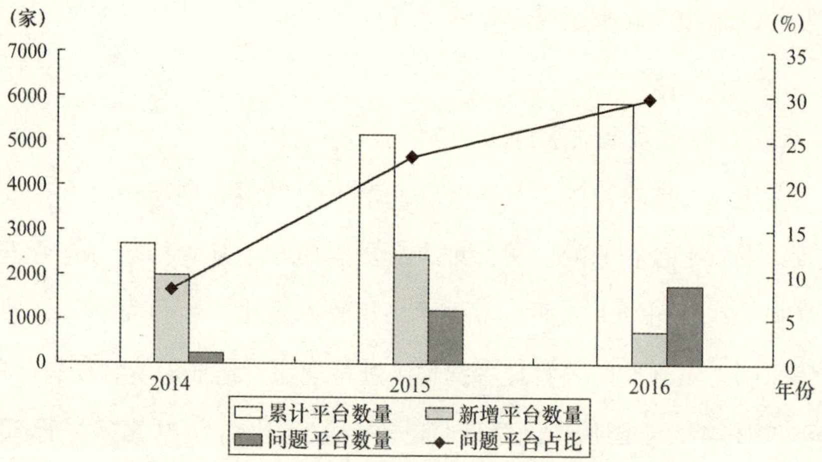

图5－5　2014～2016年我国P2P网络借贷问题平台数量

资料来源：根据网贷之家统计数据整理而成。

别由中国人民银行和证监会负责监管。2015年出台的《关于促进互联网金融健康发展的指导意见》明确了互联网金融的定义，给予了网络借贷、众筹等创新模式合法地位，也提出了监管原则、目标、主体、对象和方式，但在实际监管过程中，一定程度上存在政策碎片化的问题。

互联网个人金融服务创新的监管主体涉及中国人民银行、证监会、银监会和保监会，还包括工商、公安等多个政府部门。在现行分业监管的体制下，"一行三会"以及其他部门负责制定各自管辖的业态相关管理规定，对于很多跨界融合的业务模式，目前的监管协作机制作用发挥还不充分，难以有效规范互联网个人金融服务的发展。

（五）相关法律法规不完善甚至缺失

作为新兴服务领域，现阶段的互联网个人金融服务发展还缺乏专门适用的法律法规。相关立法的滞后一定程度上导致市场主体对业态发展、服务模式缺乏明确一致的认识。同时，互联网个人金融服务创新的相关管理规定更多是原则性指导，缺少具体、有针对性的规范措施。此外，专门针对互联网金融犯罪的法律条款存在缺失。以传统法条及罪名处理股权众筹、网络借贷、第三方支付等互联网个人金融服务活动，不利于民间金融的合法化与持续创新。

五、政策建议

（一）加快完善法律制度建设

目前，我国金融监管法律法规主要是在传统金融体系框架下制定的，在应对互联网个人金融服务创新上存在滞后性。为保障新兴业态的持续、健康和规范发展，需要从保护消费者权益、构建互联网个人金融征信体系、统计金融综合信息以及金融信息网络安全等方面，加强相关法律法规的配套完善。

（二）建立宏观—微观协同的监管框架

建立协同监管理念下“宏观—微观”结合的综合监管框架。在宏观层面，明确中国人民银行统筹管理者的地位，加强监管部门在宏观审慎和微观审慎层面的沟通。设计可操作的、兼顾灵活性的协作机制，保障在主管部门牵头下其他金融监管机构协调一致的行动。在微观层面，监管政策设计中应尽可能考虑和分析不同类型金融服务的复杂性，明确相关责任部门，保证部门之间协作机制的顺畅。

（三）推进信用信息共建共享

首先，探索构建基于互联网的个人金融征信信息共享平台。借助上海资信的网络金融征信系统与人民银行征信系统，建立互通的互联网金融征信系统，实现互联网征信企业之间的信用信息共享。支持互联网金融协会等行业组织建设第三方互联网征信平台。其次，在充分研究与论证的基础上，适时考虑分批次将新型互联网征信机构采集的信用信息数据接入人民银行征信系统，实现个人金融信息在更大程度上的共享与融合。最后，建立统一的互联网个人金融服务征信标准。在鼓励多元主体开展征信信息收集与分析服务的同时，加强对专门从事互联网征信机构的准入管理，完善对互联网金融征信业务的监管。

（四）强化消费者信息安全保护

一是互联网个人金融服务活动中采集的个人信息应该主要以能够识别信息主体、能够对信息主体的信用状况充分判断的信息为主，防止信息过度采集。二是规定市场主体在采集和使用个人信息时应当经信息主体本人同意，严格落实个人不良信息告知制度。三是明确互联网个人金融服务数据的使用规则和范围，特别是要加强数据安全防范，推进实名身份认证、数字证书、电子签名等网络安全认证服务，防止用户信息和数据泄露。四是建立多渠道的个人信息保护与救济机制，加强对互联网征信数据报送机构的督导，完善信用信息违法或侵权的责任追究，强化数据报送机构的审慎义务。

（五）进一步加强行业自律

充分发挥行业协会、中介组织在规范从业机构市场行为、保护行业合法权益等方面的积极作用。支持行业协会、中介组织探索制定经营规则和行业标准，推动从业机构之间的业务交流与合作，进一步明确自律惩戒机制，促进互联网个人金融服务创新的良性发展。

执笔人：王　念

参考文献

[1] 阿里研究院，波士顿咨询公司．未来平台化组织研究报告：平台化组织，组织变革前沿的“前言”，2016

[2] 艾瑞咨询．中国消费金融洞察报告，2017

[3] 比达咨询．2016中国第三方移动支付市场发展报告，2017

[4] 波士顿咨询公司．完美零售银行2020：人性、科技、转型、盈利，2015

[5] 陈斌开，林毅夫．金融抑制、产业结构与收入分配．世界经济，2012（1）

[6] 丁磊．互联网消费信贷资产证券化基础资产信用风险与征信——以“京东白条资产证券化项目”为视角．西南金融，2016（9）

[7] 华夏新供给经济学研究院，蚂蚁金服．洞察新消费，助力新供给：新供给–蚂蚁网络消费指数报告，2016

[8] 李涛，徐翔，孙硕．普惠金融与经济增长．金融研究，2016（4）

[9] 廉薇，边慧，苏向辉，曹鹏程．蚂蚁金服：从支付宝到新金融生态圈．北京：中国人民大学出版社，2017

[10] 麦肯锡咨询．中国银行业白皮书：颠覆与连接——解密中国互联网金融创新，2016

[11] 叶文辉．大数据征信机构的运作模式及监管对策——以阿里巴巴芝麻信用为例．武汉金融，2016（2）

[12] 易观智库．中国第三方支付市场专题报告，2016

[13] 盈灿咨询．五大场景：消费金融渗透生活，但还有多少蓝海，2016

[14] 中国互联网金融协会．2016中国互联网金融年报．北京：中国金融出版社，2016

[15] 朱晓辉．P2P网络借贷行业分析和IT应用研究．经营管理者，2015（3）

专题报告六

国际消费中心建设与大型城市消费发展

当前，我国经济发展进入新常态，消费结构进入新一轮升级阶段，消费创新加快涌现，正在成为经济转型和结构调整的新动能。为此，国家在“十三五”相关规划中提出一系列促进消费升级与创新的新要求，“培育发展国际消费中心”就是其中一项重要任务。目前，一些消费和市场发展领先的大型城市，已初步具备了向国际消费中心发展的基础条件。但在实践探索中，这些城市也面临一系列问题和障碍，迫切需要从国家层面加强战略谋划和加快体制机制创新，以若干大型城市为依托，加快培育和建设国际消费中心，使其成为我国积极扩大和引领消费、全面提升对内对外开放水平、促进产业结构优化升级的新引擎和新载体。

一、国际消费中心的内涵和特征

国际消费中心是全球化持续发展、全球消费市场一体化的产物。美国学者 Edward Glaeser 等通过研究后工业化时代大都市的消费市场，最先提出“消费城市”（Consumer City）的概念。他们认为，城市要能够提供丰富的商品和服务，拥有宜人的环境和富有美感的建筑，成为商品和服务的消费中心，大都市发展将越来越依赖作为消费中心的城市功能。20 世纪 90 年代以来，发达国家的一些国际大都市从消费城市发展中脱颖而出，迅速成为国际消费中心。国际消费中心是全球化时代国际大都市的重要功能，具有丰富消费内容、高端消费品牌、多样消费方式、优越消费环境，不仅成为吸引全球消费者的高度繁荣的消费市场，而且是全球消费资源的配置中心和引领全球消费发展的创新高地。

作为消费城市发展的高级形态，国际消费中心具有以下主要特征：

一是全球消费市场的制高点，具有强大的消费实现功能。国际消费中心是一国最繁荣的消费市场，其规模和能级在全世界居于前列，拥有完善的消费性服务业体系和全球影响力的标志性商圈，不仅可以满足本国消费者对国际化、高品质、时尚性的需求，还能够广泛吸引和汇聚世界各地的消费者，为其提供多样化、有特色、便捷性的消费选择。

二是全球消费资源的集聚地，具有高效的消费资源配置和带动功能。凭借国际大都市在全球城市网络中的枢纽地位，国际消费中心往往是全球著名消费品牌及其总部集聚地，也是一国对外集中展示和输出本国特色品牌、消费文化的门户。更重要的是，国际消费中心还是一国乃至全球范围消费资源的配置中心，能够对相关产业和投资起到导向作用，带动全球消费品供给增长和服务能力提升。

三是全球消费发展的风向标，具有突出的消费创新和引领功能。随着科技革命浪潮席卷全球，特别是移动互联网、大数据、虚拟现实、人工智能等现代信息技术发展，全球正进入新一轮消费革命的新阶段。新产品、新服务、新时尚大量涌现，推动国际消费中心成为新消费的展示和体验的中心，不仅进一步提升了自身的发展能级，也为引领全球消费扩张和升级注入了动力。

二、国际消费中心的形成条件与发展趋势

从全球范围看，国际消费中心的形成发展具有一些共性条件和趋势。

（一）国际消费中心的形成与经济发展水平密切关联

当一国经济发展进入工业化后期，全社会生产能力、技术水平大幅提高，商品和服务供给相对充裕，消费创新成为推动经济发展的主要动力。一方面，不断壮大的中等收入群体对商品品质、服务体验有了更高要求，带动全社会消费的持续升级，促进了中高端商品和服务供给的增长。另一方面，伴随城市化水平的提高和城市群的形成，消费资源日益向城市，特别是人口规模大、区位条件好、经济水平高、基础设施优的大型城市集聚，推动了这些城市消费市场的繁荣，成为一国乃至全球领先的消费中心。据统计，全球 140 个主要消费城市仅拥有全世界 13% 的人口，但消费支出额、GDP 分别占到了 33% 和 36%（见图 6－1）。其中，伦敦、巴黎、纽约、东京等发展水平更高的城市，具有更强的高端品牌吸引力，从而成为国际消费中心。

消费人群的涌入和消费市场的扩张，不仅提升了大型城市的发展能级，还促进了城市功能的丰富拓展，加快了这些城市向消费主导、服务业驱动的结构转变。另外，大型城市丰富多样的服务功能，特别是在文化娱乐生活方面所展现的“舒适场景”，还成为吸引高收入、高品位的国内外消费群体和高端创新人才的独特软实力。

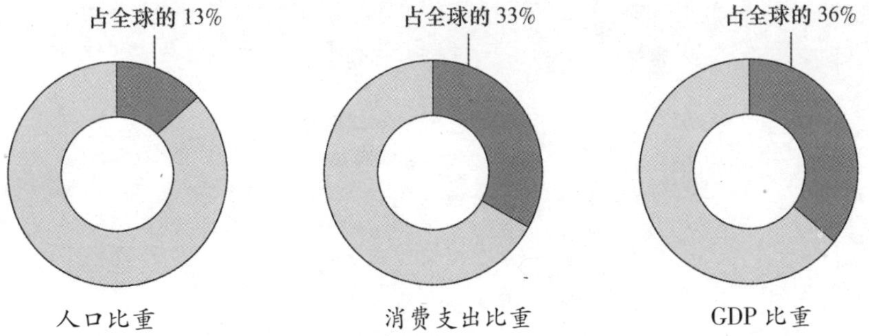

图 6－1　全球 140 个主要消费城市人口、消费支出和 GDP 的比重

资料来源：根据 Oxford Economics 相关资料整理而成。

（二）国际消费中心是消费全球化的推动者和受益者

随着生产和贸易全球化的深化，人们所需的各种商品和服务能够从全球范围获得，直接影响着自身的偏好选择，渴望在生活方式和日常消费方面符合流行趋势。加之发达的交通通信网络弱化了时空阻隔，降低了交易成本和消费成本，也加速了人员流动与信息传播，促进了消费观念的渗透融合，从而形成全球消费导向（Global Consumption Orientation）。

在消费全球化进程中，一些处于一国或区域领先的消费城市，凭借发达的消费市场、多样的消费性服务业、通达的交通网络和良好的贸易环境，成为全球消费资源的主要汇聚地和带动全球消费发展的龙头，实现了从一般消费城市向具有强大向心力的国际消费中心的跃升。据统计，2015 年伦敦、巴黎的入境游客超过 1500 万人次，人均消费 1000 美元左右，纽约、首尔的入境游客达到 1000 万人次以上，人均消费超过 1400 美元（见图 6－2）。

更重要的是，国际消费中心的形成和发展，不仅促进了全球消费市场一体化，而且推动了全球消费品制造业、消费性服务业的结构调整。例如，巴黎与法国时尚产业的发展，伦敦与英国文化创意产业的

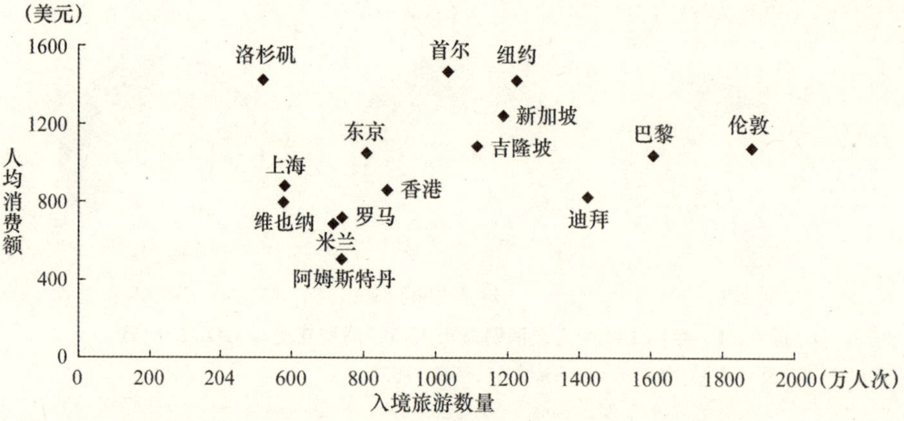

图 6-2 2015 年全球部分城市入境旅游数量和人均消费额

资料来源：MasterCard Global Destination Cities Index 2015。

发展等。可见，国际消费中心的发展已成为许多国家以消费升级引领产业升级的重要途径，对提高一国全球化参与度和话语权也发挥了积极作用。

（三）国际消费中心发展日益多样化和层次分化

由于地理区位、市场条件、文化传统以及政策环境等差异，国际消费中心的发展各具特色。一是大型化、综合化发展。依托国际大都市完善的基础设施和服务体系，国际消费中心形成了多元化消费功能、国际化高端品牌、全球化企业总部高度集聚的城市功能区，与国际金融中心、贸易中心等一同成为城市的核心功能。这一模式主要是在发达国家，以巴黎、纽约、伦敦、东京等为代表。二是专业化、特色化发展。以某一领域的特色消费为引领，通过相关消费功能完善和消费性服务业升级而形成的国际消费中心。这一模式主要是在新兴工业化国家或具有区域影响力的国际大都市。例如，依托知名旅游目的地发展起来的迪拜，依托“韩流”文化和医疗美容等发展起来的首尔，依托影视发展起来的洛杉矶等。

在发展过程中，国际消费中心因规模、影响力不同，可分为全球性国际消费中心和区域性国际消费中心两类。前者对全球消费资源配置具有领导力；后者则主要依托区域市场和特色消费，在一定地域内发挥聚集、配置和带动作用。

对于综合实力强的大国和经济一体化程度高的区域来讲，在发展中可能会出现若干个功能互补、层次不同的国际消费中心，从而形成国际消费中心的全球网络体系。例如，美国既有纽约这样的全球性国际消费中心，也有洛杉矶、芝加哥、迈阿密等区域性国际消费中心；欧洲既有巴黎、伦敦等全球性国际消费中心，也有巴塞罗那、米兰、阿姆斯特丹等区域性国际消费中心。它们都对促进全球消费扩张和升级、推动本国以及更广范围的经济发展起到了重要作用。

（四）国际消费中心发展依赖于开放包容的环境与完善的制度政策

国际消费中心的形成和发展，一般都有稳定的政治环境、完善的市场经济制度和良好的社会治安，更重要的是，还要具备开放性、包容性和有利于消费发展的政策支持。在开放性方面，国际消费中心不仅需要高度开放的贸易投资环境、相对完备的国际商业规则和法律体系，还要满足国际签证便利、人员往来顺畅、货币兑换和支付便捷等要求。在包容性方面，国际消费中心要能够接纳多元文化和消费群体，没有民族、宗教、性别歧视，国际通用语言的普及应用水平较高。在消费政策支持方面，国际消费中心要有高效的消费者权益保护、合适的税收激励等。

三、新时期我国建设国际消费中心的必要性和迫切性

国际消费中心是国际大都市的核心功能之一，是一国乃至全球消费市场的制高点、消费资源的集聚地，具有强大的消费引领和带动作用。当前，我国经济社会发展正处于结构调整、动力转换的关键时期，培育和建设国际消费中心，是进一步扩大和提升消费、加快形成消费引领发展新格局的重要途径，也将为深化供给侧结构性改革、提高城镇化发展质量和培育全球竞争新优势提供有力支撑。

（一）引领新常态迫切需要依托国际消费中心形成新动能

从国际经验来看，欧美发达国家在达到中等收入水平、进入工业化和城镇化中后期阶段，依托纽约、巴黎等国际大都市形成的国际消费中心，不仅成为全球领先的消费市场，而且通过不断聚集全球消费资源和实现消费创新，增强了对周边城市、本国乃至全球消费的强大引领和带动能力，为实现消费驱动增长注入了巨大动能。2016 年，我国社会消费品零售总额的实际增速超过了全社会固定资产投资的实际增速，最终消费支出对 GDP 增长的贡献率达到 64.6%。当前，我国正处在形成消费引领发展新格局的关键时期，迫切需要加快培育具有强大创新能力和集聚能力的国际消费中心，为我国城乡居民实现消费升级、进一步扩大消费形成支撑，为新时期国民经济健康发展提供新动能。

（二）深化供给侧结构性改革迫切需要以国际消费中心为新抓手

我国城乡居民消费正处在“从无到有”到“从有向好”、从商品

到服务不断升级的关键阶段，商品消费新需求不断涌现，服务消费占比日益提高，迫切需要改善商品及服务供给能力和水平。加快国际消费中心建设，不仅能够扩大新兴消费市场规模，而且可以有效集聚各类消费资源并促进消费创新，为实现供给侧结构性改革提供更为明确的市场信号，引导各类市场主体加快产品、服务及商业模式创新，促进政府加快消费市场监管治理体系、法治化营商环境等方面的改革创新。

（三）参与全球消费市场竞争迫切需要以国际消费中心为新载体

随着经济全球化的深入推进，全球消费一体化成为新的趋势，国际消费中心日益成为各国参与全球消费市场竞争、吸引全球消费、集聚全球消费资源的新载体。我国不仅是全球消费品的制造大国，更是全球最大和最具潜力的消费市场，是全球消费市场竞争的主战场。加快国际消费中心建设，不仅有利于吸引全球优质商品和服务进入，成为吸引我国乃至全球消费者的全新国际消费场所，而且将成为中国品牌和文化的展示窗口和进入全球市场的通道，为我国参与全球消费市场竞争、抢占全球消费市场制高点提供有力支撑。

（四）加快国际大都市建设、提高新型城镇化发展质量迫切需要以国际消费中心为突破口

当前，我国已进入城市化发展中后期阶段，城市化水平提升对消费的促进作用日益显现（见图6－3），长三角、珠三角及京津冀等东部沿海地区大型城市群的消费市场规模在全国占比已超过40%。在城市群加快发展的过程中，迫切需要以上海、北京、广州和深圳等中心城市为依托，以服务经济为导向，以提升消费为引领，以制度创新为

支撑，加快国际消费中心建设，打造全新城市消费功能，进一步提升中心城市在区域乃至国内外的影响力和辐射带动作用。

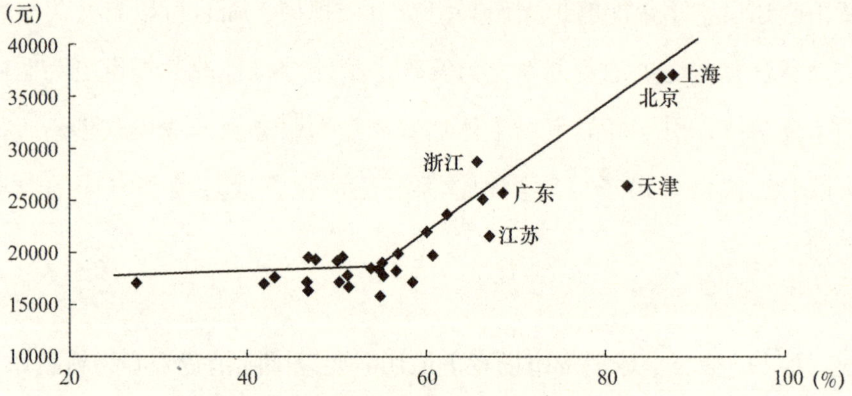

图 6-3 我国城镇化率与人均消费支出的关系

资料来源：国家统计局。

四、我国建设国际消费中心的基础条件

我国消费市场经过持续快速发展，目前已经形成了一批消费规模全球领先、初具消费集聚和创新引领能力的大型消费城市，是最具潜力的国际消费中心①。

（一）消费市场规模进入全球前列，消费驱动增长作用开始显现

2015 年，上海、北京、广州和深圳等城市已进入全球 50 个最大消费城市行列。其中，上海、北京的社会消费品零售额均超过 1 万亿元，成为位居前 10 位的全球最大消费城市，GDP 中最终消费支出所占比重（消费率）分别达到 59.1% 和 63%，高于全国 7.5 个和 11.4

① JLL，Destination Retail 2016 - Retailers expanding in leading cities around the world。

个百分点，消费对 GDP 增长的贡献率达到 70% 左右。

（二）高端消费资源加快聚集

随着经济社会不断发展，我国一些大型中心城市已成为国际品牌进入国内市场的首选地。根据 2016 年专业机构发布的“全球跨境零售吸引力指数”[①]，上海、北京已经成为全球 10 大最具消费吸引力的城市，是国际知名品牌和奢侈品最青睐的城市之一（见表 6－1）。近年来，国内外知名消费品牌、企业总部加快向大型消费城市集聚，形成了一批全球知名商圈。例如，上海南京西路商圈已汇集跨国公司地区总部 22 家，国内外品牌近 1600 个，其中国际知名品牌 1000 多个，吸引了大量国内中高端消费群体及国际游客消费。2015 年，上海、深圳等两市共接待国际旅游入境者超过 1500 万人次，约占全国比重为 12%，入境旅游外汇收入占比超过 20%。

表 6－1　全球跨境（奢侈品）零售吸引力前 10 位的城市

排名	全球跨境零售吸引力	全球跨境奢侈品零售吸引力	排名	全球跨境零售吸引力	全球跨境奢侈品零售吸引力
1	伦敦	伦敦	6	上海	上海
2	香港	香港	7	新加坡	新加坡
3	巴黎	巴黎	8	北京	迪拜
4	迪拜	东京	9	科威特城	北京
5	纽约	纽约	10	东京	大阪

资料来源：JLL，Destination Retail 2016 – Retailers expanding in leading cities around the world。

① JLL：Destination Retail 2016 – Retailers expanding in leading cities around the world。该研究涵盖全球 140 个城市，包括 240 个国际零售品牌，其中品牌的入选门槛是：在美洲、亚太、欧洲以及中东和非洲四个地区中，至少在两个地区有广泛的销售网络。全球跨境（奢侈品）零售吸引力指数 = 该城市拥有的（奢侈品）零售品牌数量/各城市平均拥有的（奢侈品）零售品牌数量 × 100。

（三）消费创新引领作用不断增强

近年来，在我国大型消费城市涌现出一批具有一定国际竞争力的本土品牌，在引领和创新全球消费方面发挥了重要作用。在手机和数码消费等新兴领域，涌现出了华为、小米、OPPO 等十多个国内外知名手机品牌，深圳也成为全球重要的手机总部基地、研发中心和软件中心。在服装、珠宝等消费领域，深圳也集聚了大量知名品牌，出现雅莹（EP）、TTF 等能够进入全球市场、引领全球时尚的中国品牌。

（四）国际消费中心建设和创新探索开始起步

例如，上海市将静安区作为上海国际消费城市示范区，围绕提升外来消费，建设国际一流消费市场，重点在建设优秀品牌集聚区、品质消费示范区、上海特色商旅文体验区和智慧商圈实践区等方面加快探索。再如，深圳市也将罗湖区作为消费型经济综合改革试验区，围绕发展文体、旅游、健康、信息、邮轮游艇等新兴消费，加快体制机制创新探索。

五、我国建设国际消费中心亟待破解的问题和障碍

（一）商品和服务有效供给不足，大量消费流失境外

与消费升级的要求相比，我国现阶段改善型、享受型商品和服务的有效供给明显不足，低端同质商品和服务供给相对过剩，导致大量中高端和新兴消费外流。2006～2015 年，我国出境游人数由 3452 万人次增长到 12786 万人次，年均递增 15.7%，境外消费也由 158 亿美元猛增到 2150 亿美元，出境旅游消费额已位居世界第一，年均增长 33.7%（见图6－4）。

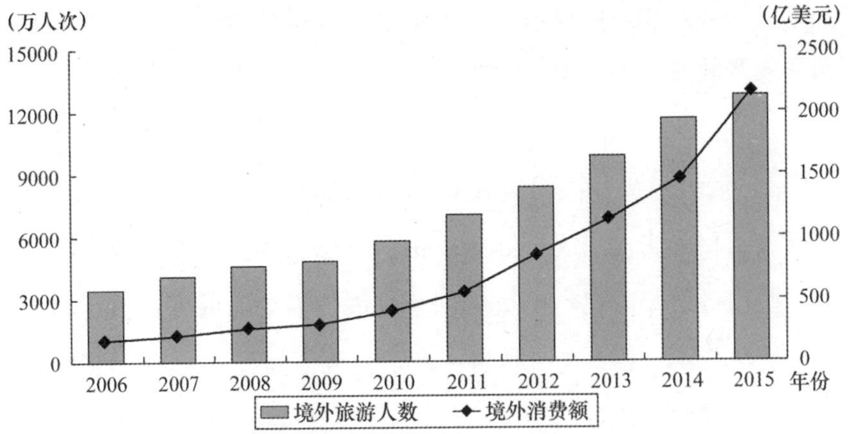

图 6－4　2006～2015 年我国境外旅游人数和消费额的增长

资料来源：国家旅游局、世界旅游业理事会。

与境外消费形成鲜明反差，入境游客消费额增长缓慢。虽然我国自 2011 年开始，相继在 14 个省区市实行境外游客购物离境退税政策，但 70% 以上的入境游客消费集中在 500～3000 美元，其中旅游购物所占比重不到 10%[①]，很大程度上反映出国内商品和服务还难以满足国际消费需求，导致入境游客消费意愿不强。

（二）实现和集聚消费的基础设施存在短板

一方面，我国商业、旅游、文化娱乐、教育医疗、金融、信用体系等消费基础设施和配套设施相对薄弱，直接影响到消费体验。以信息基础设施为例，2015 年我国固定宽带人口普及率为 18.6%，全球排名第 57 位，与 OECD 国家平均水平（30.7%）差距明显；移动宽带人口普及率为 56%，位列世界第 69 位，仅高于 47.7% 的世界平均水平[②]。另一方面，不同消费性服务行业基础设施之间的融合互动和对

① 中国旅游研究院：《2015 中国入境旅游发展年度报告》，旅游教育出版社 2015 年版。

② Broadband Commission for Sustainable Development："The State of Broadband 2016：Broadband catalyzing sustainable development".

接不足。例如，城市商务区、旅游景点、交通枢纽与主要商业网点和商圈建设之间脱节的现象较为明显。

（三）促进消费升级和创新面临体制机制障碍

第一，相关法律法规不健全。在新业态、新模式不断涌现的情况下，一些现行法律法规已不适应创新发展的需要，或者在执行过程中存在配套法规不完善、与其他法律缺乏协调等问题。同时，网络诈骗、假冒伪劣、虚假宣传等问题依然存在，消费信息安全、金融支付安全、消费者权益保障等问题突出。

第二，标准体系建设滞后。与近年来服务业快速发展相比，服务标准体系建设明显滞后，新兴行业标准缺失，现行服务标准和规范的整体水平不高、可操作性不强、宣传力度不够等，也导致一些标准的实施效果不理想。

第三，市场监管有待进一步改革。部分服务行业依然面临行政审批过多、相关限制性条件过严等问题。例如，我国现行的医疗美容机构临床科室设置规定不尽合理，“至少设有美容咨询设计室、美容外科、美容牙科、美容皮肤科、美容中医科、美容治疗室、麻醉科”的要求①，明显严于韩国等医疗美容大国。部分服务行业还存在垄断，民营资本进入文化、教育、医疗等新兴服务领域仍受到一定限制，很大程度上影响了服务行业供给、结构和质量的提升。此外，重审批、轻监管的情况依然存在，有的部门或地方虽然加强了事中事后监管，但基于大数据的监管、社会共治的理念尚未形成，而政府部门之间缺乏有效协调，也造成不少新的风险隐患和监管盲区。

---

① 参见卫生部：《美容医疗机构、医疗美容科（室）基本标准（试行）》，卫医发〔2002〕103号，2002年4月16日。

第四，对外开放力度有待加大。在商品消费方面，与发达国家相比，中高端消费品进口关税、进口环节增值税和消费税相对偏高，不仅造成大量消费外流，而且不利于国内消费品制造业加快升级。在服务消费方面，健康医疗、教育文化、休闲娱乐等行业的对外开放水平有待提升，市场准入和投资的审批限制依然存在。在吸引国际消费方面，存在旅游签证等便利化水平不高、免签国家扩围速度较慢、国内不同城市之间出入境和边检信息互通水平较低、免税退税政策试点范围窄等问题，难以吸引更多国际游客入境消费。

六、我国建设国际消费中心的思路与政策建议

（一）总体思路

借鉴国际知名消费中心形成发展的经验，结合具体国情和市场要求，加快推进国际消费中心建设的总体思路是：在居民消费结构持续升级、人口结构和城镇化格局不断变化以及现代信息技术和商业模式加速创新的大背景下，未来3年，选择1~2个消费规模大、消费聚集和引领能力强、在全球消费市场具有一定影响力和特色的大型城市，通过制度调整、政策创新和先行先试，探索建设国际消费中心的路径和体制机制；未来3~5年，以特大型城市为依托，力争培育2~3个消费规模大、聚集度高、引领创新能力强、在全球消费市场具有较强影响力的综合性国际消费中心，3~5个消费规模较大、消费集聚和引领能力较强、特色突出且有一定国际影响力的区域性、特色化的国际消费中心。通过国际消费中心建设，进一步扩大消费和促进消费升级、促进城市及区域经济转型、带动产业结构升级和引领商业创新，增强消费对经济发展的基础性作用，使消费成为支撑我国经济持续增长的

新动能。

1. 立足我国城市群发展格局，加强国际消费中心的总体规划布局

在新时期，从国家战略高度，统筹推进国际消费中心建设。立足我国新型城镇化和城市群发展的现有格局和未来趋势，加强国际消费中心的总体规划及全国布局。特别是对于地处城市群的中心，具有雄厚的经济实力、对内对外开放程度高、物流及消费基础设施完善、消费聚集和引领能力突出的中心城市，要加强引导和支持，为将其建设成为国际消费中心创造良好条件。

2. 适应国际消费中心发展要求，有针对性地构建制度环境和政策体系

相对于制造业而言，发展和促进消费及服务业，在制度基础、发展载体、支撑要素及激励机制等方面都有明显区别。在经济结构调整和经济发展进入新常态后，为适应产业结构转型和城市功能升级，需要构建适应国际消费中心发展要求的制度体系，特别是建立对创新和高端要素聚集的激励机制，以此作为未来制度调整和政策创新的重要任务。

3. 增强不同消费环节和领域的融合互动，优化消费集聚和创新发展的生态环境

着眼不同层次、不同人群、不同地域消费的集聚，形成多层次和多样化消费的引领带动功能。一方面，强化商品消费和服务消费间的融合互动，形成消费的综合吸引能力，进一步密切旅游、文化、购物、娱乐、健康、餐饮等行业之间的联系与互动，形成聚集消费的良好生态；另一方面，加快商品、服务和商业模式等领域的创新，扩大有效供给，提升城市消费资源配置能力，形成可持续的带动引领能力。

4. 在具备条件和基础的中心城市开展创新试点，探索建设国际消费中心的路径和经验

结合全球知名消费中心的发展路径及政策经验，在符合发展阶段和具体国情的基础上，探索建立一批国际性和全国性的消费中心试点，强化以点带面的辐射带动功能，探索建设国际消费中心的路径和经验。特别是对于政策影响较大、实施成本较高和操作难度较大的相关政策的制定实施，可通过试点先行先试，在取得初步成果或条件成熟时，加快向全国复制推广。

5. 加快国际消费中心载体建设，培育国际消费中心创新发展的增长极

国际消费中心建设要与经济转型升级和功能布局调整紧密结合，以促进商圈创新发展和服务业集聚发展为核心，加强国际消费中心的功能载体建设。通过加快传统商圈的升级改造，拓展消费性服务业发展空间，注入文化、时尚、创意、休闲、绿色等新消费元素和资源，打造一批具有较强国内外影响力的新型消费商圈或商业片区，提升国际消费中心主要功能区的发展能级，形成国际消费中心创新发展的龙头和增长极。

（二）政策建议

1. 将国际消费中心建设纳入国家发展战略及规划

进一步提高对国际消费中心的认识，将国际消费中心建设纳入新时期我国经济转型升级、全面深化改革和建设更高水平开放型经济体系等战略，并落实到“十三五”时期的相关规划之中，特别是涉及扩大消费、发展服务业、产业升级、创新创业、对外开放、城市群或都市圈建设等方面的规划中。

2. 加快促进流通与服务创新，提升国际消费中心发展能级

促进消费创新、业态创新、服务创新、组织创新等，加快流通与消费性服务供给结构转型升级，进一步扩大和提升有效供给。

加快培育新兴消费和消费新增长点。结合信息化、绿色化、智能化、高端化、服务化等发展新趋势，深入推进供给侧结构性改革，推动消费产品及服务的时尚化、个性化和定制化，重点培育以健康、美容、教育、培训、文化、体育、旅游为代表的消费新增长点。

加快传统商圈升级改造，培育新型消费发展载体。以城市更新和城市功能布局调整为抓手，加快引入新业态、新品牌、新企业，促进传统商圈改造升级，着力打造消费体验中心、文化时尚创意中心、产品和服务设计定制中心、消费业态和模式创新中心等新型消费发展载体。加快物联网、大数据、云计算等现代信息技术应用，构建“智慧商圈”。

促进消费性服务业集中集聚发展。围绕医疗健康、文化演艺、休闲运动、时尚创意等新型消费，加快培育具有专业化、特色化、规模化的消费性服务业集群。

3. 补齐短板，进一步完善和提升消费基础设施

从核心城市和区域体系两个层面、硬件和软件两个维度，推进符合国际消费中心要求的基础设施建设。

重点加强与消费密切相关、具有关键支撑作用的市场设施、平台设施等建设，如大型交易市场、电子商务平台、信用体系、消费追溯体系等。有针对性地加快“补短板”或“补链条”，进一步增强和优化消费发展的支撑能力。

重点加强高铁及城际轨道交通建设，构建安全舒适、便捷灵活、通达顺畅、绿色低碳的立体交通系统。

重点加强城市互联网及移动互联网建设，提升城市信息化水平，为实现消费和促进创新奠定基础。

4. 构建促进国际消费中心建设的政策体系

在国家统一部署和统筹安排下，逐步构建有利于国际消费中心发展的政策体系。

一是进一步放宽准入，优化监管，构建法治化营商环境。深化商事制度改革，精简优化政府审批事项及流程，为消费和服务业发展提供制度支撑。

二是在深入推进财税体制改革的整体思路和框架下，适当减轻相关行业的税负水平，建立有利于消费扩大和升级的税制结构，统筹研究推进消费税改革。

三是增加消费中心城市的商业建设用地。结合制造业转移，适当调整消费中心城市的用地规划，将部分工业用地转为商业及建设用地。引导和鼓励集体土地入股参与城市商圈改造项目。

四是进一步提升服务业开放水平。鼓励跨境电商、市场采购贸易、外贸综合服务企业等外贸新业态发展，简化和优化人员、货物出入境管理手续，进一步促进贸易便利化。

五是推进金融和结算的国际化、便利化。结合自由贸易试验区等试点的金融改革，加快金融、外汇、结算等政策的创新，提升消费中心金融体系的国际化和便利化水平。

六是优化消费监管。在消费中心城市探索建立由单一部门负责的商品质量、食品安全、市场秩序综合监管体系，依法严厉打击制假、售假行为，全面推进社会信用体系建设，净化消费环境。在法治框架下提供便捷和低成本的消费者维权途径。

七是制定消费创新示范项目投资支持政策。针对国际消费中心补短板、传统商圈改造升级、建设新型消费发展载体等，给予必要的投资支持。

5. 开展国际消费中心创新示范区的试点

建议在珠三角、长三角、京津冀城市群，选择具备优势和发展潜力的城市或具有突出消费集聚优势的核心功能区，围绕国际消费中心建设的体制机制、政策体系及发展载体建设等，开展先行先试。在取得经验的基础上，在全国特大型城市、区域性城市及一些具有特色的消费中心城市（如旅游城市）复制推广。

一是消费税优惠。针对国产优质商品和服务消费，例如珠宝首饰、电子产品、汽车、手表、整容等，在示范区内对国内消费者购买或消费下调消费税，同时享受海南等地免税政策，简化退税程序，集聚国内外消费资源，吸引我国居民境外消费回流。

二是探索监管制度创新。对于健康医疗、整容美容、文化创意、休闲娱乐等新兴服务行业，进一步放宽不合理的准入和资质审批，加强事中事后监管，提升对内对外开放水平，加快相关服务业在示范区集聚发展，优化消费生态。

三是探索自贸试验区、外贸新型业态试点、内贸流通体制改革试点、现代服务业综合试点等政策在国际消费中心示范区内的复制，形成政策叠加优势，增强商品和服务消费的融合发展、协同发展。

四是探索城市更新及商圈建设用地政策。将商圈打造、商业设施建设与城市功能调整、产业转移及城中村改造统筹推进，明确各类土地引导优惠政策，探索利用工业设施、拆搬迁及集体土地，以入股、租赁、回迁等方式整合和集约使用现有土地资源，加快城市更新及会展、保税及商业设施建设步伐。

五是创新投资机制和政策。以各级财政支持资金、PPP 试点等多种方式，加快探索国际消费中心建设的投融资政策创新，更好发挥市场主体和各类社会机构参与国际消费中心建设的积极性。

6. 加快建立国际消费中心建设的推进机制和创新评价机制

在国家层面，尽快建立国际消费中心建设的部际协调机制，形成由发改、商务、财政、金融、工信、旅游、海关、税务等相关部门共同参与的推进机制，发挥合力，更好地落实各项改革措施和促进政策创新。

在城市层面，结合城市自身特点和国际消费中心的创新发展要求，形成相应的组织机制、工作机制和监管体系，以统筹政策、财力等资源，协调推进相关改革创新和日常运行等工作。

探索国际消费中心建设的评价机制。构建国际消费中心建设评价指标体系，以反映国际消费中心的消费市场发展水平、集聚和带动能力、创新引领能力，监测消费发展新业态和新模式，研究消费升级的新趋势。

执笔人：王　微　王　青　刘　涛

参考文献

[1] 德勤.2015 年中国供应链七大趋势. 中文互联网数据资讯中心网站：http：//www. 199it. com.

[2] 丁杰，Bruno Lannes 等. 互联网品牌化和品牌互联网化. 贝恩咨询，2015

[3] 高红冰. 双 11 是 DT 时代中国新商业基础设施大考.21CN 新闻网：http：//news. 21cn. com.

[4] 京东政策研究室. 互联互通，引领未来：京东的电子商务实践与探索，2015

[5] 荆林波. 中国商业发展报告（2016～2017）. 北京：社会科学文献出版社，2016

[6] 任兴洲，王微. 服务业发展：制度、政策与实践. 北京：中国发展出版社，2011

[7] 任兴洲，王微，王青等. 新时期我国消费新增长点研究. 北京：中国发展出版社，2014

[8] 任兴洲，王微，王青等. “互联网＋流通”：创新成效、实践与政策. 北京：中国发展出版社，2016

[9] 睿意德. 中国买手店研究报告，2015

[10] 商务部电子商务和信息化司，中国互联网络信息中心. 中国网络零售市场评估报告

2014，2015

[11] 中国电子商务研究中心 . 2015 年度中国电子商务市场数据监测报告，2016

[12] 中国旅游研究院 . 2015 中国入境旅游发展年度报告 . 北京：旅游教育出版社，2015

[13] 中国信息化百人会课题组 . 信息经济崛起重构世界经济新版图 . 北京：电子工业出版社，2015

[14] 中华全国商业信息中心 . 2014 年中国网络零售市场分析，2015

[15] Alden，D. L.，Steenkamp，J.，Batra，R. 2006，"Consumer attitudes toward marketplace globalization：Structure，antecedents and consequences"，International Journal of Research in Marketing，vol. 23（3），227 ~ 239.

[16] CBRE Research，"How global is the business of retail?"，2016.

[17] Dana L. Alden，Jan – Benedict E. M. Steenkamp，Rajeev Batra，2006. "Consumer attitudes toward marketplace globalization：Structure，antecedents and consequences"，International Journal of Research in Marketing，23：227 – 239

[18] Ed Glaeser，Jed Kolko，Albert Saiz，2000. "Consumer city"，NBER Working Paper 7790

[19] JLL，Destination Retail 2016 – Retailers expanding in leading cities around the world

[20] Yuwa Hedrick – Wong，Desmond Choong，MasterCard 2015 Global Destination Cities Index.

专题报告七

美国服务消费的增长与消费性服务业创新发展的经验

经过长期发展，美国建立了发达的消费性服务业体系，在产业规模、技术水平和服务质量上均处于全球领先地位，已成为拉动美国经济增长的重要动力。在充分发挥市场机制作用的基础上，政府通过促进市场开放、建立多元共治和开放包容的监管体系、完善法律法规、制定和提升标准体系、加大人力资本投资等方式，有力促进了消费性服务业的创新发展。

一、美国服务消费变化的基本情况和特点

“二战”以后，美国服务消费的变化不仅反映在服务消费规模的较快增长，而且在服务消费结构上也呈现升级趋势。

（一）服务消费支出持续较快增长

1950~2016 年间，美国个人消费支出持续较快增长，由 1922 亿美元增长到 127579 亿美元，占 GDP 的比重也由 1950 年的 64% 逐步提

升到2016年的68.7%。从个人消费支出的构成看，美国的耐用品消费、非耐用品消费以及服务消费均呈现持续增长趋势，其中，服务消费的增速明显快于耐用品、非耐用品消费（见图7－1）。

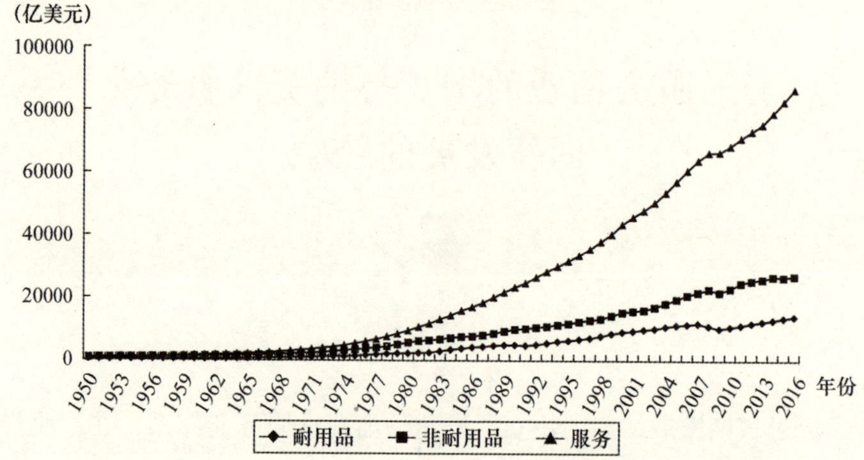

图7－1 1950～2016年美国个人耐用品、非耐用品、服务消费的支出

资料来源：美国经济分析局。

1950年，美国个人服务消费支出为754亿美元，仅占个人消费支出的39.2%，而到了2016年，个人服务消费支出为86596亿美元，占个人消费支出的比重也上升至67.9%，比1950年提高了28.7个百分点。个人服务消费支出占GDP的比重在这一时期也从25.1%上升至46.6%，成为美国最终需求中最主要的部分。值得注意的是，美国个人服务消费占整个消费支出的比重在20世纪90年代之前呈较快上升的趋势，此后的上升幅度有所减缓，2008年国际金融危机后基本上稳定在67%左右的水平（见图7－2）。

（二）服务消费增长与GDP、服务业增速趋向同步

从服务消费增长与GDP增长、服务业增长的相关性来看，随着时间的推移，美国服务消费的增长率逐渐与GDP和服务业的增长率同

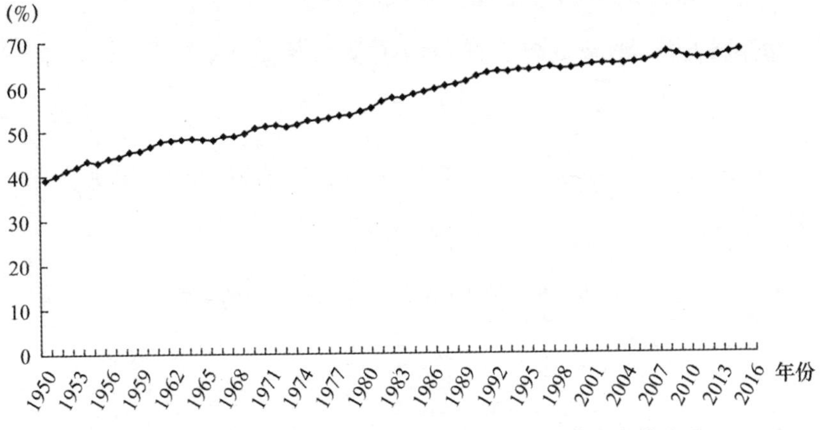

图7－2　1950～2016年美国服务消费占个人消费支出的比重

资料来源：美国经济分析局。

步。三条曲线在一开始重合度较低，服务消费的波动性明显低于GDP和服务业，而自20世纪80年代以后，三个指标的增长率越来越接近（见图7－3）。这一方面是由于GDP和服务业增长的波动性变得更低，美国的经济结构更加稳定；另一方面也反映出服务消费已经成为拉动美国经济增长的主要动力。

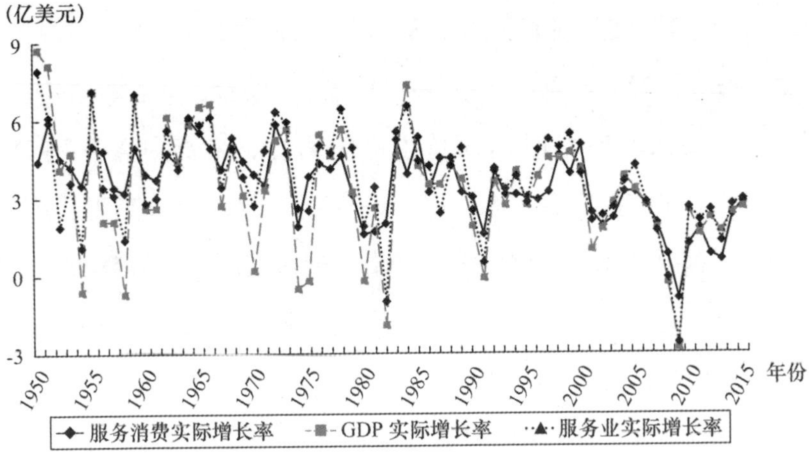

图7－3　1950～2015年美国服务消费、GDP和服务业的实际增长率

资料来源：美国经济分析局。

（三）服务消费结构呈逐步升级趋势

美国的个人消费支出不仅经历了从商品消费为主到服务消费为主的历史转变，而且在服务消费内部也出现了明显的结构升级（见表7-1）。分析美国1950~2015年服务消费中的细分数据可以发现，服务消费内部结构变化具有以下几个特征。

表7-1 1950~2015年美国服务消费各项支出的构成 单位：%

年份	居住	交通	医疗护理	娱乐	食品和住宿	金融服务和保险	其他服务
1950	34.5	7.4	8.8	4.9	17.4	7.7	19.3
1960	37.9	6.2	10.7	4.3	13.7	9.1	18.1
1970	34.4	6.3	15.0	4.4	13.1	9.7	17.1
1980	33.8	6.0	18.6	4.4	13.2	10.3	13.7
1990	30.8	5.6	22.4	5.4	11.6	11.0	13.2
2000	28.7	6.3	21.9	6.1	9.8	13.5	13.7
2010	29.1	4.5	25.8	5.9	9.4	11.5	13.8
2015	28.1	4.6	26.0	5.9	10.2	11.6	13.6

资料来源：美国经济分析局。

第一，居住支出不断增长，保持了服务消费中最大支出项，但是占整个服务消费的比重明显下降。“二战”以后，美国的居住支出在服务消费支出中较长时间保持很高的占比，最高时曾达到38.2%（1962年），而2015年这一占比已下降到28.1%。从变化趋势来看，1962年之前居住支出在服务消费支出中的占比还呈上升趋势，此后则快速下降，并于20世纪90年代后期下降速度逐渐趋缓，保持在29%左右，仍是服务消费各项支出中占比最大的一项（见图7-4）。

第二，20世纪60年代后期之前，食品和住宿支出一直排在各项服务消费支出的第二位；此后，医疗护理支出超过了食品和住宿支出，与居住支出的差距也持续缩小。从变化趋势上看，美国的食品和住宿

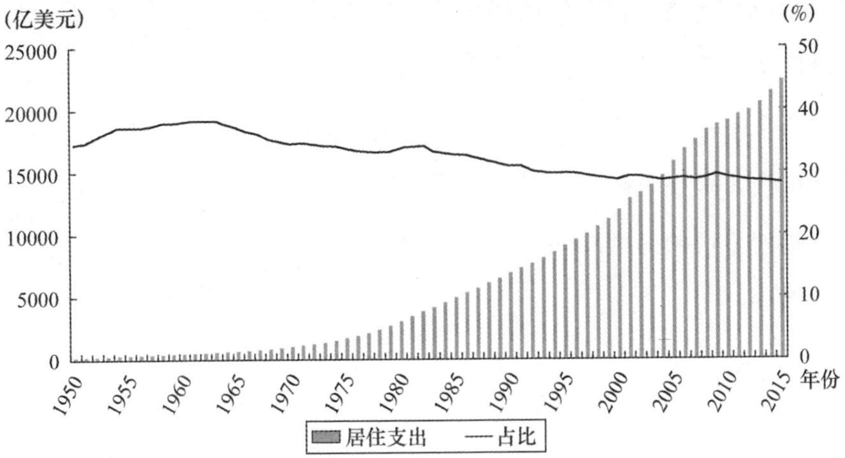

图 7－4　1950～2015 年美国居住支出及其占服务消费的比重

资料来源：美国经济分析局。

支出占比在最初有一个很短的上升期，而自 1952 年开始占比持续下降，1995 年以后则基本稳定在 10% 左右。医疗护理支出占比在 1950 年以后总体上不断上升，1960～1992 年是其快速上升的时期，此后医疗护理支出占比也基本保持稳定，目前在整个服务消费中的占比约为 26%，仅次于居住支出（见图 7－5）。

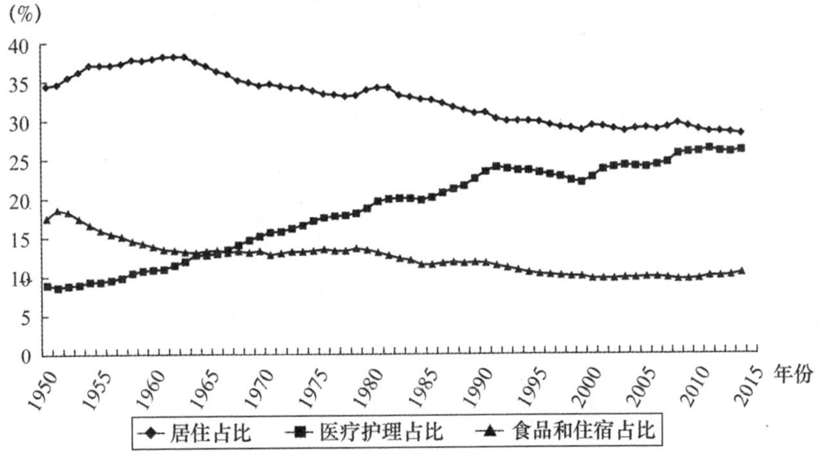

图 7－5　1950～2015 年美国居住、医疗护理、食品和住宿支出及其占服务消费的比重

资料来源：美国经济分析局。

第三，交通运输支出保持增长，但占服务消费支出的比重呈波动下降趋势。美国的交通运输支出在服务消费支出的占比较小，最高时也仅有7.4%（1950年），目前这一占比为4.6%。总体来看，交通运输支出占比呈现下降趋势，特别是1950～1960年和2000～2010年是下降幅度最快的两个时期（见图7－6）。

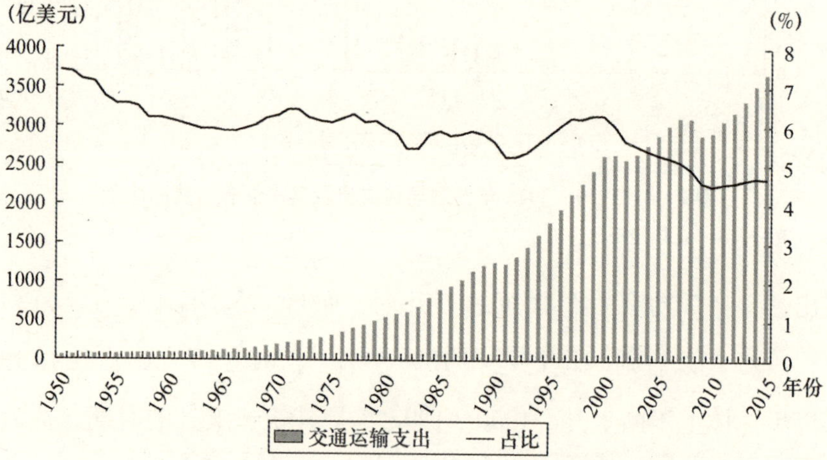

图7－6　1950～2015年美国交通运输支出及其占服务消费的比重

资料来源：美国经济分析局。

第四，娱乐支出保持增长，占整个服务消费的比重由4.9%波动上升到6%左右。与居住、医疗护理、食品和住宿等支出相比，娱乐支出的占比相对较小。在变化趋势上，1950～1980年间，美国的娱乐支出占比变化较为平稳，波动幅度保持在0.6个百分点以内。1980～1995年间是娱乐支出快速增长的时期，其在整个服务消费支出中的占比也上升了近2个百分点。此后，娱乐支出的占比基本保持稳定，约为6%（见图7－7）。

第五，金融服务和保险支出快速增长，占整个服务消费的比重上升幅度较大。1950年以后，美国的金融服务和保险支出占比经历了长时期的上升过程，由1950年的7.7%上升到了2000年的13.5%，增

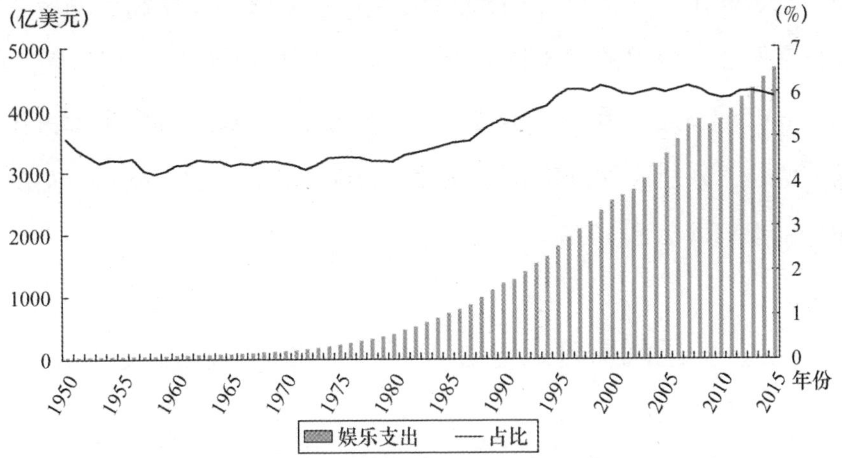

图7－7　1950～2015年美国娱乐支出及其占服务消费的比重

资料来源：美国经济分析局。

长最快的时期是在20世纪80年代之后。2008年的国际金融危机以后，美国的金融服务和保险支出占比出现短暂的下降，近几年大体稳定在11.5%左右（见图7－8）。

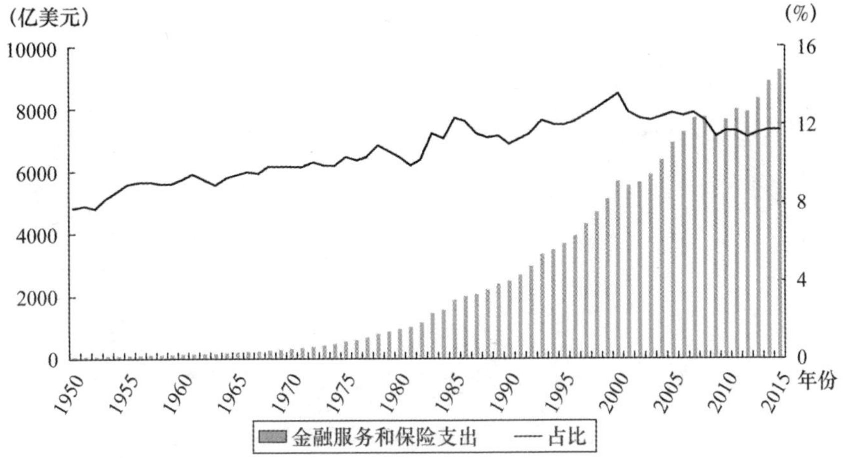

图7－8　1950～2015年美国金融服务和保险支出及其占服务消费的比重

资料来源：美国经济分析局。

综上来看，美国自“二战”以来服务消费升级体现了从生存型消费到发展享受型消费的演变规律，居住、交通、食品和住宿等支出占服务消费的比重总体上呈下降态势，而医疗护理、娱乐和金融服务等支出在服务消费中的占比持续上升，其中医疗护理的上升幅度最大。截至2015年，在美国服务消费支出中，居住、医疗护理支出的占比位居前两位，分别为28.1%和26%，金融服务和保险、食品和住宿的占比分别为11.6%和10.2%。

二、美国消费升级过程中消费性服务业的发展情况

（一）服务消费升级带动了消费性服务业的发展和升级

一方面，服务消费升级带动了消费性服务业的快速增长。总体上看，美国消费性服务业[①]规模不断扩张，由1950年的441.4亿美元增长到2016年的35996.1亿美元，占GDP比重也从1950年的14.7%上升到2016年的19.4%（见图7－9）。

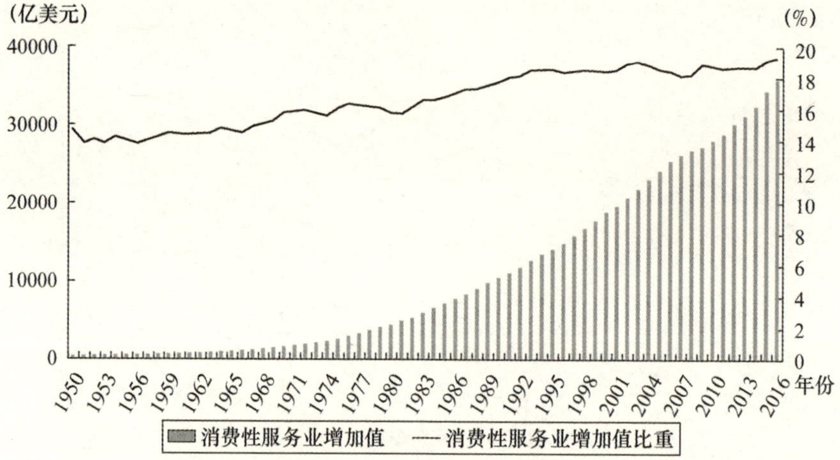

图7－9　1950～2016年美国消费性服务业增加值及其占GDP比重

资料来源：美国经济分析局。

① 这里的消费性服务业统计了零售、教育服务、健康医疗服务、艺术体育、休闲、住宿、餐饮等行业。由于住宅业的统计不全是为满足居民的最终消费需求，与个人居住服务消费的含义并不等同，暂未将其纳入。

在消费性服务业内部，零售业、健康医疗是占比最大的两个行业。从发展趋势上看，零售业在1950年以后基本保持下降的态势，于2008年被健康医疗服务业超过，2015年其占GDP的比重为5.9%。健康医疗服务业是消费性服务业中增长最快的行业，这一趋势可以从医疗护理消费支出的持续增长中看出，医疗护理消费支出的占比在1950年后始终保持较快的增长速度。截至2015年，美国健康医疗服务业在GDP中占比达6.6%（见图7－10）。

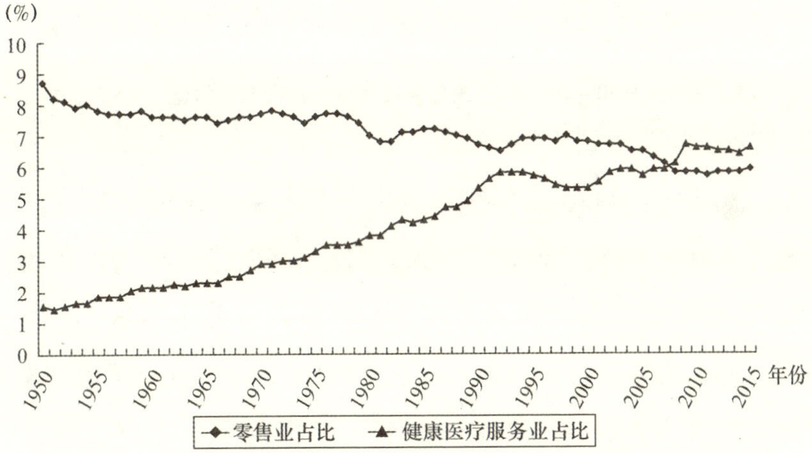

图7－10　1950～2015年美国零售业、健康医疗服务业增加值占GDP比重

资料来源：美国经济分析局。

至于其他消费性服务行业，其在GDP中的占比总体上都呈阶段性上升趋势，其中，餐饮业增加值占GDP比重约为1.5%以上，教育、住宿、休闲、艺术体育行业的增加值占GDP比重相对较低，不超过1%（见图7－11）。

（二）服务创新不断涌现，新业态新模式层出不穷

新一代信息技术的广泛应用，极大促进了美国消费性服务业的创新发展。除大数据、移动互联网在越来越多消费性服务行业普及应用

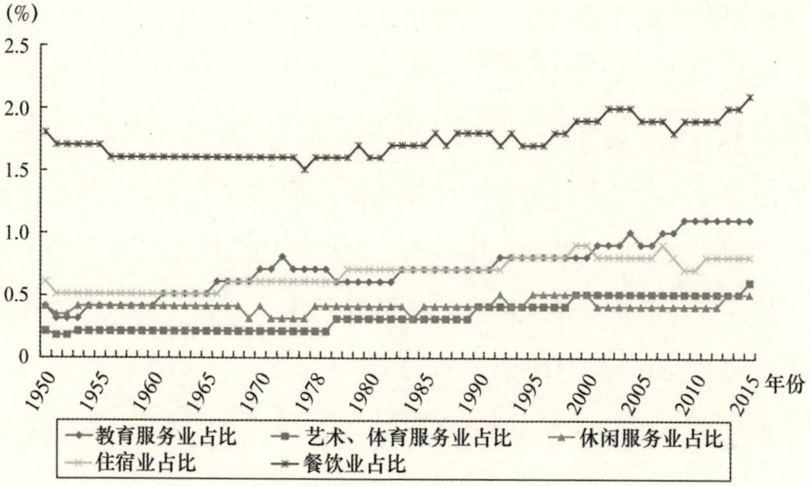

图7-11 1950~2015年美国部分消费性服务行业增加值占GDP比重

资料来源：美国经济分析局。

之外，美国不少科技巨头早在2011年便积极探索虚拟现实（VR）、增强现实（AR）的技术创新。例如，英特尔领投了AR解决方案厂商TotalImmersion，谷歌、高通等以5.4亿美元投资了美国的AR公司MagicLeap，苹果收购了德国AR公司Metaio，微软推出了虚拟全息可视头戴设备HoloLens。从实践来看，虚拟现实（VR）、增强现实（AR）技术已开始广泛应用于无人驾驶、智能家居、可穿戴设备、交互产品、教学与操作指南、网络购物、游戏等领域，促进了人们消费的便捷性和良好体验。另外，在无线充电、云机器人等高科技方面，美国也基本上处在世界前沿。

与此同时，新业态、新模式逐渐成为美国消费性服务业发展的重要增长点。新业态和新模式得到了消费者的偏好和青睐，拉动了整个消费性服务业的发展。以旅游业为例，随着沿海邮轮母港基础设施以及管理设施的不断完善，2014年美国以1132.7万人的邮轮客流位居邮轮客源地首位，渗透率达到3.6%，而全球邮轮行业需求仅占整个旅游行业市场需求的1.4%。

【案例1】　　迈阿密邮轮旅游的发展

通常来看，邮轮经济发达的港口城市具有岸线长、水港深、景区多的特点，同时，本身多为国际著名的旅游热点城市，周边高质量景区密集，主要景点距离多为半日行程。以迈阿密为例，迈阿密港口邮轮接待量位居世界首位。迈阿密港依托迈阿密市，是美国南部最大的贸易中心，而港口位于市中心海滩的黄金地段，附近有两大国际机场，陆上交通四通八达。港口始建于1960年，目前有超过8.7公里的泊位，其中2.6公里的泊位供邮轮使用，拥有12个超级码头，可同时停泊20艘邮轮；还有2个邮轮客运站，拥有世界上最先进的管理设施系统，可同时服务8400名游客。共有12家邮轮公司的33艘邮轮以迈阿密港作为母港。依托加勒比海、加州、百慕大海域以及辐射欧洲和南美的旅游资源，行程从2天到48天不等，同时在母港也设有天然海边沐场，距邮轮出入口仅10分钟路程。截至目前，港口年均接待邮轮游客超过400万人次，游客在迈阿密的年消费超过200亿美元。

资料来源：中信建投：《邮轮旅游产业分析报告》，2015年10月。

（三）消费性服务业线上线下深度互动，跨界融合发展成为趋势

首先，消费性服务业呈现线上线下的互动融合。美国作为互联网最发达的国家，餐饮企业对互联网的接受和利用水平相对较高。以餐饮业为例，大型连锁餐饮企业非常重视基础的IT系统搭建，并且积极利用互联网来为企业发展服务。除了建设官方网站进行品牌宣传、餐饮预订及商品售卖之外，很多企业还通过Facebook、Twitter和YouTube等新媒体影响普通用户的消费决策，进行相关品牌营销和推广，

在社交媒体及社交网络上建立自己的品牌优势。

其次，不同消费性服务行业之间的跨界合作不断深入。随着科技变革和社会进步，不同消费服务行业的孤立发展已难以满足消费者不断升级的消费需求，行业间的跨界合作越发明显，原有行业发展边界日益模糊。例如，美国旅游业在发展过程中，就与影视、教育、金融等行业形成紧密的跨界融合。

【案例 2】 迪士尼的多元化发展

美国的迪士尼主题公园是世界主题公园的鼻祖。从 1955 年第一家迪士尼主题公园在洛杉矶建成开业以来，主题公园已成为美国大众特别是年轻人最喜爱的娱乐目的地之一。

迪士尼每年的经济效益达 90 亿美元，其高收益依赖于其全球扩张、多元化的经验模式和融资方式。除了主题公园，迪士尼还涉足电影、电视、房地产等多元化行业。2014 年，迪士尼主要营业收入结构为：媒体网络收益占 43.3%，主题公园收益占 30.9%，影视制作收益占 14.9%，消费品收入占 8.2%，互动媒体收益占 2.7%。

资料来源：孟妮："美国旅游产业发展带来的启示"，《国际商报》，2015 年 6 月 12 日。

最后，消费性服务行业内部的垂直整合明显加快。以体育产业为例，作为目前世界上体育产业最发达的国家，美国以体育赛事为核心，向产业上下游的延伸不断加快，形成了以体育资产、体育媒体、赞助商、体育场馆、体育特许商品公司、体育营销及经纪公司为主体的完整产业链。

（四）消费性服务业开放程度较高，国际竞争力相对较强

美国消费性服务业的开放程度相对较高，不仅吸纳了很多外国劳

动力就业，而且对外国投资资本的限制相对其他国家较少。在开放发展过程中，美国消费性服务业的竞争力不断增强，零售、住宿、餐饮等诸多行业都拥有国际知名的跨国公司，业务遍布世界各地。

另外，美国还是全球服务贸易进出口以及顺差最多的国家，其中，旅游服务顺差虽在2000~2006年间波动减少，占整个服务贸易顺差的比重也明显回落，但仍保持在25%以上的水平（见图7-12）。

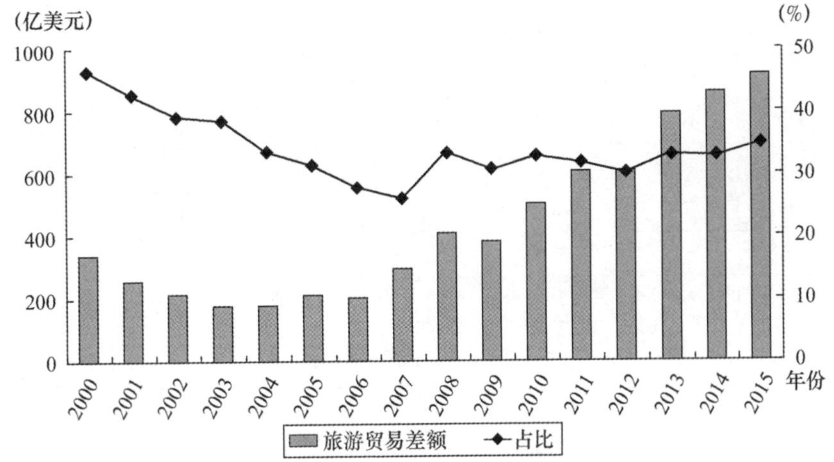

图7-12　2000~2015年美国旅游贸易的差额及其占比

资料来源：美国经济分析局。

（五）消费性服务业发展资源向城市群集聚，形成了若干国际消费中心

随着城市化水平的不断提高，美国的消费资源日益向城市群，特别是人口规模大、区位条件好、经济水平高的大型城市集聚，推动了城市群消费市场的繁荣扩张。从纽约—纽瓦克—泽西城、洛杉矶—长滩—阿纳海姆两大城市群的情况来看，在零售贸易、艺术娱乐与休闲、住宿与餐饮三大典型行业中，两大都市圈的行业增加值均占全国的较大比重，且纽约都市圈在住宿和餐饮业、零售贸易的集聚程度得到进

一步强化（见表7－2）。在长期发展中，以纽约、洛杉矶为代表的国际大都市凭借丰富的消费内容、高端的消费品牌、优越的消费环境等，集聚了一大批全球著名消费品牌及其总部，成为全球领先的国际消费中心。

表7－2　纽约和洛杉矶都市区的三大典型行业增加值占全国的比重　　单位：%

年　份	零售贸易		艺术、娱乐与休闲		住宿与餐饮	
	纽约都市圈占比	洛杉矶都市圈占比	纽约都市圈占比	洛杉矶都市圈占比	纽约都市圈占比	洛杉矶都市圈占比
2001	6.8	4.9	10.6	10.6	6.4	4.6
2002	6.9	4.9	10.5	10.5	6.5	4.8
2003	7.0	5.0	11.3	11.3	6.5	4.8
2004	7.0	5.0	11.3	11.3	6.6	4.8
2005	6.9	5.0	10.9	10.9	6.5	4.7
2006	6.8	5.1	10.9	10.9	6.7	4.7
2007	6.9	4.9	10.5	10.5	6.8	4.7
2008	7.0	4.8	11.0	11.0	7.0	4.7
2009	7.0	4.7	10.9	10.9	7.0	4.6
2010	7.1	4.8	10.7	10.7	7.2	4.6
2011	7.2	4.7	11.1	11.1	7.4	4.6
2012	7.2	4.7	11.2	11.2	7.5	4.6
2013	7.3	4.7	11.0	11.0	7.6	4.6
2014	7.2	4.7	11.0	11.0	7.4	4.6
2015	7.1	4.6	10.7	10.7	7.2	4.7

资料来源：美国经济分析局。

三、美国消费性服务业发展的驱动因素

（一）服务消费升级是消费性服务业发展的需求基础

服务消费增长是经济社会发展和居民收入水平提升的客观结果。

在经济发展和收入水平较低时，生存型消费，特别是满足衣食等基本生活的商品消费总是最先需要满足。随着经济发展和收入水平进入更高层次，服务消费需求逐渐成为人们消费的主要领域。

纵观美国服务消费的发展，一方面，美国服务消费升级的整个过程基本遵循了从生存型的“食宿”到发展享受型的“健康娱乐”的演变过程。另一方面，根据美国服务消费升级的阶段性变化，在人均GDP超过11000国际元之后，“食宿”类的消费需求基本得到满足，发展享受型需求开始得到重视，进入到服务消费快速增长、服务消费比重持续上升的发展阶段。

（二）供给管理政策激发了消费性服务业的发展活力

20世纪60年代中后期至70年代，凯恩斯的需求管理政策在实践中失败，美国经济陷入了较长时期的“滞涨”之中，经济增长出现剧烈波动，经济萧条严重抑制了服务消费发展和产业结构升级。80年代初，里根上台后实行新自由主义，推行了以供给管理为核心的新经济政策，由此开启了美国经济发展的新序幕。

新经济政策在多个方面促进了服务消费升级和消费性服务业发展。一是美国经济走出“滞涨”，宏观经济渐趋稳定，消费环境大为改善；二是大幅减税提高了个人的可支配收入，释放了服务的有效需求；三是放松市场管制，引入更多竞争，提高了服务供给的数量和水平。另外，金融自由化改革还降低了企业融资的成本，催生了一大批高科技产业。

里根的供给管理政策不仅让美国经济得以复苏，而且在美国建立起更加开放竞争的市场环境，这一改革顺应了美国服务消费升级的需求，激发了消费性服务业发展的动力和活力。

（三）信息技术革命助推了消费性服务业的创新与升级

从20世纪80年代开始，美国经济逐步复苏，“供给侧改革”提升了美国经济的长期增长潜力，在此背景下，现代信息技术革命正式开启。90年代以来，美国开始实施“信息高速公路”等计划，大力推广信息技术的应用，在对消费性服务业信息化改造的基础上，新的业态和商业模式不断涌现，消费性服务业也由此进入新的发展阶段。

现代信息技术革命从供给和需求两个方面促进了消费性服务业的发展。第一，现代信息技术改变了消费性服务业的生产与经营模式，促进了专业化分工和产业间融合，催生了一大批新兴服务业。同时，传统服务业在经过现代信息技术的改造和重构后，资源配置更加高效。第二，现代信息技术促进了消费性服务业中信息的生产、传播和共享，降低了交易成本，使得消费更为便利、快捷，从而释放了消费需求。经过信息技术升级改造的消费性服务业在服务水平和范围上获得了显著提升，能够精准地满足消费者的个性需求，使得许多潜在的消费需求被激发出来。例如，电子商务的发展打破了服务供求在地理上的限制，拓宽了服务的供给范围。

（四）完善的体制机制为消费性服务业发展提供了保障

针对消费性服务业的发展和转型，美国没有出台具体的产业政策，更多的是通过建立良好的制度环境引导其发展。美国是自由市场经济的引领者，其各种体制机制的建立和完善也在于支持并完善自由竞争的市场机制。

为建立更加公平、开放的市场竞争环境，美国逐步建立和完善了一系列配套的体制机制，如法律法规体系、监管体系、行业标准体系、人才培养体系等。这些体制机制的建立和完善，有效推动了消费性服务业的发展。

（五）经济全球化为消费性服务业发展提供了广阔空间

20 世纪 80 年代以来，经济全球化快速发展，商品、服务等在世界范围的流动和配置，这一进程是以美国为代表的发达国家为主导，服务于发达国家的产业转移和结构升级。目前来看，经济全球化从两个方面对美国消费性服务业发展带来影响。

一方面，在经济全球化进程中，美国将中低端制造业向外转移，致使更多的资本、人才涌入服务业部门，促进了社会资源向服务业的集聚，结果是国内产业结构逐渐偏向于服务业。

另一方面，签订的多双边自由贸易协定降低了国际贸易壁垒，促进了全球服务贸易的快速发展，也为美国消费性服务业创造了更广阔的需求。1980 ~ 2016 年，美国的服务出口由 475. 8 亿美元增长到 7523. 7 亿美元，服务贸易顺差由 60. 9 亿美元扩大到 2477. 1 亿美元，其中的旅游（包括教育在内的各种目的旅行）贸易保持了较高顺差，2016 年达到 823. 2 亿美元。

四、美国促进消费性服务业创新发展的政策措施

（一）促进市场开放

在美国消费性服务业发展的早期，不少行业都存在管制，包括准入条件、经营范围等都有较为严格的限制。从 20 世纪 70 年代开始，美国逐渐对消费性服务业放松管制，鼓励更多的市场主体进入消费性服务业领域。时至今日，美国消费性服务业的各个领域都具有非常高的市场化水平，服务主体也以政府以外的私营企业、社会组织为主。

多元化市场主体为消费性服务业发展增添了新活力，激烈的市场竞争也促使各个主体不断提高服务质量和技术水平。以健康服务业为例，美国的健康服务业非常发达，拥有世界上最大的医疗服务市场，尖端医疗技术处于国际领先地位。美国健康服务业的市场化程度高，以私营机构为主，政府主要通过规范市场竞争环境来保障行业发展。美国健康服务业涉及的健康保险、医疗服务等无一不是由私营公司提供，其中私立医院的占比高达85%，健康保险也基本为私人健康保险，覆盖总人口的64%左右[①]。

在消费性服务业对外开放方面，美国也是积极推动服务贸易的自由化。美国消费性服务业在全球市场上具有很强的竞争力，旅游贸易则是其服务贸易中最重要的内容。为了推动美国消费性服务业在全球市场上的不断扩张，美国在贸易谈判中的一个重点就是促使对方扩大包括消费性服务业在内的服务业开放，这一点在美国近年来的区域贸易谈判中体现的非常明显。例如，在跨太平洋伙伴关系协定（TPP）、跨大西洋贸易与投资伙伴协议（TTIP）、国际服务贸易协定（TISA）等贸易协定的谈判中，美国都将推动贸易自由化作为谈判的核心内容。

（二）建立多元共治、开放包容的监管体系

美国在放松消费性服务业行业管制、促进行业竞争的同时，也不断加强行业监管，规范消费性服务业市场主体的行为。美国的行业监管发挥了多部门监管的优势，联邦政府及各州政府、行业协会、社会组织等都在行业监管中扮演了重要角色。例如，在健康服务业，美国的监管体系包括通过资格认证（CON）对医疗服务供给者投资或变更

---

① 孙东雅：“美国健康险市场的发展及对我国的启示”，载《中国医疗保险》2012年第2期。

服务资源进行审核和批准，管理式医疗组织（MCO）进行日常健康服务成本的控制，专业标准评审组织（PSROS）评议和监督医疗照顾和医疗救助计划的病人所接受的服务，医疗机构资格认证联合委员会（JCAHO）进行医院管理标准编制和评价等①。

值得重视的是，美国的行业监管体制并不僵化，消费性服务业的创新发展往往伴随着新问题的产生，美国在这方面的监管总体保持着开放包容的态度，顺应发展要求对原有监管模式进行适应性调整。

【案例3】　美国营利性高等教育行业的监管新政

近年来，美国营利性高等教育行业在高速发展的同时，也产生了低就业率、办学质量低以及招生违规等问题，对此奥巴马政府采取了一系列监管政策的调整，包括保护消费者权益、提高财政资金使用的安全性以及加强对教育质量的监管。与此相关的政策措施包括：修正“有偿就业”的规定、进一步限制“激励性薪酬”、新“失实陈述”条例、90/10条例、加强控制助学贷款违约率、建立教育部、州政府委员会以及高校认证机构“三位一体”的监管体系，提高监管力度和评估标准等。奥巴马政府的监管新政旨在提高营利性高等教育行业的公信力和教学质量，加强联邦助学贷款使用的安全性以及促进学生的学业成就。

资料来源：朱浩、陈娟，“解读奥巴马政府对营利性高等教育行业监管的新政”，载《外国教育研究》2014年第9期。

① 王禅、杨肖光、白冰、王倩：“美国健康产业发展及对我国的启示”，载《中国卫生经济》2014年第12期。

（三）完善法律法规

美国消费性服务业发展是建立在完善的法律法规基础之上的。美国有关消费性服务业的法律法规较为全面，涉及消费性服务业的各个领域。通过立法维护市场秩序和加强监管，极大促进了美国消费性服务业的快速发展。

例如，在促进服务贸易方面，美国政府制定了一些综合性法案，包括《外贸法》（1974年）、《贸易与关税法》（1984年）、《综合贸易与竞争法》（1988年）等；在促进健康服务业方面，通过了《联邦食品、药品和化妆品法案》等；在促进文化产业方面，制定了《相互教育和文化交流法案》《富布莱特－海斯法案》，还有新闻法、版权法、图书馆法等一系列法律法规。需要指出的是，知识产权保护对文化产业发展至关重要，美国为此相继颁布了一系列相关法律法规，建立了严密的知识产品保护体系。特别是随着互联网技术的普及以及数字化知识产权的产生，在数字版权领域出现了许多原有立法未能覆盖的空白区域，为适应新形势要求，美国又相继颁布了《反电子盗版法》（1997年）、《跨世纪数字化版权法》（1998年）、《版权保护期限延长法》（1998年）、《防止数字化侵权及强化版权补偿法》（2000年）、《家庭娱乐和版权法》（2005年）等法律。

（四）制定和提升标准体系

消费性服务业的健康发展离不开行业标准的规范与指导作用。美国针对消费性服务业发展建立了较为完备的行业标准体系，并不断完善与提升，以适应消费性服务业的新形势和新要求。行业标准的制定和执行都按照严格的制度进行，这些行业标准与从业资格、经营范围、政府补助等挂钩，对于提高消费性服务业的供给质量起到了重要作用。

例如，美国在养老服务业标准化实践方面具有丰富经验。早在1997年，美国政府就开始对所有照料服务机构建立实行准入及标准化报告制度。同时，美国卫生部医疗保险和医疗救助中心发布实施了养老服务机构标准，作为对养老机构检查监督的依据。另外，经过长期的经验积累，美国各个养老机构也都出台了各自的服务标准。

（五）加大人力资本投资

美国非常注重消费性服务领域人力资源的培养，不仅持续几十年保持较高的教育投入，而且还大量从国外引进高素质人才。美国在发展消费性服务业过程中对人才培养有着较高的标准，一直按照消费性服务业的发展要求培养专业化人才。相关人才的培养也具有多层次、多渠道的特点，例如，美国上百所大学都设有“体育、健康、娱乐”的院系，开设了许多相关课程，学生除了要完成必修课程外，还要通过行业协会的考核，而后者在人才的培养中也处于关键地位[①]。

丰富、优质的人力资源不仅保证了美国在消费性服务业供给上的数量和质量，而且促进了高新技术在消费性服务业中的应用，增强了消费性服务业的国际竞争力。

五、启示和借鉴

（一）放宽行业准入限制

美国消费性服务业的发展充分发挥了市场的力量，政府并不大包大揽，而主要是通过立法、监管等方式来规范市场秩序。通过放松管

① 梁海燕、陈华：“美国户外运动发展及其对我国的启示”，载《首都体育学院学报》2012年第1期。

制来促进消费性服务业的自由竞争是当前世界服务业发展改革的潮流，美国的实践已经充分证明社会资本和民营企业不仅能够提供商业性的服务，而且在提供具有一定公益性质的公共服务方面也具有较高的效率。在保证合理的准入条件和公平竞争的制度环境下，引入更多的市场主体对于扩大服务供给、提高服务质量等方面都有积极的作用。

为此，我国应该进一步放宽市场准入条件，打破行政垄断，不对社会资本设定隐性的歧视性条件，以开放来提升供给数量、优化供给质量。在对外开放方面，同样要进一步放松限制，更大力度地放宽消费性服务业的准入和投资限制，充分发挥国外先进技术和知识的溢出效应。

（二）进一步完善相关法律法规

从实践来看，加强和完善立法已成为美国规范并促进消费性服务业发展的重要手段。目前，我国在消费性服务业方面的法律法规还滞后于发展的需求。有的消费性服务行业没有专门的立法，有些虽有法律规定，但也存在法律条文单一、规定笼统的问题，无法有效适应消费性服务业的发展形势。特别是针对一些新兴消费性服务领域出现的新问题，相关法律法规未能及时跟进，存在很大空白。对此，需要尽快完善相关法律法规，营造良好的法治环境，为消费性服务业的发展提供保障。

（三）建立健全标准体系

美国消费性服务业的发展离不开相关的行业标准体系的制定和执行。我国消费性服务业的行业标准体系建设与消费性服务业发展的实际需要相比，无论在数量上还是在质量上都还有较大差距。政府对于标准体系建设的重要性认识有待增强，相关研究和制定工作未及时跟进，对于新兴的服务业态也还未及时更新标准体系。同时，服务标准体系的整体水平偏低，部分标准内容简单，缺乏可操作性，不利于标准实施和监督。为此，我国应加快消费性服务业标准体系建设，并持续改进标准体系，以引导行业的规范发展。此外，还要加强标准实施的宣传和监督，建立标准实施效果的评价方法，并且引入协会、企业、社会机构等多方参与，共同制定标准并监督标准执行。

（四）完善多层次的人才培养培训机制

稳定的劳动力市场和专业的人才队伍是美国消费性服务业发展的基础。从总体上看，我国目前消费性服务业发展的高素质、专业化人才还较为短缺。因此，需要加大消费性服务业的研发投入及人力资本的投资。首先，国内高校可适当开设有关消费性服务业的专业课程，以行业发展趋势和实际需求为导向，为消费性服务业培养高技能人才；其次，支持各类培训机构加强对从业人员的教育培训，深化高校、行业协会、研究机构以及培训机构在人才培养培训方面的合作；最后，建立健全消费性服务业人才培养引进和用人管理机制，大力吸引海外优秀人才。

（五）鼓励融合创新发展

持续的服务创新是美国消费性服务业蓬勃发展的重要推动力量。服务创新能够增强行业竞争力，延长行业生命周期，促进服务行业、业态之间的融合发展。目前，我国消费性服务业的创新发展还在探索阶段，很多企业还缺乏核心竞争力，创新投入不足，难以满足日益增长的服务消费需求，也难以适应高水平双向开放发展的要求。为此，需要进一步引导消费性服务业的融合创新，完善相关的知识产权保护制度，加大人才、资金等方面的政策支持。

执笔人：胡国良

参考文献

[1] 陈宝森．美国经济与政府政策——从罗斯福到里根．北京：社会科学文献出版社，2014

[2] 侯非，曹俐莉，张雨辰．国外养老服务业标准化及认证现状与启示．标准科学，2014（12）

[3] 梁海燕，陈华．美国户外运动发展及其对我国的启示．首都体育学院学报，2012（1）

[4] 马薇薇．美国服务消费结构升级经验及对上海的启示．统计科学与实践，2013（2）

[5] 孟妮．美国旅游产业发展带来的启示．国际商报，2015 年 6 月 12 日

[6] 任泽平，张庆昌．美国里根时期供给侧改革的挑战、应对与启示．国泰君安研报，2016 年 4 月 18 日

[7] 孙东雅．美国健康险市场的发展及对我国的启示．中国医疗保险，2012（2）

[8] 王禅，杨肖光，白冰，王倩．美国健康产业发展及对我国的启示．中国卫生经济，2014（12）

[9] 许晶，王正然．美国大众体育健身服务业发展研究及其启示．南京体育学院学报（社会科学版），2010（5）

[10] 张慧娟．美国文化产业政策的形成与发展．科学社会主义，2012（6）

[11] 张颖熙，夏杰长．服务消费结构升级的国际经验及其启示．重庆社会科学，2011（11）

[12] 朱浩，陈娟．解读奥巴马政府对营利性高等教育行业监管的新政．外国教育研究，2014（9）

专题报告八

日本服务消费的增长与消费性服务业创新发展的经验

一、日本服务消费变化的基本情况

（一）服务消费呈平稳增长态势

从1994年至今，日本的个人服务消费支出增长平稳，相比于耐用品、非耐用品等商品消费支出，服务消费占个人消费支出的比重较大（见图8－1），服务消费支出成为日本消费者的主要支出项。2007年以后，日本的服务消费占个人消费支出比重趋于平稳，保持在58%以上（见图8－2）。

（二）服务消费结构呈逐步升级趋势

第一，食品消费在整个消费支出中的占比不断下降，1995年后趋于平稳，由消费支出中的最大项变为第二大项，少于逐年增长的居住和能源消费支出（见图8－3）。食品支出下降会导致恩格尔系数的降低，反映出人们从追求生存需求、商品消费转向发展享受型需求、服务消费的趋势。

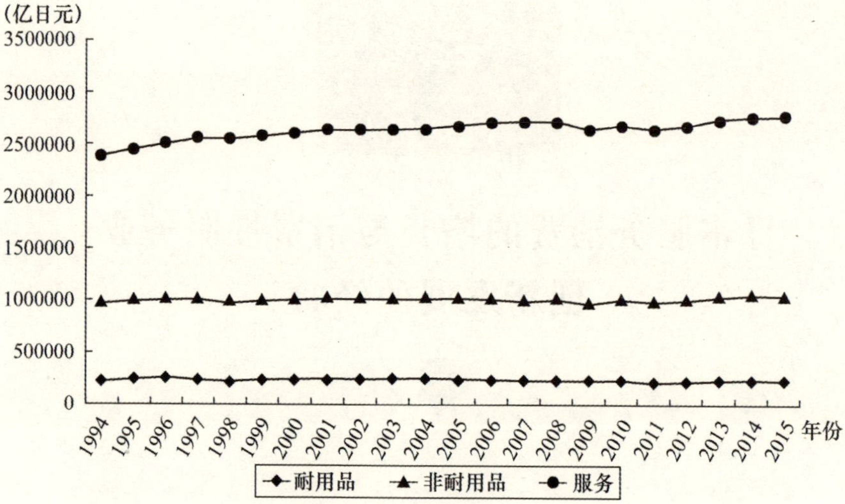

图8－1　1994～2015年日本个人耐用品、非耐用品、服务消费的支出

资料来源：日本总务省统计局。

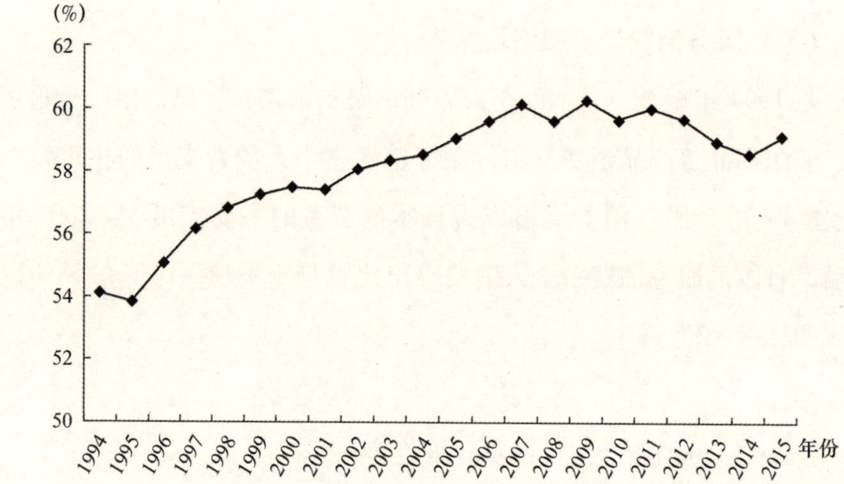

图8－2　1994～2015年日本服务消费占个人消费支出的比重

资料来源：日本总务省统计局。

第二，居住和能源消费支出占整个消费支出的比重自20世纪70年代以来呈逐步上升趋势，到2010年以后，开始出现小幅回落，2015年为25.5%（见图8－4）。

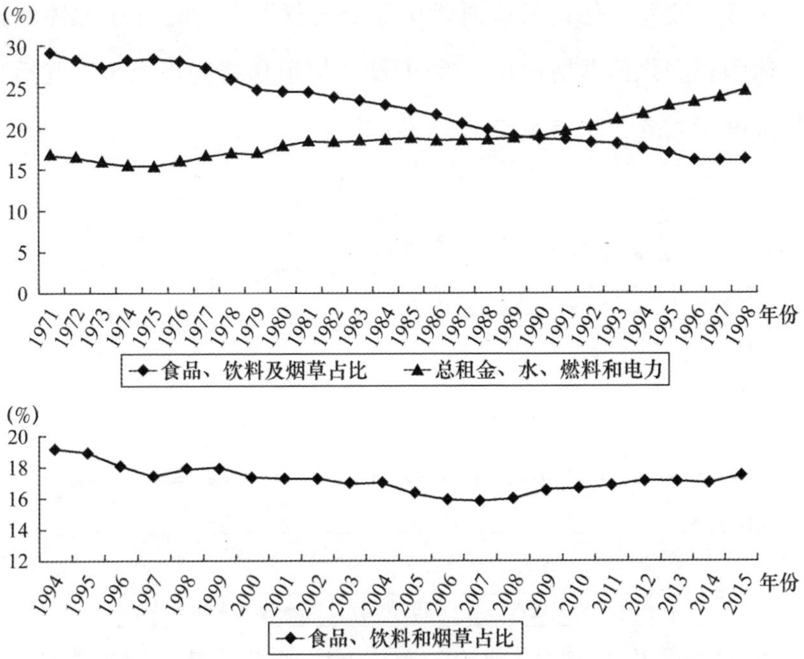

图 8－3　1971～2015 年日本食品消费占个人消费支出的比重

注：由于统计口径发生变化，故将统计口径前后的数据分别刻画在不同的图中。

资料来源：日本总务省统计局。

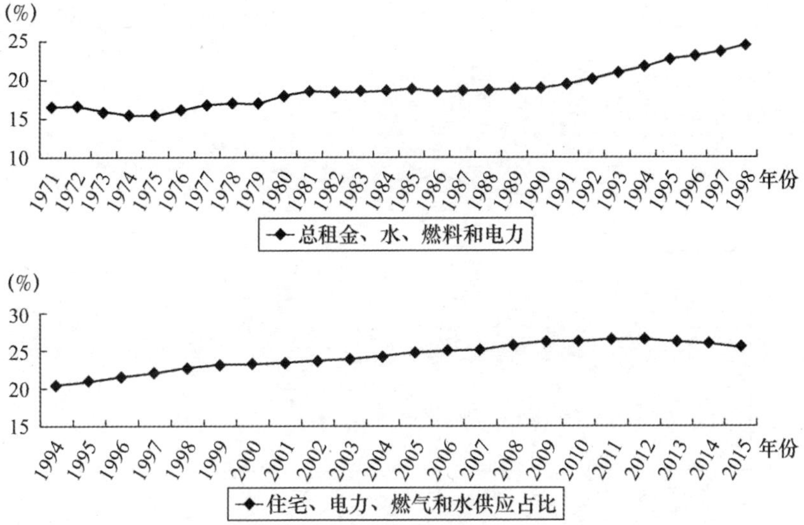

图 8－4　1971～2015 年日本居住和能源消费占个人消费支出的比重

注：由于统计口径发生变化，故将统计口径前后的数据分别刻画在不同的图中。

资料来源：日本总务省统计局。

第三，教育、住宿餐饮消费在整个消费支出中的占比大体保持稳定；休闲和文化消费所占比重在2003年以前保持稳步上行，此后出现一定幅度的回落，2015年为8%（见图8－5）。

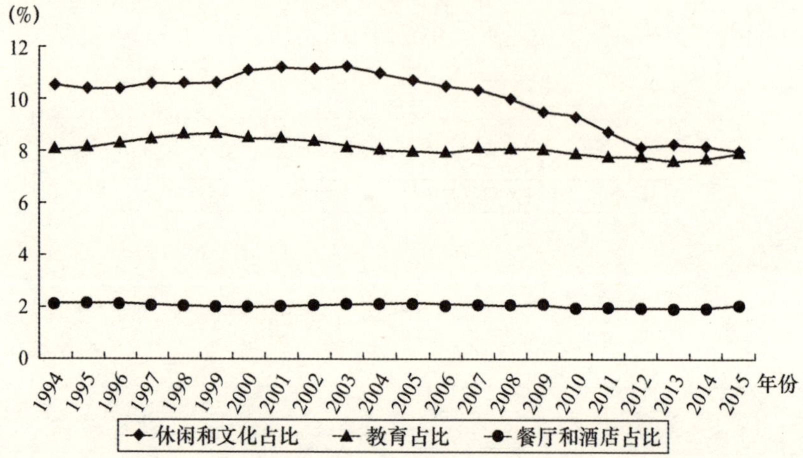

图8－5 1994～2015年日本休闲和文化、教育、餐厅和酒店消费占个人消费支出的比重

资料来源：日本总务省统计局。

第四，医疗保健消费占整个消费支出的比重不断攀升，2015年达到3.7%，比1994年（2.4%）上升了1.3个百分点（见图8－6）。

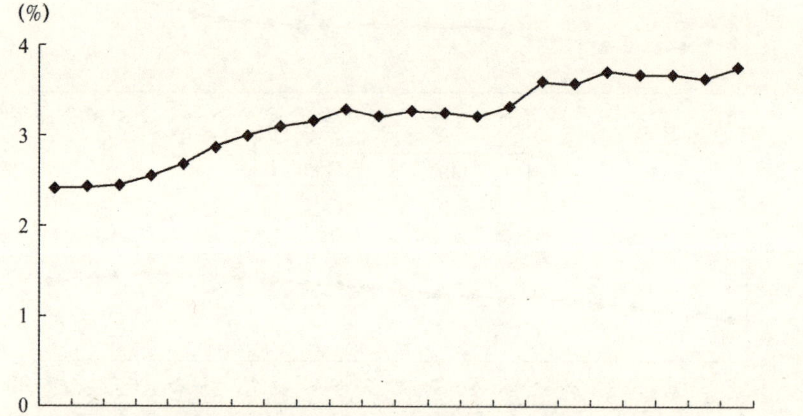

图8－6 1994～2015年日本医疗保健消费占个人消费支出的比重

资料来源：日本总务省统计局。

二、日本消费升级过程中消费性服务业的发展特点

（一）重视新技术的应用和服务创新

一方面，日本消费性服务业发展中重视新技术的应用。例如，越来越多的行业采用计算机辅助设计、物流系统远程监测、机器人远程手术系统等。另一方面，日本国内还出现了“服务科学”和“服务工学”学科，其研究方法主要包括“收集和分析最佳实践”“获得科学数据和构建模型”以及“评价服务价值”，旨在为企业更有效掌握市场动态和消费者偏好，从而为消费性服务业的创新发展提供了客观指导。

【案例1】　日本服务领域前沿技术的跟踪研究

2008年，日本经济产业省下属的独立行政法人——产业技术综合研究所成立了“服务工学研究中心”，其主要任务就是制定“技术战略路线图”，解释和预测医疗保健、零售、金融、餐饮等服务行业的核心技术；文部科学省专门举办了“服务科学与工学推进研讨会”，以研究利用科学方法和工学方法寻求解决各种社会问题的对策。此外，日本政府还在产业技术综合研究所、新能源产业技术开发机构等机构设立服务研究基地，开展相关研究，推进和加强服务领域的产学合作和技术转移。

2010年，日本独立行政法人科技振兴机构下属的社会技术研发中心开始实施“问题解决型服务科学研发”计划，研究社会中各类服务活动，探索能够解决服务业发展面临问题的有效技术和方法，注重积累和总结相关知识和经验，形成“服务科学”的概念、理论、技术和方法论。

（二）发展趋于多样化和多层次

为适应和满足消费者多样化和多层次需求，日本重视创新服务内容，强化服务技能，提高服务质量，促进了消费性服务业的精细化发展。例如，日本的一些餐饮上市企业每年都会推出1～2个新业态的分店。对于企业自身来讲，这样的做法能够形成可分散风险的资产结构，对于市场而言，则为消费者提供了更多的选择。又如，在养老服务业上，日本在大力发展上门看护服务满足中产阶层以上的老人居家养老需求的同时，还积极发展面向中低收入群体居住于相对生活成本较低的养老服务机构。

（三）现代化与本土化紧密融合

日本消费性服务业发展非常重视将本国的文化格调融入到商品和服务中，以很好地突出鲜明的民族文化特色。例如，在以日本历史剧情为构架的游戏产品中，常用日本传统的三弦和长笛作为背景音乐。日本精致的本膳料理、怀石料理和会席料理也是吸引很多国外游客的一大特色。再有，北海道札幌的冰雪节、仙台七夕节等都已经成为国际上知名的旅游品牌。

三、日本促进消费性服务业创新发展的主要措施

日本政府注重发挥市场与政府的作用，不断消除服务业发展的制度障碍，为消费性服务业的创新发展营造了良好环境。

（一）注重宏观引导和监管

在政府层面，日本设立了产业发展推进部，实行有针对性的监

管；同时，日本还重视建立健全行业协会组织，并充分发挥其重要作用。从实践来看，政府的监管主要体现在制定合理政策以及有效推行，在宏观层面为行业发展提供便利；行业协会更多的是促进企业之间的多层面沟通交流，并且在解决劳资纠纷、优化成本方面做出了贡献。

为促进消费性服务业的创新发展，日本经济产业省建立了以促进服务业发展、提高服务业生产率为目的的官、产、学三者合作的平台型组织“服务业生产率协议会”，主要围绕服务业如何提高劳动生产率开展相关调研及政策制定研究工作。另外，日本政府还制定了提高服务业质量的指导意见，积极支持建立民间机构质量认证机制，引导消费者注重消费透明化。自 2009 年开始实施基于消费者角度、跨行业可比的评价服务质量的顾客满意度指数（CSI）的调查，并制定了《新经济成长战略》，明确了服务业的发展目标[①]。

【案例 2】　日本服务业发展的“官、产、学”模式

这一模式指的是企业通过与政府、研究机构及教育培训机构的合作来谋求共同发展。政府负责提供法律与政策支持，研究机构负责提供市场预测、发展前景等信息支持，教育培训机构负责人才供应链的打造，企业则利用“三位一体”的资源优势充分发展。

在文化产业发展中，这一模式得到了充分地运用。日本政府通过立法和发展规划给予企业政策优惠，为文化产业的发展建立了良好的外部环境。各大学术研究机构和咨询机构则成立了专门的文化产业研究部门，进行前沿追踪和趋势研究判断，为政府决策和企业

---

① 刘平：“日本促进服务业发展的政策特点及启示”，载《上海经济》2011 年第 8 期。

制订发展战略提供建议。教育机构设定了专门的方案和计划，培养专门的文化产品创造和制作的人才（如东京大学的“内容产业工程”等）。而文化企业则在政府、研究机构和培训教育机构的支持下，独立制定发展规划、整合市场营销体系以及完善自身发展模式。这一发展模式为日本文化产业的发展提供了系统支撑。

（二）加强资金支持

日本消费性服务业发展的支持资金主要来自于日本大银行信贷和政府财政拨款。大量资金支持促进了行业研发、相关人才培训和基础设施的建设。在软硬件设施得到改善升级的情况下，消费性服务业得到了快速发展。

日本政府在制定相关产业政策时强调，消费性服务业不仅要根据消费者的需求提供差异化服务，更重要的是要建立起高稳定性的商业模式和体系，使这种差异化服务得以持续发展。为此，日本政府在发布新商业模式成功案例的同时，还从财政预算中拨出资金支持构建新的具有示范意义的商业模式，即“服务业创新支持资金”，主要资助全行业通用的人才培育基础设施建设项目，如“服务业能力评价系统”“服务业创业支持项目”等。

（三）适时调整修订法律法规

以零售业为例，日本零售业经历了百货店、综合超市、便利店的演进，这与1956年颁布的《百货店法》、1973年颁布的《大店法》以及1998年颁布的“城市建设三法”密切相关。日本政府每次制定或修订重要流通法律法规，均促进了日本零售业态的革新。反过来，零售业态的发展也促使日本政府修订或出台新的法律法规，以规范零售业发展，使之更加适应经济社会发展的需要①。

【案例3】　日本完善文化产业发展中的法律法规

一方面，针对文化产业发展适时制定法律法规，每个子领域均有相应的法律法规进行规范。例如，1970年的《著作权法》（2001年更名为《著作权管理法》）、2000年的《形成高度情报通讯网络社会基本法》、2001年的《文化艺术振兴基本法》、2002年的《知识产权基本法》等。

另一方面，在法律法规颁布后，往往伴有具体的执行措施与之配套。例如，与《文化艺术振兴基本法》相配套的有《关于文化艺术振兴的基本方针》，与《知识产权基本法》相配套的是《知识产权战略大纲》。

（四）重视服务创新及人才培养

日本政府为促进消费性服务业的创新，鼓励企业注重流程化，找到“无论由谁来做都可以取得相同效果的方法”，而不是仅凭“感觉和经验”来提供服务，同时，将制造业提高生产率的成功经验引入服务业，广泛应用于服务业的管理、业务流程及创新等方面。再有，政府还引导新商业模式的创新，以满足消费者需求的多样化和个性化②。

日本在消费性服务业人才培养方面的投入力度很大。主要措施包

① 陈丽芬：“日本零售业制度演进对业态的影响及启示”，载《中国流通经济》2014年第10期。

② 王玲：“日本促进服务业创新发展的政策及措施”，载《全球科技经济瞭望》2012年第11期。

括：及时发布“最佳实践”成功案例集，为相关行业发展树立学习的榜样；鼓励并支持各领域专业人才的继续教育、培训课程和教材软件开发及利用；加强多元化人才的自我培育及外部引进；提高从业人员的国际语言能力等。

（五）建立大中小企业共同发展的产业生态

日本一些消费性服务业以垄断财团为主要力量。大型服务企业一般具有雄厚的研发力量和人力资本，能够产生规模经济效应，在政府提供资金支持时能够优化资源配置，保证资金的有效利用。中小企业则更多是嵌入到大企业的供应链环节之中，成为其主要的供应商，从而分享发展机会。

日本政府也重视对中小服务企业发展采取扶持措施。除资金、税收方面之外，还从经营、技术、市场开拓方面对中小服务企业进行扶持，充分发挥标杆企业的示范作用。通过采取设立大奖、评选优秀服务企业等方式，充分发挥成功或优秀企业的示范作用，以便其他企业学习效仿[①]。

四、启示和借鉴

（一）加强宏观引导和环境营造

应加强对消费性服务业发展的整体战略规划，调整和完善监管部门的职能，加强监管的协同，努力为各类市场主体的公平竞争创造有利环境，发挥好行业协会的重要作用。搭建政府、企业、研究教育机

---

① 张楠：“日本现代服务业发展经验及对中国的启示”，载《现代财经》2011 年第 2 期。

构之间的交流沟通平台，利用科研机构的优势，为服务企业提供人力、技术资本支持，促进企业竞争力的提升。

（二）加强财税政策支持

创新财政资金使用方式，加强对消费性服务业研发、相关人才培训、基础设施建设和升级的支持力度，促进现代信息技术的普及，加大新技术、新商业模式的推广应用。

（三）健全相关法律法规

随着经济社会发展，我国消费性服务领域的立法还跟不上形势发展的要求，相关法律法规亟待完善。为此，需要借鉴日本的经验，建立健全相关行业发展的"基本法"，重视相关执法机构的明确和相关配套措施的出台，从而为消费性服务业的发展提供保障。

（四）加大人力资本投资

创新校企联合培养人才模式，建立高校、科研院所与企业创新创业人才的双向流动机制，使人才培养体系能够适应市场需求，鼓励应用型、技能型、复合型人才脱颖而出。

（五）促进大企业与中小企业的共同发展

进一步优化资源配置，支持消费性服务领域领军企业做大做强，有效提升竞争实力。同时，加强对中小服务企业在研发、市场开拓等方面的政策扶持，提高中小服务企业"专精特新"和产业集聚水平。

执笔人：续　继

参考文献

[1] 陈蕙．日本旅游业发展及特点研究．华东师范大学硕士论文，2009
[2] 陈丽芬．日本零售业制度演进对业态的影响及启示．中国流通经济，2014（10）
[3] 陈颖．日本5S管理法对海南旅游餐饮业服务质量管理工作的启示．旅游纵览月刊，2015（6）
[4] 甘旭峰，一诺．日本文化产业发展经验对我国文化产业振兴规划实施的启示．当代财经，2010（6）
[5] 顾竹影．日本医院人性化管理的启示．中国医院，2005（10）
[6] 刘华，刘林．日本培育养老产业应对老龄化．中国社会工作，2012（26）
[7] 刘平．日本促进服务业发展的政策特点及启示．上海经济，2011（8）
[8] 鲁敏，乜标．顾客让渡价值与零售业态的演进——以战后日本零售业为例．北京工商大学学报（社会科学版），2010（6）
[9] 孙章伟．日本扩大内需消费的制度安排研究．日本学刊，2012（2）
[10] 王玲．日本促进服务业创新发展的政策及措施．全球科技经济瞭望，2012（11）
[12] 晓航．餐饮垃圾处理学学日本．产权导刊，2010（9）
[13] 解柠羽，张扬，郭景福．生命周期视角下日本服务业发展的演化分析．现代日本经济，2014（4）
[14] 张建华．由日本养老产业发展得出的启示．青岛日报，2013年11月2日
[15] 张楠．日本现代服务业发展经验及对中国的启示．现代财经，2011（2）
[16] 张晓申．日本的医疗体系与养老事业．当代护士旬刊，2015（5）
[17] 赵畅．战后日本经济发展对住宿业的影响．合作经济与科技，2015（19）

专题报告九

加拿大服务消费的增长与消费性服务业创新发展的经验

服务业在加拿大经济中占有非常重要的地位，特别是消费性服务业的不断发展，促进了加拿大经济的持续增长和居民消费的调整升级。作为消费性服务业发展较为成熟的代表性国家，加拿大消费性服务业的创新实践和发展经验对我国具有较强的借鉴意义。

一、加拿大居民消费升级的基本情况

加拿大的居民消费升级，主要反映在消费支出总量的增长以及消费支出结构的优化。

（一）居民家庭消费支出持续增长

20 世纪 80 年代，加拿大的居民家庭最终消费支出呈现快速增长态势，最高的 1985 年增速达到 5.1%。90 年代初期，家庭最终消费支出增速出现一定的下降（1991 年为 -1.1%），但此后，家庭最终消费支出继续保持增长态势。20 世纪 90 年代中后期开始，家庭最终消费支出再次出现较高速度的增长，年均增速保持在2%～4%。受到国际金融危机的影响，2009年增速降至0.2%，但自2010年以后继续保持较快增长，总体增速保持在2%左右的水平。2015年，加拿大居民家庭最终消费支出达到10083.6亿加元，增速为2%（见图9－1）。

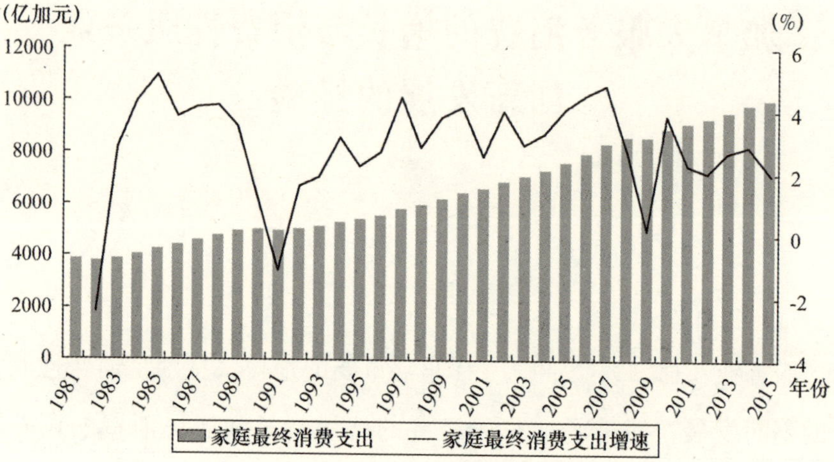

图9－1　1981～2015年加拿大居民家庭最终消费支出的增长

注：从公开渠道获得的居民消费支出分项数据仅能追溯到1981年。

资料来源：加拿大统计局。

（二）服务消费快速增长并超过商品消费

从居民家庭最终消费支出的结构看，加拿大的居民服务消费支出实现了快速增长，服务消费占整个消费支出的比重由1981年的44.9%上升至1990年的50.5%，超过了商品消费的比重。2015年，服务消费比重进一步提高到56.5%，比1981年和1990年分别上升了11.6和6个百分点（见图9－2）。

（三）商品消费和服务消费支出的结构不断优化

从1981年和2015年加拿大居民家庭消费支出项目占比的变化可以发现，居民的商品消费和服务消费支出的结构均不断优化。在商品

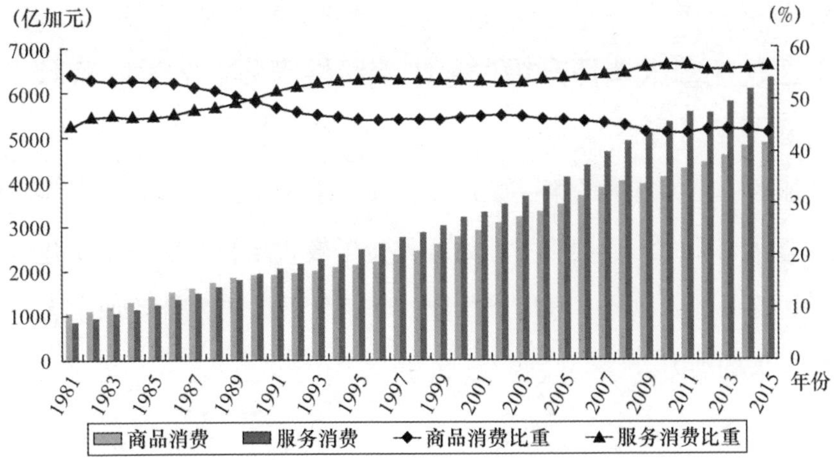

图 9－2　1981～2015 年加拿大居民商品消费、服务消费支出的增长

资料来源：加拿大统计局。

消费支出中，满足基本生存需求的食品消费占整个消费支出的比重有所下降，其中，食品及非酒精饮料支出比重由 1981 年的 12% 下降至 2015 年的 8%，酒精、饮料、烟草等支出比重由 1981 年的 9% 下降为 2015 年的 3%。从具体的服务消费支出项目来看，2015 年加拿大居民交通运输消费[①]占到整个消费支出的 3.5%，与 1981 年基本持平，而医疗保健消费占整个消费支出的比重达到 4.2%，文化和娱乐消费占整个消费支出的比重为 8.2%，分别比 1981 年上升了 1.8 和 0.3 个百分点。

综上所述，自 20 世纪 80 年代以来，加拿大的居民消费呈现出明显的服务消费比重持续提升、商品消费比重不断下降；发展享受型消费比重逐步增加、满足基本生活的保障性消费比重不断降低的消费升级特征。

① 这里的“交通运输消费”剔除了汽车及零部件、车用燃料方面的支出，仅包括车辆的保养和维修、停车、汽车租赁、城市交通和城市间公共汽车、出租车、航空运输、铁路运输和水运的服务支出。

二、加拿大消费升级过程中消费性服务业的发展现状

服务业是加拿大的第一大产业。在加拿大服务业发展中，与人们生活直接相关的消费性服务业始终保持了较快增长，特别是文化、旅游、医疗保健、教育、零售等行业的繁荣发展，成为带动加拿大经济持续发展的动力。

（一）文化娱乐产业繁荣发展

加拿大的文化产业包括信息和文化产业以及艺术、娱乐和消遣产业。2008～2013年，这两大产业均保持了持续增长的态势，其中，多数年份的信息和文化产业增长速度明显高于艺术、娱乐和消遣产业（见图9－3）。2013年，加拿大文化产业增加值为678亿加元，占到GDP的3.8%。从世界范围看，加拿大在艺术设计、电影以及音乐制作等方面位居前列，具有很高的影响力和竞争力，呈现出欣欣向荣的发展态势。过去十年，在加拿大取景拍摄的电影达1500部左右，温哥华也成为世界上仅次于好莱坞、纽约的第三大影视基地。据统计，2015年加拿大的电影、电视和视频后期制作行业总利润达到8.8亿加元，其中，国内销售利润为7.1亿加元，国外销售利润达1.7亿加元。

总体上看，加拿大文化娱乐产业的繁荣发展与居民消费的持续升级实现了相互促进。一方面，文化娱乐产业的繁荣发展为国内消费者提供了更加丰富的文化娱乐供给，直接激发了国内居民对于电信、电影、音乐等相关内容的需求，促进了服务消费的增长；另一方面，居民文化娱乐需求的不断增长，也为加拿大相关产业的发展提供了较为坚实的国内市场基础。

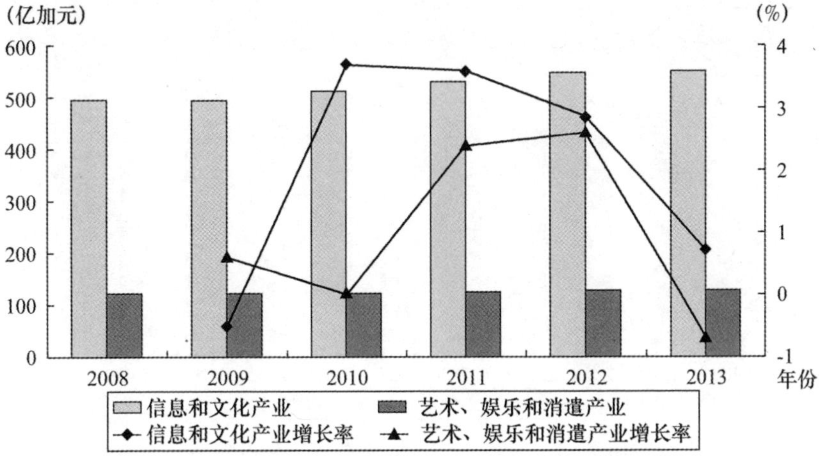

图9－3　2008～2013年加拿大文化产业的增长

资料来源：加拿大统计局。

（二）旅游业在波动中持续增长

在加拿大居民消费升级过程中，与旅游相关的消费支出始终保持着稳定增长，尽管其增速有所放缓，但居民在旅游方面的支出仍然占到家庭最终消费支出的6%左右，而与此相应的是加拿大高度发达的旅游业。近十年来，加拿大旅游业保持了较快增长，不同年份的增速虽有一定波动（2009年受国际金融危机的影响出现负增长），但均保持在2%以上。2016年，加拿大旅游业增加值达到387.5亿加元，占到GDP的2%左右，增速回升到5.1%，为2012年以来的最高水平（见图9－4）。从旅游需求看，加拿大旅游业主要是以本国居民国内游览为主，同时也包括大量来自美国、英国、法国、德国、中国、澳大利亚等国家的游客。

从加拿大旅游业内部行业看，与旅游业直接相关的运输业、住宿餐饮业、食品和饮料服务业等均保持了稳定增长（见图9－5）。其中，运输业、住宿业的增速相对较高，2016年分别为6.3%和6.5%。

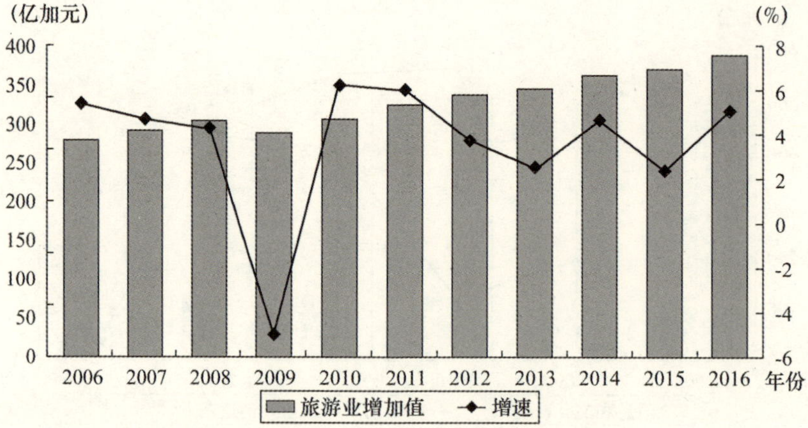

图 9－4 2006～2016 年加拿大旅游业的增长

资料来源：加拿大统计局。

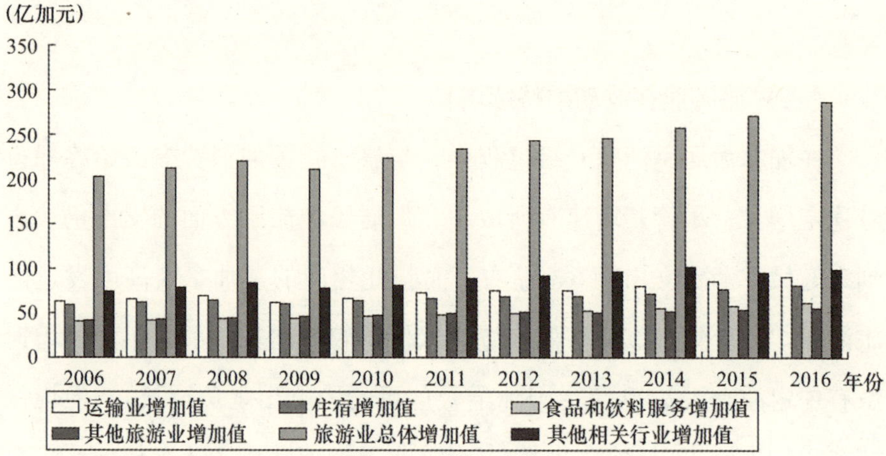

图 9－5 2006～2016 年加拿大旅游业内部行业的增长

资料来源：加拿大统计局。

（三）医疗保健行业较快发展

在加拿大居民家庭消费支出结构中，健康消费支出保持了持续上升的趋势，而与居民健康消费相关的医疗保健行业也成为加拿大消费性服务业中发展较快的行业。

目前，加拿大医疗保健行业的增加值占到 GDP 的 12% 左右，且总体呈现出稳定上升的趋势。2016 年，加拿大医疗保健行业增速为 2.5%；保健行业的增加值占 GDP 的比重为 6%，流动医疗服务、医院、护理和住宅护理设施行业的增加值分别占到 GDP 的 2.6%、2.5% 和 1%。从内部结构来看，保健行业的规模较大，且保持稳定增长；流动医疗服务、医院服务的总量相对较高，且增长速度较快（见图 9－6）。

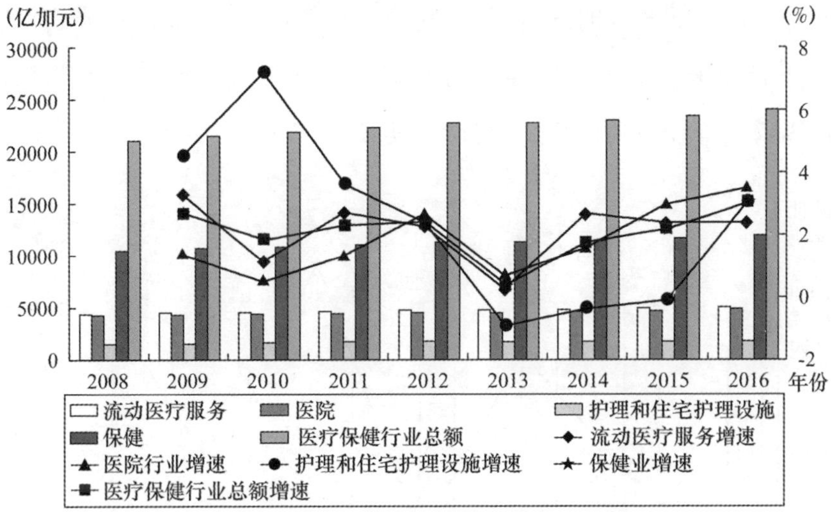

图 9－6　2008～2016 年加拿大医疗保健行业的增长

注：该数据采用的是分产业 GDP 月度数据的累计值，根据加拿大统计局网站的标注，行业加总数不总是等于分量的总和。

资料来源：加拿大统计局。

（四）教育行业持续发展

教育支出在加拿大居民家庭消费支出中的比重较小，但仍是加拿大居民消费的重要内容，并始终保持稳定上升的态势。

从产业发展情况看，加拿大教育行业的增加值保持了稳步增长的势头。目前，加拿大已形成了相对完善的教育体系，整体水平位于世界前列。加拿大的教育实行的是省负责制，每个省的立法机关单独制定有关教育的法律，目前，加拿大实行的是小学和中学 12 年的义务教育，高等教育的普及率达到45%。

（五）零售业转型创新中不断发展

近年来，加拿大零售业总体保持了较好的发展，不断创新的零售业适应了加拿大居民消费的新方式，满足了消费者不断升级的需求。

一方面，加拿大的网络零售快速增长。2015 年，无店铺零售增加值增长 15.3%，增幅比 2014 年提高近 10 个百分点，无店铺零售增加值占零售业增加值的比重约为 3%（见图 9－7）。

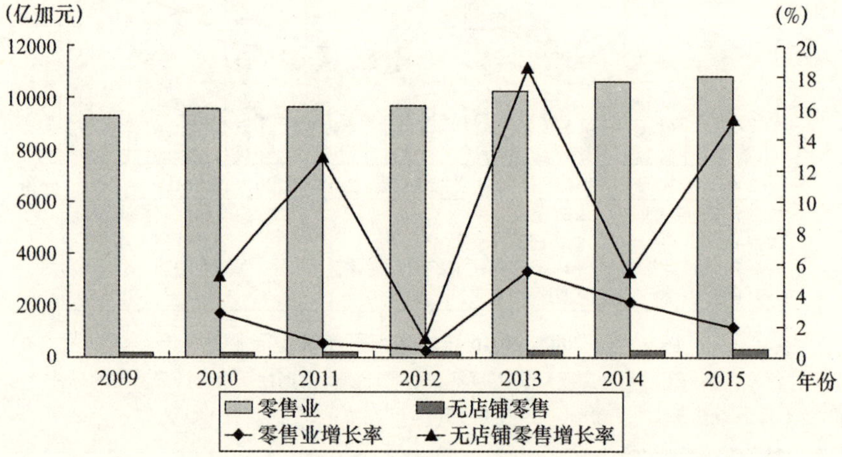

图 9－7　2009～2015 年加拿大零售业的增长

注：该数据采用的是分产业 GDP 月度数据的累计值。

资料来源：加拿大统计局。

另一方面，加拿大的实体零售店铺和大型商场也在不断进行转型和创新。例如，实体购物中心注重提升顾客购物体验，不断丰富商品与服务供给，为消费者的购物活动增添更多娱乐性和休闲性，从而更好地满足一站式的消费需求。同时，实体零售企业还积极投资电子商务，调整运营策略，促进渠道融合，基于实体门店引入数字化营销、数字化支付等内容，并为消费者提供到店提货等服务，满足消费者随时随地的购物需求。

【案例1】　北美的第一大购物中心：西贸（West Edmonton Mall）

西贸位于加拿大的阿尔伯塔省埃德蒙顿市，是北美地区最大的室内购物中心。西贸总建筑面积达到530万平方英尺，是集购物、游览、娱乐功能于一体的大型综合性商业中心。西贸内部拥有超过800间商铺和服务设施，100多个餐饮店，室内大型游乐场、冰球场、人工湖以及定期的海豚表演；此外，西贸还拥有水上乐园、剧院、小型赌场、酒店、电影院、超市以及各种专卖店。近年来，西贸非常重视实体店铺的数字化转型，实施了“购物中心导航计划”，加强全渠道信息的融合，以便为消费者提供更好的体验，满足消费者吃喝玩乐的全部需求。

资料来源：根据网上公开资料整理而成。

三、加拿大促进消费性服务业创新发展的主要措施

（一）积极开放市场，激发市场活力

为促进消费性服务业的创新发展，加拿大积极开放相关市场，引入各类投资主体参与市场竞争，从而形成了多元化的发展格局。同时，加拿大绝大多数消费性服务行业的开放程度高，在福布斯评选的“全球最适宜经商的国家”名单中，加拿大始终居于前十位，其中2011年排名第一，反映了加拿大良好的营商环境和市场活力。

以养老服务业为例，加拿大政府、企业和社会组织共同承担养老服务的社会责任，形成了多元化投入、多样化主体的市场格局。目前，

加拿大养老机构共有三类：政府主办的示范型养老机构、营利性的私立养老机构以及非营利性机构。这些养老机构在严格的制度规范和监管体系下参与市场竞争，根据市场需求提供多元化、多样化的服务，极大提升了市场活力，满足了市场中不同消费者差异化的养老需求，推动了加拿大养老服务业的发展。

（二）完善产业发展的法律法规

在加拿大消费性服务业发展的过程中，政府不断完善相关产业的配套法律和法规，对市场竞争实现积极有效的监管。加拿大主要的消费性服务行业基本上都有系统化的法律法规，从市场主体的准入资质到市场竞争活动以及政府部门的职责等都进行了系统的规定。例如，旅游业有旅游企业资质认证、旅游从业人员职业资格认证以及旅游公平竞争、旅游税收和费用征收、海关和边境检验等法律法规。

对于新兴消费服务行业，加拿大政府也不断推进相关制度的完善和更新，以规范和促进行业的健康成长。例如，在电子商务发展方面，加拿大联邦政府先后推出 7 项政策法规框架，包括：密码使用政策、保护消费者利益指导框架、保护隐私权法案、电子签名法律框架、政府部门实行商务网作业的政策框架、规范国内和国际电子商务的公共网络标准以及电子商务税收政策框架。

（三）促进基础设施建设和升级

在加拿大消费性服务业发展中，政府充分发挥引导和带动作用，通过有效投资不断完善基础设施，从而推动了相关行业的发展。以旅游业为例，加拿大旅游业的持续发展首先依赖于完善的旅游基础设施。加拿大政府不断加强国内交通基础设施建设，形成了发达的航空、高速公路以及市内公共交通网络；同时，完善相关配套设施建设，在高速公路等沿线设有众多休息区，提供加油站、卫生间、旅游纪念品店等服务。此外，加拿大还持续加强了通信和网络基础设施建设，除了落基山地区及北部地区，通信信号基本实现全覆盖；各类学校、图书馆以及社区中心也都基本实现了网络化。再有，政府还非常重视对旅游资源的保护和开发，通过设施建设保护野生动物，从而实现整体环境和旅游资源的持续发展。

【案例2】 加拿大发达的交通网络

加拿大的航空业非常发达，拥有上千座机场和起降点供通航飞机使用。截至2015年，加拿大民航飞机数量为36450架，排名世界第三。

同时，加拿大的公路网络也很发达。全国高速公路和普通公路总长140万公里，于1971年通车的横贯全国的高速公路总长7725公里，从太平洋东岸的维多利亚一直到大西洋西岸纽芬兰的圣约翰斯，是全世界最长的国家级高速公路；同时，加拿大各地区市内公交、地铁系统发达，贯穿主要景区及商业区，且很多旅游城市（如温哥华、卡尔加里、埃德蒙顿）的公交票制多样，凭票可在1个半小时内免费不限次转乘票价相同的公交车、架空列车和海上巴士。另外，公交车的设计也非常注重人性化。车头底板可以升降，当有老人、残疾人或坐轮椅和推手推车的人上车，司机就会开动开关将车头底板调低，方便进入。而在多伦多、温哥华等旅游城市都有旅游观光车，在城市主要观光点停车，游客可以随时上下车。

资料来源：根据网上公开资料整理而成，其中数据来自 Sergey Araslanov 的《Ga of Canada》，发表于《通用航空欧亚评论》，2016年第11期。

（四）制定有针对性的支持政策

加拿大文化艺术产业的持续发展得益于政府的大力支持。为推动电影、电视、音乐、艺术设计等行业发展，加拿大联邦政府以及各级地方政府都制定了有针对性的产业发展政策。

一方面，通过财政补贴、税收优惠、退税等方式，鼓励本土企业的发展以及国外企业的投资，充分发挥本国资源优势，发展相关产业以及上下游产业，相关政策和措施通过联邦、省、市三级政府合力推动。另一方面，加大对本国城市和文化的宣传力度，通过举办各种赛事、艺术节、电影节等活动，扩大了本国文化影响力，吸引了世界各地的消费者，从而带动了国内消费性服务业发展。

【案例3】　加拿大电影产业的发展

为扶持本国电影产业发展，近年来，加拿大国家电影局每年会拿出6500万加元资助本土电影拍摄。同时，政府每年还通过加拿大影视公司投资3000万加元用于支持各公司拍摄本国电影，投资1000万加元用于影片发行。2010年，共有111部加拿大本土英语电影和法语电影在影院上映。除此之外，加拿大政府还推出各种优惠措施，吸引国外的企业入驻和拍片。多伦多等城市遍布各种中小企业，主要为好莱坞提供诸如器材租赁、道具准备、后期特效等服务。

另外，由于政府出台了具有吸引力的优惠政策（补贴最高可达影片制作总成本的12%），从20世纪70年代开始，好莱坞电影就纷纷去往多伦多、温哥华等地取景。例如，《我，机器人》《X战警》《朱诺》和《暮色》系列后三部都是在温哥华拍摄的，《发胶》《圣诞故事》等电影则是在多伦多取景。蒙特利尔因保存很多法式风格的建筑物和文化习俗，也吸引了《恋恋笔记本》《返老还童》《糊涂侦探》《300 勇士》等很多富有浪漫气息和异国情调的电影在这里拍摄。

资料来源：根据网上公开资料整理而成。

四、经验和启示

加拿大促进消费性服务业创新发展的政策经验，对于当前我国消费性服务业的创新转型具有重要的借鉴价值。

（一）促进准入放宽和市场开放

消费性服务业的创新和发展需要有充满活力、充分竞争的市场环境。在消费性服务业发展的过程中，要坚持市场在资源配置中的决定性作用，以市场为导向，激发市场主体参与竞争的动力，进一步放宽市场准入、积极开放市场，吸引更多的投资主体参与到市场竞争中，发挥好各类市场主体以及社会组织的积极性，提供多样化、多层次的商品和服务。

（二）优化行业发展的法治环境

加拿大消费性服务业发展的良好法治环境主要体现在相关行业发展具有系统化的法律、法规和政策框架。这些政策、法规以及政策框架的实施，有利于营造公平、有序的市场发展环境，规避了市场中的恶性竞争以及经营混乱等问题，促进了行业发展整体质量水平的提升。

（三）提升政府的公共服务能力

在消费性服务业创新转型发展过程中，提升政府公共服务能力非常重要。要通过有效投资，加强相关产业的基础设施建设以及配套的公共服务设施升级，同时，改善政府在信息整合、宣传服务等方面的公共服务。

（四）充分发挥政府的宏观引导

通过财政优惠、补贴以及税收减免等措施，积极鼓励和支持与消费升级紧密联系的相关行业加快发展，引导民间资本和国外资本的进入和投资，增强消费性服务业的发展动力和活力。

执笔人：黄雨婷

参考文献

[1] 胡晓雁．加拿大养老保险发展现状及启示．金融与经济，2009（12）
[2] 蒋德恩．节事旅游在加拿大旅游业发展中的作用．北京第二外国语学院学报，2006（3）
[3] 李树晨，赵淑红，闫闪闪．加拿大旅游产业发展探析．物流工程与管理，2015（3）
[4] 吴洪彪．美国和加拿大养老服务业考察报告．中国民政，2010（7）
[5] 肖瑜．加拿大旅游业的经验与启示．中国旅游报，2012 年 10 月 15 日
[6] 中国驻加拿大使馆商务处．加拿大流通业发展情况，2012
[7] 周云平，周亚军．美国、加拿大养老服务业发展情况的考察与思考．中国民政，2016（8）
[8] 临云行私人飞机．浅述加拿大通用航空发展趋势及其特点，http：//www. lyunx. com/article - 25947 - 1. html，2016 - 12 - 16

附录一

培育发展国际消费中心的思路与建议①

国际消费中心是全球化时代国际大都市重要的核心功能，是全球消费资源的聚集地和引领消费创新的制高点，对各国消费者具有强大吸引力。我国培育发展国际消费中心正当其时，有利于促进消费升级和新动能培育，为深化供给侧结构性改革和培育全球竞争新优势提供有力支撑。

一、培育发展国际消费中心意义重大

首先，培育国际消费中心有利于形成引领新常态的新动能。随着全球消费市场的发展，纽约、巴黎等发达国家的国际大都市逐步成长为国际消费中心，成为全球领先的消费市场以及消费资源的配置中心和创新高地，为本国乃至全球消费扩张与升级注入了强劲动能。据统计，全球 140 个消费中心城市的人口仅为全球的 13%，而消费支出额、GDP 的占比高达 33% 和 36%。

---

① 参见国务院发展研究中心《调查研究报告择要》第 19 号（总第 2730 号），2017 年 2 月 28 日。该研究报告得到了国务院领导同志的批示。

其次，培育国际消费中心有利于形成深化供给侧结构性改革的新抓手。伴随科技革命向纵深推进，全球新技术、新产品、新服务大量涌现，推动国际消费中心成为展览展示、时尚发布和体验应用的中心，其所形成的全球消费导向，对全球高品质消费品制造业、消费性服务业的加快发展起到很大推动作用，成为许多国家以消费升级引领产业升级的重要途径。

最后，培育国际消费中心有利于形成打造竞争新优势的新载体。国际消费中心是全球著名消费品牌、知名企业总部高度集聚的城市，也是一国对外集中展示和输出本国特色品牌、消费文化的门户。它所吸引聚集的国内外高收入、高素质消费群体和高端创新人才，有利于完善国际大都市的城市功能，对提升一国的全球化参与度和话语权也具有积极作用。

二、培育发展国际消费中心亟待推进供给侧结构性改革

总体上看，我国已具备建设国际消费中心的基础和条件。特别是上海、北京等跻身全球消费城市50强，拥有一批国内外知名品牌高度集聚的标志性商圈。上海、深圳等已开展国际消费中心方面的实践探索，对我国消费发展的创新引领作用开始显现。但与巴黎、纽约等国际消费中心相比，我国大型城市消费发展水平还存在明显差距。

一是消费吸引力有待加强。与消费升级的需求相比，我国目前改善型商品和服务的有效供给不足，部分中高端和新兴服务消费大量流失。2015年，我国出境游人数达到1.3亿人次，境外消费额高达2150亿美元，人均境外消费超过6000美元，而同期我国入境游客消费额仅为500~3000美元。

二是基础设施存在短板。与主要商圈发展相配套的综合性交通枢纽、公共交通体系、宽带通信网络、卫生及安全应急设施、停车场所等相对薄弱且缺乏科学规划，难以与各类商业设施发展形成对接和互动，直接影响消费集聚与创新。另外，在国际化语言环境、诚信体系建设以及便捷高效的消费纠纷处置机制等方面也存在较多短板。

三是对外开放水平尚需提高。在商品消费方面，中高端消费品进口在通关、监管、税收方面有待改进，不仅造成部分消费大量外流，而且弱化国内市场竞争，不利于相关产业转型升级。在服务消费方面，健康医疗、教育文化、休闲娱乐等行业对外开放水平不高，市场准入和投资限制依然存在。在吸引境外消费方面，存在旅游签证等便利化水平不高，免签国家扩围速度较慢，不同城市相关部门间的出入境和边检信息难以充分共享，免税退税政策试点范围小、扩围缓慢等问题，难以吸引更多国际游客进入国内消费。

四是促进消费升级和创新面临体制机制障碍。相关法律法规和标准不健全。特别是与新产品、新服务、新模式有关的法律和标准存在空白，一些现行法律法规和标准无法适应发展要求等。消费领域监管改革滞后。部分服务行业依然面临审批过多、相关限制条件过严等问题。例如，要求医疗美容机构临床科室必须设置 4 个二级科目，资质标准明显高于韩国等医疗美容发达国家。有些行业管理部门仍然存在重审批、轻监管的问题，事中事后监管手段不足，部门之间监管缺乏协同，造成不少新的风险隐患和监管盲区。

三、培育发展国际消费中心的思路与政策建议

根据我国消费发展的新趋势和新要求，结合国际消费中心发展的

一般经验，我国培育发展国际消费中心应采取“增供给、补短板、优环境、推改革、建示范”的思路，着力推进供给侧结构性改革，加快体制机制创新探索。

（一）“增供给”

积极扩大中高端消费品进口。鼓励跨境电商等新业态发展，丰富国内消费市场供给。加快发展健康、美容、教育、培训、文化、体育、旅游等新兴服务行业，促进消费升级和产业调整。着力打造一批具有较强国内外影响力的新型商圈或现代商业街区。加快引入新业态、新品牌、新商业模式，营造多样化消费融合互动、共同发展的良好生态。

（二）“补短板”

完善城市商业发展与设施布局，加强高水平城市公共交通体系建设及相关市政、服务设施配套，提升城市信息化水平，特别是强化信息化在各类商业载体的应用和覆盖。另外，推动综合性交通枢纽建设和城际间高铁、轨道交通发展，进一步增强我国大型中心城市与周边城市、其他国际消费中心城市间的通达性。

（三）“优环境”

规范和完善市场秩序，加强商品质量、食品安全等监管，全面推进信用体系建设，保障国内外消费者的安全放心消费。加快改善国际化消费环境，提升大型城市重点服务行业从业人员的外语水平，规范公共场所的外语标识，建立多语种的服务呼叫中心，探索建立消费纠纷快速解决和紧急医疗救助等机制。

（四）“推改革”

一是进一步扩大健康养老、整容美容、文化创意、休闲娱乐等新兴消费领域的对内对外开放，探索国际通行的负面清单制度，简化资质条件和审批流程。二是完善中高端消费品进口通关、监管和税收政策，加快海南等地免税政策的复制推广，扩大国际游客退税试点范围并进一步简化退税程序。三是加强城市商圈改造和建设用地保障。积极探索利用城市更新、工业园区转型等土地资源，加快建设和发展新型商业载体。四是促进国际消费的便利化。积极扩围双边免签证国家，加快实现国内不同口岸和城市出入境信息共享；探索对游学、医疗、美容等特殊需求的游客提供入境签证便利化措施；提高邮轮出入境旅客便利化水平，为境外游客入境旅游消费提供条件。

（五）“建示范”

选择1～2个国际化程度高、消费规模进入全球前列、消费创新引领能力强、有较好实践探索基础的大型消费城市，开展培育发展国际消费中心的创新试点，重点围绕体制机制创新、发展载体建设、促进相关制造业和服务业升级等方面先行先试，为在更大范围推动消费新动能的形成探索有效路径。

执笔人：王　微　王　青　刘　涛

附录二

服务业创新发展大纲（2017~2025年）[①]

加快服务业创新发展、增强服务经济发展新动能，关系人民福祉增进，是更好满足人民日益增长需求、深入推进供给侧结构性改革的重要内容；关系经济转型升级，是振兴实体经济、支撑制造强国和农业现代化建设、实现一二三次产业在更高层次上协调发展的关键所在；关系国家长远发展，是全面提升综合国力、国际竞争力和可持续发展能力的重要途径。为深入打造中国服务新品牌、建设服务业强国，为我国服务业发展提供指引，现制定《服务业创新发展大纲（2017~2025年）》。

一、背景情况

（一）世界服务业发展趋势

20世纪70、80年代以来，全球经济结构呈现出服务业主导的发展趋势，发达国家都经历了向服务业为主的经济结构转型和变革。在

① 参见国家发展改革委：《服务业创新发展大纲（2017~2025年）》，发改规划〔2017〕1116号，2017年6月13日。课题组的王微、刘涛参与了前期研究和文件起草工作。

科技进步和经济全球化驱动下，服务业内涵更加丰富、分工更加细化、业态更加多样、模式不断创新，在产业升级中的作用更加突出，已经成为支撑发展的主要动能、价值创造的重要源泉和国际竞争的主战场。

新一轮科技革命引发服务业创新升级。新一代信息、人工智能等技术不断突破和广泛应用，加速服务内容、业态和商业模式创新，推动服务网络化、智慧化、平台化，知识密集型服务业比重快速提升。服务业转型升级正在推动新一轮产业变革和消费革命，使产业边界日渐模糊，融合发展态势更加明显，个性化、体验式、互动式等服务消费蓬勃兴起。

服务投资贸易全球化拓展服务业发展空间。服务全球化成为经济全球化进入新阶段的鲜明特征。服务业成为国际产业投资热点，制造业跨国布局带动生产性服务业全球化发展，跨国公司在全球范围内整合各类要素，资本、技术和自然人跨境流动更加便利，带动全球服务投资贸易快速增长。信息化大大提升服务可贸易性，数字服务贸易持续迅猛增长。

国际经贸规则重构推动全球服务分工格局深度调整。国际经贸新规则制定的焦点逐渐转向服务领域，多边和区域性投资贸易谈判正致力于推动服务贸易和跨境投资的自由化、便利化。服务投资贸易规则加快健全，将对全球服务业发展和国际分工格局产生深刻影响。

（二）我国服务业发展基础和条件

我国正处于实现“两个一百年”奋斗目标承上启下的历史阶段和从上中等收入国家向高收入国家迈进的关键时期，经济发展进入新常态，结构优化、动能转换、方式转变的要求更加迫切，需要以服务业整体提升为重点，构建现代产业新体系，增强服务经济发展新动能，实现经济保持中高速增长、迈向中高端水平。

服务业发展站在新的历史起点上。“十二五”以来，我国服务业发展连续迈上新台阶，2011 年成为吸纳就业最多的产业，2012 年增加值超过第二产业，2015 年增加值占国内生产总值（GDP）比重超过 50%。服务领域不断拓宽，服务品种日益丰富，新业态、新模式竞相涌现，有力支撑了经济发展、就业扩大和民生改善。

服务业发展仍面临诸多矛盾和问题。我国服务业发展整体水平不高，产业创新能力和竞争力不强，质量和效益偏低。服务供给未能适应需求变化，生产性服务业发展明显滞后，生活性服务业供给不足。服务业增加值比重仍低于世界平均水平，整体上处于国际分工中低端环节，服务贸易逆差规模持续扩大。更为关键的是，服务业发展还面临思想观念转变相对滞后，体制机制束缚较多，统一开放、公平竞争的市场环境尚不完善等障碍。

服务业进入全面跃升的重要阶段。全面深化改革、全方位对外开放和全面依法治国正释放服务业发展新动力和新活力。城乡居民收入持续增长和消费升级，为服务业发展提供了巨大需求潜力。新型工业化、信息化、城镇化、农业现代化协同推进，极大地拓展了服务业发展广度和深度。生态、养老等服务业新领域也不断涌现。

综合判断，我国服务业发展正处于重要机遇期，应当顺应发展潮流，尊重规律，立足国情，转变观念，重点在深化改革开放、营造良好发展环境上下功夫，激发全社会推动服务业创新发展的动力和活力，引领产业升级、改善民生福祉、增强发展动能，阔步迈向服务经济新时代。

二、总体要求

（一）指导思想

全面贯彻党的十八大和十八届三中、四中、五中、六中全会精神，深入贯彻习近平总书记系列重要讲话精神和治国理政新理念新思想新战略，认真落实党中央、国务院决策部署，统筹推进“五位一体”总体布局和协调推进“四个全面”战略布局，牢固树立和贯彻落实新发展理念，适应把握引领经济发展新常态，坚定不移深入推进供给侧结构性改革，以提高质量和核心竞争力为中心，努力构建优质高效、充满活力、竞争力强的现代服务产业新体系，推动中国服务与中国制造互促共进，加快形成服务经济发展新动能，推动经济转型升级和社会全面进步，确保如期全面建成小康社会，为实现第二个百年奋斗目标和中华民族伟大复兴的中国梦奠定坚实基础。

（二）基本原则

坚持以人为本、人才为基。坚持以人民为中心的发展思想，以增进人民福祉、促进人的全面发展为出发点和落脚点，扩大服务供给，更好满足多层次多样化需求。把人才作为核心资源，壮大人才队伍，提高职业素养，充分调动各类人才积极性和创造性，有力支撑服务业强国建设。

坚持市场主导、质量至上。以市场需求为导向，顺应消费升级趋势，提升服务品质，充分发挥市场在资源配置中的决定性作用和更好发挥政府作用，在公平竞争中提升服务业竞争力。树立质量第一的意识，健全服务质量治理和促进体系，打造以标准、质量、品牌为核心的竞争优势，全面提高服务业发展质量和效率。

坚持创新驱动、融合发展。把发展基点放在创新上，营造良好创新环境，深入推进大众创业、万众创新，促进新技术、新产业、新业态、新模式蓬勃发展，增强服务经济发展新动能。推进服务业与农业、制造业及服务业不同领域之间的深度融合，形成有利于提升中国制造核心竞争力的服务能力和服务模式，发挥“中国服务＋中国制造”组合效应。

坚持重点突破、特色发展。瞄准供需矛盾突出、带动力强的重点行业，集中力量破解关键领域和薄弱环节的发展难题，推动服务业转型升级。鼓励各地发挥比较优势、培育竞争优势，因地制宜发展各具特色的服务业，增强城市综合服务功能，引领区域产业升级和分工协作，提升区域经济整体实力。强化小城镇综合服务功能，更好服务农村和农业发展。

坚持深化改革、扩大开放。以改革推动服务业发展，打破制约服务业发展的体制机制障碍，顺应服务业发展规律创新经济治理，推动制度体系和发展环境系统性优化，最大限度激发市场活力。以开放促改革、促发展，稳步扩大服务领域开放，深度参与国际分工合作，在开放竞争中拓展空间、提升水平。

（三）主要目标

到2025年，服务业市场化、社会化、国际化水平明显提高，发展方式转变取得重大进展，支撑经济发展、民生改善、社会进步、竞争力提升的功能显著增强，人民满意度明显提高，由服务业大国向服务业强国迈进的基础更加坚实。

发展环境全面优化。服务业加快发展的基础性制度更加健全，基础设施体系更加完善，政府服务和监管水平全面提升，统一开放、公平竞争、创新激励的市场环境加快形成。

有效供给持续扩大。在优化结构、提高质量、提升效率基础上，实现服务业增加值“十年倍增”。服务业体系更加完备、产品更加丰富，供需协调性显著增强，服务业增加值占GDP比重提高到60%，就业人口占全社会就业人口比重提高到55%。

质量效益显著改善。服务质量明显提高，经济效益、社会效益、生态效益全面提升。服务可及性、便利性明显提高，标准化、品牌化建设取得重大突破，重点领域消费者满意度达到较高水平。

创新能力大幅提升。服务业研发投入和创新成果持续较快增长，科技进步对服务业发展的支撑作用明显增强。产业融合持续深化，新服务模式和业态蓬勃发展。服务业信息化水平大幅提高，数字服务、数字贸易快速发展。

国际竞争力明显增强。在国际分工体系中的地位不断提升，逐步形成若干具有全球影响力的服务经济中心城市，形成一批具有较强国际竞争力的跨国企业和知名品牌，培育一批细分市场领军企业，服务贸易竞争力明显提高，高附加值服务出口占比持续提升、国际收支状况明显改善。

三、创新引领，增强服务业发展动能

营造激励服务业创新发展的宽松环境，促进技术工艺、产业形态、商业模式创新应用，以信息技术和先进文化提升服务业发展水平。

（一）积极发展新技术新工艺

适应服务业创新发展需要，完善创新机制和模式，推动技术工艺创新与广泛深度应用。

提升技术创新能力。强化企业技术创新主体地位，引导建立研发机构、打造研发团队、加大研发投入。推动政产学研用合作和跨领域创新协作，鼓励社会资本参与应用型研发机构市场化改革。鼓励龙头企业牵头建立技术创新战略联盟，开展共性技术联合开发和推广应用。激发中小微服务企业创新活力，促进专精特新发展。充分发挥协会商会在推动行业技术进步中的作用。鼓励服务提供商和用户通过互动开发、联合开发、开源创新等方式，构建多方参与的技术创新网络。促进人工智能、生命科学、物联网、区块链等新技术研发及其在服务领域的转化应用。建立多层次、开放型技术交易市场和转化平台。

加强技能工艺创新。适应服务专业化、精细化、个性化发展要求，支持服务企业研发应用新工艺，提升设计水平，优化服务流程。鼓励挖掘、保护、发展传统技艺，利用新技术开发现代工艺、更好弘扬传统工艺。大力弘扬新时期工匠精神，保护一批传统工艺工匠，培养一批具有精湛技艺的高技能人才。

（二）鼓励发展新业态新模式

坚持包容创新、鼓励探索、积极培育的发展导向，促进各种形式的商业模式、产业形态创新应用。

鼓励平台经济发展。适应平台经济快速发展需要，加快完善有利于平台型企业发展的融资支持、复合型人才供给、兼并重组等政策，明确平台运营规则和权责边界，提升整合资源、对接供需、协同创新功能。支持平台型企业带动和整合上下游产业。

支持分享经济发展。建立健全适应分享经济发展的企业登记管理、灵活就业、质量安全、税收征管、社会保障、信用体系、风险控制等政策法规，妥善协调并保障各方合法权益。引导企业依托现有生产能力、基础设施、能源资源等发展分享经济，提供基于互联网的个性化、柔性化、分布式服务。

促进体验经济发展。鼓励企业挖掘生产、制造、流通各环节的体验价值，利用虚拟现实（VR）等新技术创新体验模式，发展线上线下新型体验服务。加强体验场所设施的质量和安全监管。

（三）大力推动服务业信息化

树立互联网、大数据思维，推动信息技术在服务领域深度应用，促进服务业数字化智能化发展。

推进服务业数字化。鼓励利用新一代信息技术改造提升服务业，创新要素配置方式，推动服务产品数字化、个性化、多样化。加强数据资源在服务领域的开发利用和云服务平台建设，推进政府信息、公共信息等数据资源开放共享，发展大数据交易市场。全面推进重点领域大数据高效采集、有效整合、安全利用和应用拓展。

促进服务业智能化。培育人工智能产业生态，促进人工智能在教育、环境保护、海洋、交通、商业、健康医疗、金融、网络安全、社会治理等重点领域推广应用，促进规模化发展。丰富移动智能终端、可穿戴设备等服务内容及形态。

（四）丰富服务业文化内涵

发挥文化元素和价值理念对服务业创新发展的特殊作用，增强服务业发展的文化软实力。

鼓励企业提升服务产品文化价值。鼓励采用更多文化元素进行服务产品设计与创新。提升研发设计、商务咨询等服务的文化创意含量，将传统文化、民俗风情和民族区域特色注入旅游休闲、文化娱乐、体育健身、健康养老等服务。鼓励用文化提升品牌价值，打造具有文化内涵的服务品牌。

提升中国服务文化影响力。发挥中华文化博大精深、兼容并蓄优势，吸收借鉴国外优秀文化成果，发展具有独特文化魅力和吸引力的服务产品及服务模式，提升中国服务国际竞争力。推动服务走出去与文化走出去有机结合，在服务业国际化发展中展示中华文化风采。

【专栏1】 服务业创新引领行动

（一）创新能力提升行动。实施高技术服务业、知识密集型服务业创新发展工程，提升信息、生物、检验检测等重点领域基础和核心技术创新能力，大力促进科技研发成果转化应用。

（二）新业态新模式发展行动。鼓励发展信息资讯、商品交易、物流运输等领域平台经济，交通出行、房屋住宿、专业技能、生活服务等领域分享经济，生产制造、休闲娱乐、旅游购物、医疗保健等领域体验经济，以及其他各类服务新形态。促进区块链技术应用和分布式服务模式发展。

（三）信息化提升行动。推进服务业与互联网、物联网协同发展、融合发展，培育协同制造、个性化定制、工业云、农业信息化等服务，发展基于互联网的教育、健康、养老、旅游、文化、物流等服务，积极依托物联网拓展服务领域、丰富服务内容。

（四）文化价值提升行动。鼓励开发富有文化内涵的服务，打造富有诚信和社会责任感的企业，倡导做爱岗敬业、富有爱心和人文关怀的从业人员，建设富有文化价值的品牌。

四、转型升级，优化服务供给结构

聚焦服务业重点领域和发展短板，促进生产服务、流通服务等生产性服务业向专业化和价值链高端延伸，社会服务、居民服务等生活性服务业向精细和高品质转变。

（一）推动生产服务加快发展

以产业升级需求为导向，推动生产服务专业化、高端化发展，发展壮大高技术服务业，提升产业体系整体素质和竞争力。

信息服务。加快培育基于移动互联网、大数据、云计算、物联网等新技术的信息服务。发展网络信息服务，大力发展云计算综合服务，完善大数据资源配置和产业链，支持有条件的企业建设跨行业物联网运营和支撑平台。积极发展信息技术咨询、设计和运维服务。鼓励发展高端软件和信息安全产业。

科创服务。构建覆盖科技创新全链条、产品生产全周期的创业创新服务体系。大力发展研究开发、工业设计、技术转移转化、创业孵化、科技咨询等服务。鼓励发展多种形式的创业创新支撑和服务平台，围绕创新链拓展服务链，促进科创服务专业精细和规模集成发展。大力发展知识产权服务，完善知识产权交易和中介服务体系，建设专利运营与产业化服务平台。加快培育标准化服务业。

金融服务。发展高效安全、绿色普惠、开放创新的现代金融服务业，提高金融服务实体经济效能。完善商业性、开发性、政策性和合作金融服务体系，推进金融市场宽化、深化、国际化，促进股权、债券等市场健康发展，提高市场效率。稳步扩大金融业对内对外开放，放宽金融机构准入限制，稳妥推进金融业综合经营，培育具有国际竞争力的金融控股公司。大力发展普惠金融，鼓励发展科技金融、绿色金融，规范发展互联网金融。大力发展保险业。积极发展融资租赁。推动金融机构数字化转型，探索区块链等金融新技术研究应用。积极稳妥推进金融产品和服务模式创新，有效防范和化解金融风险。

商务服务。积极发展工程设计、咨询评估、法律、会计审计、信用中介、检验检测认证等服务，提高专业化水平。支持专业人才队伍建设，减少和规范职业资格许可及认定，健全职业水平评价制度。鼓励各类社会资本以独资、合资、参股联营等多种形式提供商务服务，加快培育有竞争力的服务机构。鼓励发展综合与专业相互协调支撑的各类高端智库。

人力资源服务。鼓励发展招聘、人力资源服务外包和管理咨询、高级人才寻访等业态，规范发展人力资源事务代理、人才测评和技能鉴定、人力资源培训、劳务派遣等服务。发展专业化、国际化人力资源服务机构。

节能环保服务。加快发展节能环保技术、咨询、评估、计量、检测和运营管理等服务。鼓励创新服务模式，提供节能咨询、诊断、设计、融资、改造、托管等“一站式”合同能源管理综合服务。支持发展生态修复、环境风险与损害评价等服务。推动在城镇污水垃圾处理、工业园区污染集中处理等重点领域开展环境污染第三方治理，推广产业园区、小城镇环境综合治理托管。加快发展碳资产管理、碳咨询、碳排放权交易等服务。

（二）促进流通服务转型发展

以提高效率、降低流通成本为目标，积极推动流通服务创新转型，优化城乡网络布局，提升流通服务水平，增强基础支撑能力。

现代物流。大力发展社会化、专业化物流，提升物流信息化、标准化、网络化、智慧化水平，建设高效便捷、通达顺畅、绿色安全的现代物流服务体系。提高供应链管理水平，推动物流、制造、商贸等联动发展。大力发展单元化物流和多式联运。加快发展冷链物流、城乡配送和港航服务。加快推进物流基础设施建设，强化重点物流节点城市综合枢纽功能。推进交通与物流融合发展。支持物流衍生服务发展。完善国际物流大通道和境外仓布局，发展国际物流。

现代商贸。促进线上线下融合互动、平等竞争，构建差异化、特色化、便利化的现代商贸服务体系，支持商品交易市场转型升级。开展零售业提质增效行动，推进传统商贸和实体商业转变经营模式、创新组织形式、增强体验式服务能力。支持连锁经营向多行业、多业态和农村延伸。促进电子商务规范发展，积极发展农村电商。鼓励社区商业业态创新，拓展便民增值服务。引导流通企业加强供应链创新与应用。大力发展绿色流通和消费。

（三）扩大社会服务有效供给

充分发挥社会服务对提升人的生存质量和发展能力的重要作用，在政府保基本、兜底线的基础上，充分发挥市场主体作用，增加服务有效供给，更好满足多层次、多样化需求。社会服务增加值占GDP比重大幅提高。

教育培训服务。鼓励社会力量兴办各类教育，积极发展丰富多样的教育培训服务。支持和规范民办教育培训机构发展。鼓励发展继续教育、职业教育、老年教育、社区教育、校外教育，创新发展技能培训、兴趣培训。鼓励开发数字教育资源，发展开放式教育培训云服务。

鼓励教育服务外包，引导社会力量提供实训实习等专业化服务。打造“留学中国”品牌，稳步扩大来华留学规模。扩大教育培训领域对外开放，支持引进优质教育资源，开展合作办学。

健康服务。深化医药卫生体制改革，完善准入制度，强化服务质量监管，建立覆盖全生命周期、满足多元化需求的全民健康服务体系。有序推进公立医疗机构改革，大力发展社会办医，支持社会力量提供多层次多样化医疗服务。鼓励发展专业性医院管理集团。鼓励发展医学检验等第三方医疗服务，推动检验检查结果互认。推动精准医疗等新兴服务发展。推进医疗服务下基层，推广家庭医生签约服务。支持中医药养生保健、医疗康复、健康管理、心理咨询等服务发展。积极支持康复医院、护理院发展，推动医养结合。鼓励创新型新药研发。积极发展智慧医疗，鼓励医疗机构提升信息化水平，支持健康医疗大数据资源开发应用。鼓励发展第三方医疗服务评价。丰富商业健康保险产品，大力发展医疗责任险、医疗意外险等执业保险。

体育服务。倡导全民健身，鼓励兴办多种形式的健身俱乐部和健身组织，加快发展健身休闲产业。繁荣发展足球、篮球、排球、冰雪、水上、山地户外等运动，推动体育竞赛表演业发展，推进职业联赛市场化改革，鼓励发展国际品牌赛事，丰富业余体育赛事，创新项目推广普及方式。促进体育旅游、体育传媒、体育会展、体育经纪等发展。

养老服务。全面放开养老服务市场，丰富养老服务和产品供给，加快发展居家和社区养老服务，建立以企业和机构为主体、社区为纽带的养老服务网络。支持社会力量举办养老服务机构，重点支持兴办面向失能半失能、失智、高龄老年人的医养结合型养老机构，鼓励规范化、专业化、连锁化经营。推动养老服务向精神慰藉、康复护理、紧急救援、临终关怀等领域延伸。鼓励发展智慧养老。探索建立长期护理保险制度，加强与福利性护理补贴项目的整合衔接，发展商业长期护理保险等金融产品。

文化服务。加快构建结构合理、门类齐全、科技含量高、富有创意、竞争力强的现代文化产业体系。推动三网融合和媒体融合，整合广电网络、出版发行资源，鼓励文化企业联合重组，打造大型文化服务集团。加快发展数字出版、网络视听、移动多媒体、动漫游戏、网络音乐、网络文学、创意设计、绿色印刷等新兴产业，推动影视制作、工艺美术、文化会展、出版发行印刷等转型升级，鼓励演出、娱乐、艺术品市场等线上线下融合发展。鼓励实体书店建设成为复合式文化场所。提升文化原创能力和研发能力，促进文化内容和形式创新。

（四）提高居民服务质量

顺应生活方式转变和消费升级趋势，引导居民服务规范发展，改善服务体验，全面提升服务品质和消费满意度。

家政服务。加快建立供给充分、服务便捷、管理规范、惠及城乡的家政服务体系。引导社会资本投资家政服务，鼓励有条件的企业品牌化、连锁化发展，支持中小家政服务企业专业化、特色化发展。加强服务规范化和职业化建设，加大对家政服务人员培训的支持力度，制定推广雇主和家政服务人员行为规范，促进权益保护机制创新和行业诚信体系建设。

旅游休闲。开展旅游休闲提质升级行动，推动旅游资源开发集约化、产品多样化、服务优质化。推广全域旅游，积极发展都市休闲旅游和乡村旅游，打造国家精品旅游带，建设国家旅游风景道，促进精品、特色旅游线路开发建设。大力发展红色旅游，优化提升生态旅游、文化旅游，加快发展工业旅游、健康医疗旅游、冰雪旅游、研学旅行等。发展自驾车旅游、邮轮游艇旅游。支持旅游衍生品开发。加强旅游资源保护性开发，推进旅游景区建设和管理绿色化。规范旅游市场秩序，提高从业人员专业素质和游客文明素养。加强旅游休闲安全应急、紧急救援、保险支撑能力，保障旅游安全。深化国际旅游合作，推进旅游签证便利化。

房地产服务。优化住房供需结构，强化住房居住属性，构建以政府为主提供基本保障、以市场为主满足多层次需求的住房供应体系。积极发展住房租赁市场，规范发展二手房市场。促进房地产评估和经纪、土地评估和登记代理机构专业化发展，规范中介服务市场秩序。鼓励有条件的房地产企业向综合服务商转型。积极推进社区适老化改造。提升物业服务水平。

五、促进融合，构建产业协同发展体系

鼓励产业融合发展，打造一批以服务为主体的一二三产业融合型龙头企业，强化服务业对现代农业和先进制造业的全产业链支撑作用，形成交叉渗透、交互作用、跨界融合的产业生态系统。

（一）促进服务业与农业融合

加快发展农村服务业，构建全程覆盖、区域集成的新型农业社会化服务体系，增强服务业对转变农业发展方式、发展现代农业的支撑引领能力。

培育多元化融合发展主体。引导新型农业生产经营主体向生产经营服务一体化转型，壮大农村一二三产业融合发展主体。鼓励农民专业合作社、农业产业化龙头企业、工商资本、其他社会化服务组织投资发展农业服务。支持有条件的农业生产、加工、流通企业发展面向大宗农产品及区域特色农业的专业化服务。支持农机合作社发展壮大为全程机械化综合农事服务主体，促进供销社等服务主体向农业综合服务商转型。支持农商联盟发展，鼓励银行、保险、科研、邮政等机构与农村各类服务主体深度合作。

加快发展融合新业态。实施创意农业发展行动，鼓励发展生产、生活、生态有机结合的功能复合型农业。支持农业生产托管、农业产业化联合体、农业创客空间、休闲农业和乡村旅游等融合模式创新。鼓励平台型企业与农产品优势特色产区合作，形成线上线下有机结合的农产品流通模式，畅通农产品进城和农资下乡渠道。建设全国农产品商务信息服务公共平台。鼓励利用信息技术，优化农业生产和经营决策、农技培训、农产品供需对接等服务。积极探索农产品个性化定制服务、会展农业等新业态。

（二）推进服务业与制造业融合

充分发挥制造业对服务业发展的基础作用，有序推动双向融合，促进有条件的制造企业由生产型向生产服务型转变、服务企业向制造环节延伸。

发展服务型制造。促进制造企业向创意孵化、研发设计、售后服务等产业链两端延伸，建立产品、服务协同盈利新模式。鼓励有条件的制造企业向设计咨询、设备制造及采购、施工安装、维护管理等一体化服务总集成总承包商转变。支持领军制造企业“裂变”专业优势，面向全行业提供市场调研、研发设计、工程总包和系统控制等服务。鼓励制造企业优化供应链管理，推动网络化协同制造，积极发展服务外包。推进信息化与工业化深度融合，加快发展智能化服务，提高制造智能化水平。

推动服务向制造拓展。以产需互动为导向，推动以服务为主导的反向制造。鼓励服务企业开展批量定制服务，推动生产制造环节组织调整和柔性化改造。支持服务企业利用信息、营销渠道、创意等优势，向制造环节拓展业务范围，实现服务产品化发展。发展产品全生命周期管理、网络精准营销和在线支持新型云制造服务，实现创新资源、生产能力和市场需求的智能匹配和高效协同。

搭建服务制造融合平台。支持有条件的地区打造电子商务集聚区，系统构建信息、营销、售后等个性化服务体系，柔性制造、智慧工厂等智能化生产体系，电子商务、金融、物流等社会化协同体系。依托新型工业化产业示范基地等制造业集聚区，聚焦共性生产服务需求，加快建设生产服务支撑平台。支持高质量的工业云计算和大数据中心建设。

（三）鼓励服务业内部相互融合

推动服务业内部细分行业生产要素优化配置和服务系统集成，创新服务供给，拓展增值空间。

支持服务业多业态融合发展。支持服务企业拓展经营领域，加快业态和模式创新，构建产业生态圈。顺应消费升级和产业升级趋势，促进设计、物流、旅游、养老等服务业跨界融合发展。

培育服务业融合发展新载体。发挥平台型、枢纽型服务企业的引领作用，带动创新创业和小微企业发展，共建“平台＋模块”产业集群。培育系统解决方案提供商，推动优势企业跨地区、跨行业、跨所有制整合经营，发展一批具有综合服务功能的大型企业集团或产业联盟。

六、提升质量，推动服务业优质高效发展

实施质量强国战略，创新服务质量治理，着力提升重点领域服务质量，积极推进服务标准化、规范化和品牌化。

（一）健全服务质量治理体系

构建责任清晰、多元参与、依法监管的服务质量治理和促进体系，加快形成以质取胜、优胜劣汰、激励相容的良性发展机制。

强化企业主体责任。完善激励约束机制，引导企业加强全程质量控制，建立服务质量自我评估与公开承诺制度，主动发布服务质量标准、质量状况报告。推行质量责任首负承诺，完善全过程质量责任追溯、传导和监督机制。鼓励推广服务质量保险，建立质量保证金制度。

提升政府监管和执法水平。加大服务质量随机抽查力度。完善质量安全举报核查与协同处理制度，健全质量监督检查结果公开、质量安全事故强制报告、质量信用记录、严重失信服务主体强制退出等制度。健全服务质量风险监测机制。

充分发挥社会监督作用。畅通消费者质量投诉举报渠道，推广服务质量社会监督员制度，鼓励第三方服务质量调查。支持行业协会商会加强质量自律，发布行业服务质量和安全报告。加快推进检验检测认证等质量服务市场化发展。

（二）提高服务标准化水平

开展服务标准化提升行动，加快形成政府引导、市场驱动、社会参与、协同推进的标准化建设格局。

健全服务标准体系。建立政府主导制定的标准与市场自主制定的标准协同发展、协调配套的新型标准体系。将政府主导制定的强制性国家标准限定在保障人身健康和生命财产安全、公共安全、生态环境安全及满足经济社会管理基本要求范围之内。支持社会组织制定团体标准，鼓励企业自主制定企业标准。

推行更高服务标准。加强标准制修订工作，推动国际国内标准接轨，提高服务领域标准化水平。鼓励企业制定高于国家标准或行业标准的企业标准，积极创建国际一流标准。研究建立企业标准领跑者制度，推动企业服务标准自我声明公开和监督制度全面实施，鼓励标准制定专业机构对企业公开的标准开展比对和评价。整合优化全国标准信息网络平台。

（三）打造中国服务知名品牌

开展品牌价值提升行动，发展一批能够展示中国服务形象的品牌，发挥品牌对服务业转型升级引领作用。

鼓励企业加强品牌建设。引导企业增强品牌意识，健全品牌管理体系，提升品牌认可度和品牌价值，打造世界知名品牌。发挥行业协会商会在品牌培育和保护方面的作用。鼓励品牌培育和运营专业服务机构发展。

营造良好品牌发展环境。完善品牌、商标法律法规，完善维权与争端解决机制。加大品牌、商标保护执法力度，依法打击侵权行为。提升商标注册便利化水平，健全集体商标、证明商标注册管理制度。

加强品牌宣传和展示，营造重视品牌、保护品牌的社会氛围。

【专栏2】　服务质量、标准、品牌建设行动

（一）服务质量满意度提升行动。建立健全符合行业特点的服务质量测评体系，在现代物流、银行保险、商贸流通、旅游住宿、医疗卫生、邮政通信、社区服务等重点行业建立顾客满意度评价制度。

（二）服务质量标杆引领行动。鼓励社会组织分行业遴选和公布一批质量领先、管理严格、公众满意的服务标杆，总结推广先进质量管理经验。鼓励企业瞄准行业标杆开展质量比对，实施质量改进与赶超措施。

（三）服务质量监测能力提升行动。广泛动员社会各界力量，协同建设集监测、采信、分析、发布于一体的质量信息服务体系，搭建服务质量信息共享与社会监督平台。支持金融、交通运输、电子商务、旅游、健康等重点行业质量监测能力建设，鼓励建立行业质量和安全数据库。

（四）服务标准化提升行动。创新标准研制方式，完善科技、金融、物流、知识产权等生产性服务领域标准，制修订家政、养老、健康、教育、文化、旅游等生活性服务领域标准，加快新兴服务领域标准研制。建立健全服务认证制度体系。

（五）品牌价值提升行动。在金融、物流、商务服务等重点领域和电子商务、云计算、大数据、物联网等新兴领域，创建一批高价值服务品牌。鼓励中小服务企业品牌孵化器建设。支持具有文化、民族、地域特色的服务品牌建设，创建区域性知名品牌。

七、彰显特色，优化服务业空间布局

充分发挥各地比较优势，调整服务业功能分工和空间布局，构建特色鲜明、优势互补、体系健全的服务业发展新格局。

（一）优化服务业发展格局

围绕国家区域发展总体战略和“一带一路”建设、京津冀协同发展、长江经济带发展战略实施，对接新型城镇化发展，统筹规划、协调推进，促进服务业开放、集聚和协同发展。

优化服务业区域布局。充分发挥“四大板块”比较优势，推动东部地区服务业率先向价值链高端攀升、提升辐射带动能力和国际化水平；支持东北地区依托制造业和现代农业基础加快发展生产性服务业；鼓励中部地区发挥区位和产业优势，扩大服务业规模、提升服务水平；支持西部地区加快弥补服务业短板，发展特色优势产业。鼓励跨区域服务业合作，促进服务业梯度转移和有序承接。依托“一带一路”核心区和节点城市，扩大服务开放合作力度。全方位拓展京津冀地区服务业合作广度和深度，推进三地服务和要素市场一体化，促进服务业合理分工和错位发展，整体提高服务业发展层次和品质。着力扩大长江经济带中心城市辐射带动能力，增强节点城市物流与贸易功能，建设东中西互动的服务业合作联动发展带。优化提升珠三角服务业发展水平，强化与港澳地区的开放合作，推动泛珠三角区域服务业合作。结合脱贫攻坚，以生活服务和特色产业为重点，支持革命老区、民族地区、边疆地区、贫困地区及资源枯竭、产业衰退、生态严重退化等困难地区服务业加快发展。

构建城市群服务业网络。优化服务业空间组织模式，促进城市群服务业联动发展和协同创新。强化中心城市综合服务功能，优化战略性服务设施布局，发挥网络化效应，支持各具特色的服务业集聚区建设。鼓励构建跨区域信息交流与合作协调机制。

大力发展海洋服务。坚持陆海统筹，发展功能完善、业态多元、布局合理的海洋服务。发展现代航运服务和海洋物流，积极发展海洋旅游和文化产业，加快发展海洋工程咨询、新能源、生物研发、信息等服务。积极发展涉海金融、商务、商贸、会展等配套服务。推动基础较好的地区建设特色海洋服务集群。

（二）加快建设多层次服务经济中心

充分发挥中心城市资源要素密集、规模经济显著、专业分工细化和市场需求集中的优势，完善服务功能，打造不同层级的服务经济中心，增强辐射带动能力，促进服务业发展与新型工业化、城镇化良性互动。

建设具有全球影响力的现代服务经济中心。增强北京、上海和广州—深圳国际服务枢纽和文化交流门户功能，促进高端服务业和高附加值服务环节集聚，提高在全球创新链、价值链、产业链、供应链中的地位和控制力。

加快国家级服务经济中心建设。鼓励各地区依托服务业发展基础较好的超大城市和部分特大城市，加快形成以服务业为主体的产业结构，打造一批具有较强辐射功能的国家级服务经济中心。加快提升服务业层次和水平，搭建服务全国的特色化、专业化服务平台。鼓励跨国公司和企业集团设立区域性、功能型总部，支持有条件的城市提升全球影响力。

提升区域服务经济中心辐射带动能力。依托大城市建设区域服务经济中心，增强服务业集聚效应和辐射能力，更好服务区域发展。推动生产性服务业加快发展，提升对区域产业升级的支撑能力。增强健康养老、教育培训、文化创意等服务功能，提升城市宜居度和吸引力。

增强中小城市和小城镇服务功能。充分发挥中小城市和小城镇集聚产业、服务周边、带动农村的重要作用。促进中小城市与区域中心城市产业对接，利用中心城市服务资源改造提升传统产业，打造区域物流枢纽和制造业配套协作服务中心，主动承接中心城市旅游、休闲、健康、养老等服务需求。支持具有独特资源、区位优势和民族特色的小城镇建设休闲旅游、商贸物流、科技教育、民俗文化等特色镇。

（三）加强服务平台载体建设

积极搭建各类服务平台载体，集聚资源要素、强化组合优势、深化分工合作、探索开放创新，为服务业发展提供有效支撑。

建设专业化服务经济平台。结合科研基地布局优化，在科研资源密集地区，大力发展创新设计、研发服务，建设科创服务中心。依托重大信息基础设施建设，增强信息服务功能，建设信息服务中心。选择有条件的区域中心城市，发展多层次资本市场，规范发展区域性股权市场，建设金融服务中心。依托产业集聚规模大、专业人才集中的地区，加快发展咨询评估、财务管理、检验检测等服务，建设商务服务中心。

挖掘老城区服务业发展潜力。结合城市更新和棚户区改造，加快老城区服务业升级。科学规划土地二次开发，加强文化传承与保育，完善配套政策，支持存量房产和土地发展现代服务业，实现老城区转型发展。

促进开发区、新城新区服务业加快发展。坚持产城融合、特色发展的方向，加快完善服务功能，推动开发区、新城新区从单一功能向混合功能转型。促进商务商业、金融保险、创意设计等服务发展，增强健康医疗、教育培训、商贸物流、文体休闲等服务功能。支持开发区生产性服务业与先进制造业融合发展。

统筹推进服务业试点示范。以解决重点难点问题为导向，以推进体制机制和政策创新为重点，统筹推进各类服务业改革试点示范。继续开展服务业综合改革试点，规范有序推进自由贸易试验区、服务业扩大开放综合试点等建设。加快制度创新成果复制推广。

鼓励打造交通枢纽型经济区。依托大型机场、沿海港口、沿边口岸、高铁车站等交通枢纽设施，加强集疏运衔接配套，完善口岸等服务功能，促进高铁经济和临空、临港经济发展。依托综合交通枢纽城市，建设物流服务中心和多式联运中心。

八、深化改革，创建服务业发展良好环境

加大重点领域关键环节市场化改革力度，深入推进简政放权、放管结合、优化服务改革，最大程度释放市场主体活力和创造力。

（一）实现公平开放的市场准入

完善市场准入制度，全面实施公平竞争审查制度，清理废除妨碍统一市场和公平竞争的各种规定和做法，促进服务和要素自由流动、平等交换。

实施市场准入负面清单制度。以市场准入负面清单为核心，建立服务领域平等规范、公开透明的准入标准，并适时动态调整。放宽民

间资本市场准入领域，扩大服务领域开放度，推进非基本公共服务市场化产业化、基本公共服务供给模式多元化。

破除各类显性隐性准入障碍。减少审批事项，优化审批流程，规范审批行为。清理规范各类前置审批和事中事后管理事项，明确确需保留事项的审批主体、要件、程序和时限，并向社会公开。继续推进商事制度改革。整合公共服务机构设置、执业许可等审批环节，鼓励有条件的地方为申办公共服务机构提供一站式服务。

打破市场分割和地方保护。推进统一开放、竞争有序的服务市场体系建设，打破地域分割、行业垄断和市场壁垒，营造权利平等、机会平等、规则平等的发展环境。除特殊规定外，禁止设置限制服务企业跨地区发展、服务跨地区供给的规定，纠正各种形式限制、歧视和排斥竞争的行为。加大服务业反垄断力度。

（二）发展充满活力的市场主体

依法保障各类市场主体公平竞争，深化国有企业改革，推动事业单位改革取得突破性进展，形成各类市场主体竞相发展的生动局面。

确立法人主体平等地位。依法规范市场主体行为，确保不同主体之间法律地位一律平等。实行营利和非营利分类管理，明确不同性质主体的权责。完善分类登记管理制度，规范社会服务类机构登记，明确机构性质变更实施细则。建立健全市场退出机制。

分类推进国有服务企业改革发展。对主业处于充分竞争行业和领域的国有服务企业，实行股份制公司制改革，积极引入其他国有资本或非国有资本实现股权多元化。对主业处于关系国家安全、国民经济命脉重要领域的国有服务企业，保持国有资本控股地位，支持非国有资本参股。对电信、铁路等服务行业，根据不同行业特点实行网运分开、放开竞争性业务，促进公共资源配置市场化。推进承担公共服务和准公共服务职能的国有企业改革，具备条件的可以推行投资主体多元化。完善现代企业制度。鼓励各类社会资本参与国有服务企业改革，鼓励发展非公有资本控股的混合所有制企业。进一步破除各种形式的行政垄断。

深化事业单位改革。按照政事分开、事企分开和管办分离的要求，加快推进教育、科技、文化、卫生等事业单位分类改革，将从事生产经营活动的事业单位及能够分离的生产经营部门逐步转为企业，参与服务业市场公平竞争。加快建立现代法人治理结构，推动产权管理与业务管理分开，健全内部决策、执行与监督机制，依法独立开展经营活动。改革完善人事制度，改革事业单位编制管理办法，建立与不同性质组织运作相适应的人力资源管理制度。鼓励公办医疗、养老等机构与从业人员实行弹性灵活、权责明确的聘用制度。逐步取消公立医院行政级别，改革医师执业注册办法，促进医师有序流动和多点执业。完善民办机构参与服务业公办机构改制细则，鼓励从事生产经营活动的事业单位直接改制为混合所有制企业。

（三）健全现代高效的监管体系

顺应服务业发展新趋势，更新理念、创新方式、完善机制，加快构建统一高效、开放包容、多元共治的监管体系。

创新监管理念和方式。树立依法依规、独立专业、程序透明、结果公开的现代监管理念，推动监管方式由按行业归属监管向功能性监管转变、由具体事项的细则式监管向事先设置安全阀及红线的触发式监管转变、由分散多头监管向综合协同监管转变、由行政主导监管向依法多元监管转变。按照服务类别制定统一的监管规则、标准和程序，并向社会公开。积极运用信息技术提高监管效率、覆盖面和风险防控能力。

实行统一综合协同监管。促进监管机构和职能整合，推进综合执法。建立健全跨部门、跨区域执法联动响应和协作机制，加强信息共享和联合执法，实现违法线索互查、处理结果互认，避免交叉执法、多头执法、重复检查。推进监管能力专业化，打造专业务实高效的监管执法队伍。建立健全社会化监督机制，充分发挥公众和媒体监督作用，完善投诉举报管理制度。鼓励社会组织发挥自律互律他律作用，完善商事争议多元化解决机制。

创新新业态新模式监管方式。坚持包容创新、守住底线，适应服务经济新业态新模式特点，创新监管方式，提升监管能力。坚持审慎监管和包容式监管，避免过度监管，充分发挥平台型企业的自我约束和关联主体管理作用，创新对“互联网+”、平台经济、分享经济等的监管模式。

（四）营造公平普惠的政策环境

破除制约服务业发展的政策障碍，消除政策歧视，创新要素供给机制，加快形成公平透明、普惠友好的政策支持体系。

创新财税政策。积极构建有利于服务业创新发展的财税政策环境。落实支持服务业及小微企业发展的税收优惠政策。加大政府购买服务力度，研究制定政府购买服务指导性目录。有效发挥相关产业基金和服务业引导资金作用。推广政府与社会资本合作模式，引导社会资本投入服务业。

完善土地政策。优化土地供应调控机制，合理确定用地供给，保障服务业用地需求。依据不同服务门类特性及产业政策导向，有针对性地制定土地政策。探索对知识密集型服务业实行年租制、“先租赁后出让”等弹性供地制度。依法支持利用工业、仓储等用房用地兴办符合规划的服务业。创新适应新产业、新业态特点的建设用地用途归类方式。

优化金融支持。拓宽融资渠道，调整修订不适应服务企业特点的政策规定，支持通过发行股票、债券等直接融资方式筹集资金。探索允许营利性医疗、养老、教育等社会领域机构使用有偿取得的土地、设施等财产进行抵押融资。鼓励金融机构开发适应服务业特点的融资产品和服务。完善动产融资服务体系。鼓励有条件的地方建立小微企业信贷风险补偿机制。支持融资担保机构扩大小微企业担保业务规模。

深化价格改革。加快完善主要由市场决定价格机制，合理区分基本与非基本需求，放开竞争性领域和环节服务价格。健全交通运输价格机制，放开具备竞争条件的客货运输价格。创新公用事业和公益性服务价格管理方式。深化教育、医疗、养老等领域价格改革，营利性机构提供的服务实行经营者依法自主定价。全面清理规范涉企收费，推进实施涉企收费目录清单管理并常态化公示。

健全消费政策。鼓励消费金融创新，支持发展消费信贷。鼓励保险机构开发更多适应医疗、文化、养老、旅游等行业和小微企业特点的保险险种。

九、扩大开放，培育服务业国际竞争新优势

以“一带一路”战略为统领，推动服务领域双向开放，深度融入全球服务业分工体系，以高水平对外开放促进我国服务业大发展。

（一）深入推进服务领域对外开放

把服务领域开放作为我国新一轮对外开放的重中之重，在坚守国家安全底线的前提下，加大开放力度，丰富开放内涵，提高服务领域开放水平。

完善国际化法治化便利化营商环境。对外资全面实施准入前国民待遇加负面清单管理制度，简化外资企业设立和变更管理程序，提高市场准入透明度和可预期性。在财政政策、融资服务、土地使用和经济技术合作等方面实现内外资企业一视同仁。

推动重点领域对外开放。坚持服务全局、积极有序的原则，稳步扩大服务业对外开放。优先放开对弥补发展短板、促进产业转型升级、提高人民生活质量具有重要作用的领域。推进教育、医疗等社会服务领域有序开放。放开建筑设计、评级服务等领域外资准入限制。有序推动银行、证券、保险等领域对外开放。健全文化、互联网等领域分类开放体系，逐步放宽准入限制。鼓励外商投资工业设计和创意、工程咨询、现代物流、检验检测认证等生产性服务业。

（二）打造服务业全方位开放新格局

推动沿海沿边内陆全方位开放，拓展对外开放空间，形成平衡协调、纵横联动的服务业对外开放格局。

提升沿海服务业开放水平。鼓励沿海地区加大引资引技引智力度，大力发展高层次外向型服务业，建设一批承接国际服务转移的重要平台和国际服务合作窗口城市。支持有条件的地区建设具有全球影响力的金融、技术、信息等要素市场。

打造内陆、沿边开放型服务经济高地。依托战略性互联互通重大项目以及重点口岸、边境城市、边境（跨境）经济合作区和重点开发开放试验区建设，引导优质服务要素集聚，提升服务业开放水平。面向国际经济合作走廊，将边境省区中心城市和口岸城镇培育成为新的交通枢纽、贸易中心和金融服务中心。支持内地空港陆港门户城市，建成新的国际物流通道和人文交流中心。优化整合中欧班列，推进品牌化发展。大力发展边境旅游，推进跨境旅游合作区、边境旅游试验区建设。

深化内地和港澳、大陆和台湾地区服务业合作。进一步扩大对港澳开放服务领域，支持港澳充分发挥金融、商贸、物流、旅游、会展及专业服务优势，积极参与内地服务业发展和多种形式合作走出去。深化内地与香港金融合作。加深内地同港澳在文化教育、医疗保健、养老安老、环境保护、食品安全等领域的交流合作，支持内地与港澳开展创新及科技合作。以服务业合作为重点，加快前海、南沙、横琴等重大合作平台建设，推动粤港澳大湾区建设。促进大陆和台湾地区服务业合作。

（三）提升全球服务市场资源配置能力

鼓励服务企业在全球范围内配置资源、开拓市场，拓展发展新空间，提升国际竞争力。

加快发展服务贸易。积极开拓欧美等发达国家市场、“一带一路”沿线国家、拉美和非洲等新兴市场。巩固旅游、建筑等服务出口优势，扩大金融保险、交通运输、信息通信、研发咨询、环境服务等高附加值服务出口。积极推动文化、中医药等服务出口，加强体育、餐饮等特色服务领域的国际交流合作。大力发展服务外包，推动服务外包向价值链高端延伸。

创新全球服务资源配置方式。围绕关键短板和战略需求，支持服务企业以跨国并购、绿地投资、联合投资等方式，高效配置全球人才、技术、品牌等核心资源。鼓励企业通过在境外设立研发中心、分销中心、物流中心、展示中心等形式，构建跨境服务产业链。鼓励企业利用信息技术改造提升传统服务投资贸易方式，积极发展跨境电商、全球维修、全球采购等服务。

强化“走出去”服务支撑。鼓励会计、法律、资产评估、公共关系、海外救援等服务国际化发展，支持行业协会等机构参与建设海外支撑服务体系。健全“走出去”金融支持体系，发挥开发性、政策性金融机构作用，鼓励社会资本参与，拓宽海外投融资渠道。积极发展海外投资保险，扩大政策性保险覆盖面。构建高效有力的海外利益保护体系，提升服务能力。加强境外风险防控体系建设。

（四）积极参与国际服务投资贸易规则制定

积极参与多边双边、区域服务投资贸易谈判和全球经贸规则制定，增强在国际服务贸易中的制度性话语权。推动世界贸易组织（WTO）框架下的服务业开放谈判。主动参与相关国际服务贸易协定谈判。参与国际标准制定，推进优势、特色领域服务标准国际化，推动与主要贸易国之间标准互认。加快实施自由贸易区战略，构筑立足周边、辐射“一带一路”、面向全球的高标准自由贸易区网络。积极开展国际投资贸易新规则试验，提高自由贸易试验区等各类相关试验区建设质量，加快探索建立适应国际规则新要求的制度体系。积极推广成熟创新经验。

十、夯实基础，强化服务业发展支撑

健全服务业配套制度和基础设施，改善社会信用环境，加强人才队伍建设，保障消费者权益，夯实服务业持续健康发展基础。

（一）健全配套基础制度

完善服务业相关法律法规体系，健全知识产权保护、信息安全、社会组织管理、统计等制度。

完善法律法规体系。研究推进服务业相关基础性法律制定修订工作，加强权益保障、公平竞争、市场监管等领域的立法工作。

健全知识产权保护制度。完善专利权、商标权、著作权、商业秘密保护等法律法规，研究完善商业模式知识产权保护制度，完善互联网、大数据、电子商务等领域知识产权保护规则。简化优化知识产权审查和注册流程。推进知识产权基础信息资源共享。健全知识产权侵权惩罚性赔偿制度。健全企业海外知识产权维权援助机制。

健全信息安全保护制度。加强国家安全、个人隐私和商业秘密保护。建立健全大数据安全管理制度，实行服务领域数据资源分类分级管理和风险评估制度。建立互联网企业数据资源资产化和利用授信机制。加快完善网络安全、个人信息保护、互联网信息服务等领域法律法规，明确数据采集、传输、存储、利用、处理等环节的安全要求及责任主体，界定数据用途和发布边界。严厉打击非法泄露和出卖数据行为。

完善社会组织管理制度。完善行业协会商会类、科技类、公益慈善类、城乡社区服务类社会组织直接依法登记制度。稳妥推进行业协会商会与行政机关脱钩，增强行业协会商会助推行业发展、促进行业自律功能。完善公益性捐赠税前扣除、非营利性组织相关税收等政策。

完善统计制度。整合优化服务业统计调查资源，健全数据互通共享机制。适应服务业特点和业态模式创新，健全服务业统计调查制度，完善统计分类标准和指标体系，改进小微服务企业抽样调查和数据采集，提高统计数据精准性。加强和改进服务业增加值核算。加强大数据在服务业统计中的应用。

（二）强化人才队伍支撑

扩大人才供给，促进人才流动，加大引进力度，大力集聚一批适应服务业创新发展要求、具有国际化经营能力的企业家人才，建设规模宏大的服务业专业技术人才和高技能人才队伍。

健全人才使用和激励机制。打破制度障碍，完善职称评定、薪酬制度、社会保障等配套政策体系，促进医疗、教育、科技、文化等各领域人才有序自由流动。引导和鼓励高校毕业生到基层工作。完善职业技能鉴定制度，畅通技能人才成长路径，推动服务从业人员职业化、专业化发展。加强劳动保护和职业防护，积极改善医疗、养老服务护理人员等工作条件。健全人才创新成果收益分配机制，支持人才以知识、技能、管理等多种创新要素参与分配。挖掘多层次人力资源，注重发挥老年人力资源作用。

实施更加开放的人才政策。加快营造具有国际竞争力的人才吸引环境。加大国际人才吸引力度，通过完善外国人永久居留制度等措施，为海外人才来华工作、出入境和居留创造更加宽松便利的条件。推动“千人计划”“万人计划”、创新人才推进计划等重大人才计划向急需的服务行业倾斜。鼓励开展国际高水平人才交流活动。

加大人才培养培训力度。加大服务领域高端专业人才培养力度，扩大应用型、技术技能型人才规模，大力培养复合型人才。强化综合素质和创新能力培养，创新培养培训方式，深化产教融合、校企合作、工学结合的人才培养模式。推行终身职业技能培训制度，完善职业培训补贴政策，鼓励职业技能和专业知识持续更新。

（三）完善基础设施体系

适应产业结构、形态和模式变化，系统构建和完善适应服务业发展的基础设施体系。加快推进基础设施改造升级，提升智慧化和网络化水平。围绕满足新产业、新业态发展需要，补齐基础设施短板，在信息、交通、流通、旅游、社会服务等领域，组织实施基础设施建设重大工程。推进服务业相关基础设施标准化建设和改造，促进互联互通和系统功能优化。改进基础设施运营管理，提高运行效率。

【专栏3】 服务业相关基础设施建设重点领域

（一）信息基础设施。加快构建新一代信息基础设施。加强面向服务业应用的信息基础设施和平台建设，完善物联网、云计算及大数据平台等基础设施，统筹布局建设大型、超大型数据中心。建设数据信息资源开放平台。

（二）交通基础设施。积极构建国际运输网络。加快城市群城际铁路网建设，完善高铁快运设施。规划建设支线和通用航空机场。加快内河高等级航道建设。推动公共交通优先发展，加快大城市中心城区轨道交通建设，推动超大、特大城市市域（郊）铁路发展。加强综合交通枢纽布局、建设和运营衔接。完善港口集疏运体系。依托重要物流节点城市和枢纽站场，建设一批多式联运货运枢纽。积极发展智慧交通。

（三）流通基础设施。加强社区和农村流通基础设施建设，优化社区商业网点、公共服务设施的规划布局和业态配置。加快城市流通基础设施升级改造。建设或改造升级一批集运输、仓储、配送、信息为一体的综合物流服务基地。推动智能仓储设施和智慧物流平台建设。统筹交通、邮政、商务、供销等物流站点资源，推动城乡末端配送点建设。加强物流标准化建设，优化农产品冷链物流设施网络。

（四）旅游基础设施。畅通景区和乡村旅游区与交通干线连接，推动从机场、客运场站、客运码头到主要景区交通无缝对接。完善景区停车场、厕所、垃圾污水处理、游客信息服务等设施。建设邮轮游艇码头、自驾车房车营地、通航机场等新型旅游基础设施。规划建设区域性旅游应急救援基地。

（五）社会服务设施。严格按照新建居住区或社区建设相关规定，配建便民商业服务、社区服务、健身休闲等设施。促进教育培训、健康、养老、文化等服务设施建设和升级。盘活存量土地用于社会服务设施建设，改造提升现有社会服务设施。

（四）加强社会信用体系建设

加强信用法律法规建设，完善褒扬诚信、惩戒失信机制，引导服务企业和从业人员树立诚信理念、弘扬诚信美德，营造优良信用环境。

着力加强服务市场诚信建设。建立健全市场主体信用记录，开展服务企业诚信承诺活动，构建跨地区、跨部门、跨领域的守信联合激励和失信联合惩戒机制。加大对非法集资、商业欺诈等违法行为和破坏市场公平竞争秩序行为的查处力度，对严重失信主体实行行业限期禁入等限制性措施。强化医疗、教育、文化、旅游、商贸等领域诚信建设，提升工程建设、广告等领域诚信水平。运用互联网技术大力推进服务领域信用体系建设。

培育和规范信用服务市场。发展各类信用服务机构，逐步建立公共和社会信用服务机构互为补充、信用信息基础服务和增值服务相辅相成的多层次信用服务体系。支持具有较高市场公信力的第三方征信机构培育和发展。支持信用服务产品开发和创新，鼓励社会机构依法使用征信产品，拓展应用范围。推进并规范信用评级行业发展。加强信用服务行业自律和自身信用建设。

（五）保障消费者合法权益

坚持消费者优先理念，健全适应服务消费特点的制度安排，强化线上线下消费者权益保护，有效维护消费者合法权益。

着力提高信息透明度。健全服务信息依法依规告知制度，明确质量、计量、标准等强制性承诺信息内容，鼓励领军企业、行业协会商会发布更高标准的服务信息指引。严格落实经营者明码标价和收费公示制度。规范商业合同格式和条款解释，推进合同条款标准化、表述通俗化。利用各种公共信息平台，将政府各部门涉及企业违规违法行为及信用状况、服务质量检查结果、顾客投诉处理结果等信息及时向全社会公布。支持第三方机构开展服务评价。加强对消费者的金融、法律等专业知识普及。

完善消费者权益保障制度。推动调整修订现行法律法规中不利于保护消费者权益的条款，完善服务质量担保、损害赔偿、风险监控、投诉响应等制度。完善和强化服务消费惩罚性赔偿制度，加大赔偿处罚力度。推行先行赔付制度。充分发挥消费者协会等组织维护消费者权益的作用，积极发挥消费者维权服务网络平台作用。

健全服务纠纷解决机制。强化消费者权益损害法律责任，坚持依法解决服务纠纷。健全公益诉讼制度，适当扩大公益诉讼主体范围。探索建立纠纷多元化解决机制，探索和完善诉讼、仲裁与调解对接机制。

加快发展服务业是产业结构优化升级的主攻方向。各地区、各部门要加快转变观念，充分认识推动服务业发展的重大意义，着力营造服务业发展的良好环境。加强组织领导，健全工作机制，强化部门协同和上下联动，形成工作合力。各地区要因地制宜、大胆创新，积极探索服务业发展的新思路新举措，及时总结推广经验。各部门要按照分工研究制定具体实施方案，细化政策措施，切实履行好政府职责。充分发挥服务业发展部际联席会议制度作用，加强战略谋划，强化统筹协调和督促落实。加强宣传解读，积极营造全社会合力推进服务业创新发展的良好氛围。